S0-AYY-432

The Catholic
Theological Union
LIBRARY
Chicago, Ill.
WITHDRAWN

l'Expérience religieuse chez les jeunes

UNE ÉTUDE PSYCHO-SOCIOLOGIQUE DE L'ACTUALISATION DE SOI

DANS LA MÊME COLLECTION

Fernand Couturier, *Monde et être chez Heidegger,* 1971

Henri Prat, *l'Espace multidimensionnel,* 1971

l'Expérience religieuse chez les jeunes

UNE ÉTUDE PSYCHO-SOCIOLOGIQUE DE L'ACTUALISATION DE SOI

par

ROBERT SÉVIGNY

PRÉFACE DE FERNAND DUMONT

1971
LES PRESSES DE L'UNIVERSITÉ DE MONTRÉAL
C. P. 6128, Montréal 101, Canada

SBN 8405 0149 8
Dépôt légal, 1er trimestre 1971 — Bibliothèque nationale du Québec

Préface

Les nombreux chercheurs qui ont consulté, alors qu'elle n'était pas encore publiée, la thèse de Robert Sévigny en ont souvent souhaité l'impression. Ce vœu est exaucé. Le milieu scientifique et le grand public pourront enfin avoir large accès à l'une des belles monographies conduites au Québec depuis dix ans.

Sous la présentation sévère, où le souci d'objectivité est poussé très loin, on reconnaîtra la manière typique de Sévigny. Ceux qui, comme moi, s'honorent de l'avoir eu comme élève ou qui ont eu l'occasion de collaborer avec lui dans des activités scientifiques où il dépense un labeur inlassable ont vite discerné en lui un goût singulier de la discussion méthodologique, une virtuosité technique alliée à un souci de la rigueur qui lui ont conféré, dans le monde québécois de la recherche en sciences humaines, une place originale. On le reconnaîtra sans peine dans ce livre : dans la prudente confection des typologies, dans la sûre utilisation des techniques objectives, dans la présentation des hypothèses et des conclusions où rien n'est avancé sans être situé dans de justes limites.

Cette recherche se veut d'abord une contribution à la psycho-sociologie. Que l'on ne se méprenne pas sur le fait que l'auteur a emprunté son modèle théorique à Rogers. On constatera qu'il utilise librement cet emprunt, qu'il ne renonce ni aux choix ni aux ajoutés. Bien plus, en transposant dans une investigation psycho-sociologique sur la religion des notions théoriques qui lui venaient de la psychothérapie, Sévigny a posé un problème crucial : celui du remplissage *de catégories qui se donnent d'emblée comme formelles, comme valables pour les aires diversifiées des valeurs collectives. Bien loin de tant de vains syncrétismes entre sociologie, anthropologie et psycha-*

*nalyse qui ont justement été dénoncés, on se trouve ici devant une progression où la spécificité des étapes et des démarches est soigneusement marquée. À partir de la notion d'*actualisation, *l'auteur s'interroge sur ce qu'il appelle les* conditions actualisantes : « *Ce terme, dit-il, peut signifier une relation thérapeutique, mais il peut signifier également plusieurs autres types de situations sociales. Les recherches actuelles ont surtout vérifié cette hypothèse de base dans le secteur des relations interpersonnelles. Nous nous proposons, au cours de ce travail, de vérifier cette hypothèse dans le secteur des expériences religieuses qui mettent en cause plusieurs réseaux de relations interpersonnelles ainsi que la relation entre des individus et certaines institutions dont l'Église est la principale.* »

*On peut donc considérer le travail de Sévigny comme un prolongement original de l'entreprise de Rogers. Mais ce n'est pas assez. En un sens, l'auteur se place aussi en amont de l'entreprise rogérienne. Celle-ci, comme toute œuvre scientifique, est liée à un contexte idéologique : Rogers le suggère lui-même, une technique comme la sienne prône l'actualisation parce que la société (américaine en l'occurrence) met toutes sortes d'obstacles à l'épanouissement de la personnalité. Il est donc normal qu'on veuille inventorier plus avant ces obstacles qui dévoilent à la thérapie non seulement ses enracinements spécifiques mais aussi le contenu concret auquel donnent forme les démarches thérapeutiques. Il y a plus encore, et cela Sévigny ne l'a peut-être pas assez marqué bien que les entrevues qu'il analyse l'illustrent magnifiquement : l'*actualisation de soi *est elle-même un idéal relatif, une norme que les sociétés et les cultures ne prônent que très inégalement. La société américaine est ici aussi en cause, de même que la société québécoise à laquelle font écho les jeunes interrogés par l'auteur.*

De sorte que si un modèle psychologique particulier a inspiré une pareille recherche, celle-ci se trouve à lui apporter à la fois contenu et relativisation. Exemple classique de mise en rapport de la psychologie et de la sociologie. Souhaitons que Sévigny poursuive dans cette voie, comme il se le propose, et qu'il nous donne des travaux semblables portant sur d'autres situations sociales où les hommes de notre société poursuivent l'actualisation de soi. On n'oubliera pas toutefois que le secteur *religieux qu'il a ici exploré n'en est pas un parmi d'autres : il évoque, comme l'avaient souligné Durkheim et tant de sociologues, des valeurs qui se donnent comme cohésion d'ensemble des sociétés et des individus. Soit qu'elles en incarnent, pour les uns, la figure concrète ; soit que, pour les autres et par le vide même qu'elles laissent, elles suggèrent des prises de position également globales.*

L'ouvrage de Sévigny n'est évidemment pas qu'une leçon de méthode et de théorie. Il prétend éclairer les sentiments et les croyances religieuses au Québec.

À cet égard, on ne manquera pas de remarquer que l'enquête menée auprès d'un groupe de jeunes gens remonte aux années 1962-1964. C'est bien loin déjà, diront certains, en reprenant contact — surtout à la lecture des longs fragments d'entrevues rapportées dans ce livre — avec les « collèges classiques » de naguère, les aumôniers, les congrégations mariales, la J. É. C., tant d'institutions encore qui sont étrangères aux jeunes de 1970. Ils auraient tort d'en conclure que les données qui nous sont offertes sont périmées. D'abord parce qu'on refuserait de comprendre alors la génération des hommes qui sont dans la trentaine (et même celle qui dépasse la quarantaine). Surtout, sous prétexte de vouloir saisir l'aujourd'hui, on se priverait de l'expliquer : car ce qui nous manque davantage dans nos études sur le Québec de 1970 et sur l'existence vécue de nos concitoyens, c'est la faculté de démêler les fils complexes de l'évolution étonnamment rapide qui nous a affectés depuis une décennie. Là-dessus, la coupe *effectuée par Sévigny au mi-temps de cette évolution est d'un apport qu'on ne saurait sous-estimer.*

Dans cette perspective, je me permets d'inscrire quelques-unes des libres réflexions qui me sont venues à la relecture de cet ouvrage et qui ne sont d'ailleurs que l'amorce d'amicales discussions avec l'auteur.

***On s'étonnera qu'un psycho-sociologue,** invoquant au surplus un modèle où l'*actualisation de soi *est la notion fondamentale, ait conduit son enquête à partir de catégories aussi* objectives *que* Dieu, *l'*Église, *le* prêtre, *la* messe, *la* morale. *On aurait bien de la peine à tirer quoi que ce soit d'un jeune d'aujourd'hui en lui fournissant tout de go de pareils* stimuli : *le Christ, par exemple, devrait occuper une place centrale, de même que des expériences de vie plus larges et plus complexes. Pourtant, dans les années 1962-1964 — et on le vérifiera ici — ces stimuli ont été efficaces : même pour les jeunes d'alors qui s'éloignaient plus ou moins des pratiques et des doctrines officielles, le cadre de référence ancien demeurait suggestif. Sévigny a-t-il choisi ces thèmes à partir d'une théorie de la religion ou de l'enseignement religieux qu'il a lui-même reçu dans un « collège classique » ? Toujours est-il qu'il rejoint le schéma du petit catéchisme de naguère, ses insistances et ses discrétions. J'y songeais, l'autre jour, en écoutant une communication du père Rompré sur une analyse de contenu des anciens manuels qui ont marqué notre première initiation à la foi. En ce sens, on sera frappé par la recherche des jeunes informateurs de Sévigny en mal de la découverte de soi, conjuguant leur désir d'une autonomie personnelle avec les suggestions des doctrines et des institutions. Recherche typique qui, dans notre histoire, remonte aussi loin que les vieilles institutions qui les enserraient et dont Sévigny a peut-être reconstitué par chance le dernier épisode.*

*Car la notion d'*autonomie *pourrait bien servir, à ce propos encore, de fil directeur. Si j'avais à tracer une opposition grossière, que je corrigerai d'ailleurs aussitôt, je parlerais volontiers pour ma part d'une* autonomie d'opposition *et d'une* autonomie d'indifférence. *Je veux dire que, dans les propos des jeunes des années 1962-1964, le moi se conquiert toujours en se débattant avec une institutionnalisation du sens de la vie qui lui vient par un enseignement et un milieu très systématisés. Ou bien il s'y coule en y ajoutant du sien ou bien il les prend comme prétextes pour se définir. Il ne s'en éloigne jamais au point de ne plus les apercevoir à l'horizon ; les plus nettes affirmations d'incroyance ne sont que l'inversion, presque termes à termes, de la croyance. Observant la jeunesse de 1970, on ne peut manquer d'être frappé par une énorme différence : la recherche de l'autonomie renvoie à une prodigieuse variété de critères. Je ne veux pas dire qu'on ne réussirait pas à réduire ces critères* *à quelques dimensions simples, mais celles-ci ne trouveraient plus leur cohérence par rapport à un système très institutionnalisé. En comparant ainsi la jeunesse d'il y a six ou huit ans avec celle d'aujourd'hui, on discernerait quelques facteurs décisifs d'une transformation radicale de la société québécoise. Sévigny note, par exemple, que des thèmes comme le mal, la misère, la* vie, *la mort, l'au-delà « n'apparaissent guère dans le champ psychologique de ces jeunes informateurs de 18-20 ans ». S'il refaisait son étude aujourd'hui, on peut parier que ces thèmes seraient, au contraire, au premier plan.*

Faut-il en conclure que nous en sommes arrivés à cette « généralisation des valeurs et des normes » dont parle Parsons et sur laquelle, à sa suite, s'interroge brièvement l'auteur de ce livre ? Ce n'est pas du tout certain pour les États-Unis. Je ferais de plus expresses réserves encore pour le Québec. N'importe qui sera amené, en lisant Sévigny, à comparer le cadre religieux d'hier au cadre nationaliste d'aujourd'hui. Les sociétés ne font-elles que déplacer les figures globales qui servent aux individus à la tâtonnante recherche de l'actualisation de soi ?

Je m'éloigne trop sans doute d'une étude dont j'ai dit d'abord la rigueur minutieuse. Mais celle-ci renvoie aux plus larges hypothèses. C'est ce que ne manqueront pas de se dire aussi les lecteurs de ce livre d'où se lèvent des questions qui nous concernent au plus profond.

Fernand DUMONT

Avant-propos

La recherche présentée dans ce livre porte sur l'expérience religieuse d'un nombre restreint de jeunes étudiants canadiens-français de Montréal. La cueillette des données, par interview ou questionnaire, a été effectuée entre 1962 et 1964. L'analyse de ces données s'inscrit dans une perspective psycho-sociologique et s'inspire, en particulier, de la théorie de l'actualisation de soi de Carl Rogers. Le lecteur trouvera plus loin l'exposé systématique de la théorie, des méthodes et des techniques de recherche que j'ai utilisées, ainsi que les principaux résultats de mon analyse.

Je voudrais tout de suite familiariser le lecteur avec un certain nombre d'interrogations que pose inévitablement un travail comme celui-ci : pourquoi étudier les jeunes et pourquoi mettre l'accent sur l'expérience religieuse ? Pourquoi aussi utiliser la théorie de l'actualisation de soi ? Je voudrais aussi m'expliquer sur un certain nombre de décisions que j'ai dû prendre tout au cours de cette recherche et qui ont précisé — et limité en même temps — la portée de ce travail : je pense particulièrement à la position que j'ai adoptée quant à la définition du *religieux* et à la décision importante que j'ai prise de faire porter toute une partie de l'analyse sur une simple typologie de l'expérience religieuse. Cette dernière décision, en particulier, a eu pour conséquence de diviser l'analyse en deux grandes parties dont les liens ne sembleront peut-être pas évidents au premier abord.

Pourquoi les jeunes ? — Au Canada français comme ailleurs, les jeunes expriment tour à tour le mythe de l'homme de demain et la réalité de l'homme d'aujourd'hui. Au moment où a débuté mon enquête, les recherches portant sur la jeunesse ne connaissaient pas l'extraordinaire développement qu'on observe depuis quelques années, mais déjà il me semblait que les jeunes de dix-sept ou vingt ans vivaient une phase importante de l'évolution sociale du Québec : le Québec connaissait alors le début de sa révolution tranquille et, étant donné l'importance prépondérante qu'avait la religion au Canada français traditionnel, il devenait essentiel de comprendre les mécanismes de transformation de l'expérience religieuse.

Il ne faudrait pas se méprendre : mon travail ne visait pas à une analyse historique de l'expérience religieuse au Canada français ; rien, dans ma perspective de psycho-sociologue, ne m'autorisait à poursuivre un tel objectif. Par contre je présente, dans les pages qui suivent, un instantané de ce qu'était, à ce moment de l'évolution des jeunes du Québec, l'expérience religieuse. En dernière analyse, c'est dans la perspective du changement social que les données exposées ici prennent toute leur signification et toute leur valeur.

Au niveau des institutions sociales qui encadraient les jeunes de mon échantillon, il faut en effet préciser que l'enquête s'est effectuée juste avant que le collège classique et le cours secondaire public ne subissent les transformations profondes que l'on sait : il sera certainement très intéressant, dans quelques années, de comparer les résultats présentés ici à ceux, par exemple, que l'on obtiendra au C. E. G. E. P. ou à l'école secondaire polyvalente.

Au niveau des attitudes et des opinions, l'intérêt de mon analyse s'accroît quand on se rappelle que les changements d'attitude religieuse, chez les jeunes de notre milieu, semblent presque toujours liés à des changements d'attitude dans d'autres secteurs importants de leur vie ; d'autres études auxquelles j'ai participé récemment montrent en effet que les attitudes concernant la politique, la famille, le travail, etc., sont étroitement liées aux attitudes religieuses. Ainsi, par exemple, l'attitude favorable au travail de la femme se retrouve habituellement chez ceux qui se définissent comme les moins religieux : une constatation comme celle-ci donne une signification nouvelle au fait que la mère, beaucoup plus que le père, influence l'expérience religieuse des jeunes de l'échantillon. Le rejet de la religion signifie alors le rejet de tout un ensemble de valeurs liées à l'image de la femme et de la mère. Cet exemple illustre comment les résultats de mon enquête, en plus de leur intérêt immédiat, permettront de comprendre des processus de changements dépassant le cadre de l'expérience religieuse.

Enfin, pour un psycho-sociologue, les jeunes constituent un groupe privilégié parce que, dans nos sociétés modernes constamment mouvantes, les jeunes ont de bonnes chances d'exprimer explicitement, au niveau des conduites ou des attitudes manifestes, ce qui n'apparaît qu'au niveau latent chez les personnes de la génération précédente. Encore ici, mon travail ne visait pas à vérifier cette hypothèse portant sur le changement intergénérationnel ; mais des interviews faites à la même époque avec des personnes de trente à trente-cinq ans ont indiqué que ces adultes avaient souvent parcouru seuls, sans aucun support institutionnel, un chemin qui les portait à adopter des attitudes religieuses fondamentalement assez proches de celles des jeunes de dix-huit ou vingt ans. Ces adultes exprimaient de façon souvent indécise et détournée leur évolution religieuse et je sentais, dans leurs témoignages, que leur *point d'arrivée* à trente-cinq ans était le *point de départ* des jeunes de dix-huit ans. Pour diverses raisons, je n'ai malheureusement pas pu poursuivre cette comparaison de façon systématique avec des personnes de trente-cinq ans, mais je retrouvais là, moi qui avais justement (et peut-être pas par pur hasard !) cet âge au moment où j'étudiais l'expérience religieuse des jeunes, une autre signification importante de l'enquête que je menais auprès de ces derniers. « Est-ce toute la société qui change, ou est-ce surtout les jeunes qui changent ? » Marcel Rioux et moi avons déjà posé la question aux jeunes eux-mêmes il y a quelques années [1]. Peut-être la lecture des pages qui suivent permettra-t-elle à chacun de répondre pour lui-même à cette question.

Pourquoi étudier l'expérience religieuse ? — Est-il nécessaire de justifier le choix de l'expérience religieuse comme aire

1. Marcel Rioux et Robert Sévigny, *les Nouveaux Citoyens.*

d'exploration ? Tous les travaux sociologiques sur le Canada français en rappellent l'importance et l'intérêt : l'étude des changements sociaux et culturels de notre milieu ne saurait donc ignorer les transformations profondes de l'expérience religieuse [2].

C'est justement parce qu'en choisissant l'expérience religieuse comme aire d'exploration je voulais surtout « rejoindre » le milieu canadien-français dans une de ses dimensions profondes, que j'ai été amené à laisser de côté certains problèmes classiques dans le domaine de la sociologie des religions. Ainsi, mon objectif n'était pas de définir le *religieux* en lui-même pour juger ensuite jusqu'à quel point la religion des jeunes Canadiens français correspondait à cette définition, ni pour trouver, par exemple, à quel type de religion les jeunes de mon échantillon se rattachaient, par comparaison aux typologies religieuses caractérisant les grandes religions de l'Histoire. Mon objectif était plutôt de vérifier l'importance de certaines variables psycho-sociologiques (*v. g.* le sentiment d'être compris par autrui, l'autonomie, etc.) dans un secteur d'expérience que je savais être sociologiquement très important pour le Canadien français : la religion. Dans cette perspective, il m'a semblé moins nécessaire de rappeler certains travaux classiques dans le secteur de la sociologie de la religion comme ceux d'Éliade, Caillois, Van der Leeuw, Durkheim, etc.

Par ailleurs, il fallait quand même, au point de départ, que je me donne une définition opératoire de l'expérience religieuse pour « isoler », en quelque sorte, celle-ci des autres types d'expériences. Je le fais de façon explicite mais très brève dans l'introduction et cette définition demeure sous-jacente à toute l'analyse de la première partie. Ne me référant pas, comme je viens de l'expliquer, à tous les travaux portant sur les dimensions universelles des grandes religions, la définition donnée demeure très centrée sur le catholicisme. Il y a là une limitation sérieuse à mon travail que je ne voudrais en rien

2. Voir, par exemple, les travaux de Fernand Dumont ou de Guy Rocher.

masquer ; car encore ici il m'a paru que la définition préalable de l'expérience religieuse que j'ai utilisée était suffisante pour étudier par la suite les divers choix expérientiels qui s'offraient aux jeunes de mon échantillon et pour comprendre les divers mécanismes psycho-sociologiques qui sous-tendent la relation entre la personne et l'institution religieuse. Dans le cas que j'ai étudié, cette institution était l'Église catholique ; si ma définition du religieux est très centrée sur cette institution particulière, le lecteur comprendra que cette limitation vient de l'objectif même de mon travail. Et pourquoi ne pas reconnaître aussi qu'en sciences humaines la relation entre le chercheur et son objet de recherche pose un problème difficilement soluble ? Après tout, le sociologue sait très bien qu'il ne parvient jamais à se détacher complètement de sa propre situation.

La perspective psycho-sociologique. — Jusqu'ici j'ai mis l'accent sur l'importance sociologique de la jeunesse comme catégorie sociale et de l'expérience religieuse comme indicateur de changement social au Canada français. Pourtant le travail présenté ici est avant tout un travail de psycho-sociologie, en ce sens qu'il est centré d'abord sur l'expérience religieuse vécue par un certain nombre de personnes. Que ces expériences soient vécues « en situation », c'est-à-dire qu'elles soient vécues soit à l'intérieur soit en face des institutions religieuses du Québec, il est évident que je devais en tenir compte dans mon analyse. Le fait de m'attacher aux expériences *personnelles* ne signifie pas que je prétende qu'il s'agit là d'expériences *individuelles* : l'expérience religieuse comme expérience sociale n'est pas exclue d'une analyse psycho-sociologique. De la même façon qu'il m'avait fallu formuler une définition préalable de l'expérience religieuse, il me fallait aborder celle-ci dans une perspective théorique que je devais préciser dès le point de départ : cette perspective théorique fut celle de Carl Rogers.

Rogers a présenté une théorie de l'*actualisation de soi* à l'intérieur d'un système de relations interpersonnelles. Cette théorie s'est déjà avérée utile à l'analyse de secteurs de l'expérience humaine autres que la relation thérapeutique, qui fut son premier champ d'application [3]. Au cours d'un premier travail exploratoire, pourtant très partiel, j'avais déjà conclu que certains concepts rogériens s'appliquaient aux expériences religieuses d'un groupe d'adultes canadiens-français [4]. Ce travail m'avait permis de constater que, chez le laïc adulte, le *sentiment d'être compris* par le clergé était en relation à la fois avec la pratique religieuse et le secteur professionnel de son activité. Les laïcs non pratiquants étaient ceux qui avaient le moins le sentiment d'être compris par le clergé dans leurs préoccupations professionnelles, secteur de leur vie auquel ils accordaient pourtant le plus d'importance.

Plusieurs pasteurs et théologiens, en particulier de religion protestante, ont trouvé dans l'orientation non directive, qui caractérise la théorie psychologique de Rogers, un cadre d'analyse qui leur permettait de définir ou de redéfinir leurs fonctions pastorales [5]. Bien que les expériences dont témoignent ces représentants du clergé protestant ne soient pas nécessairement fondées sur des études empiriques, nous avons là une autre raison de supposer que le cadre rogérien d'analyse se prête assez bien à l'étude de certaines dimensions de l'expérience religieuse. Précisons toutefois que ma propre recherche n'est pas directement en relation avec ce courant de pensée et qu'elle repose sur une problématique qui en diffère sur plusieurs points importants.

Rappelons que l'expérience religieuse n'a jamais été exclue des préoccupations personnelles de Carl Rogers. Lui-même a fréquenté le Union Theological Seminary pendant quelques années et a toujours, par la suite, accordé beaucoup d'importance à cette période de sa vie [6]. Cet élément de la vie person-

3. Voir, en particulier, G. Mariam Kinget et Carl Rogers, *Psychothérapie et relations humaines,* vol. 1, p. 229-250.

4. Voir Robert Sévigny, *le Cadre interne de référence et le sentiment d'être compris dans les relations interpersonnelles avec clercs et laïcs.*

5. Voir, par exemple, la revue *Pastoral Psychology,* dans laquelle s'exprime souvent ce point de vue.

6. Voir Carl Rogers, *le Développement de la personne,* p. 7.

nelle de Rogers ne motive évidemment pas le choix de cette théorie comme cadre d'analyse de l'expérience religieuse des jeunes Canadiens français : il éclaire néanmoins certaines dimensions latentes de cette théorie.

Un autre aspect de la théorie de Rogers, plus technique celui-là, offre au chercheur des avantages évidents : cette théorie présente un cadre conceptuel qui guide à la fois la cueillette et l'analyse des données. Plus concrètement, disons que la théorie de Rogers décrit la relation interpersonnelle de l'interview non directive ou semi-directive que nous utilisons et sert à expliquer l'expérience religieuse elle-même. Ce trait caractéristique de la théorie rogérienne assure une plus grande homogénéité à la recherche.

Mon choix de la théorie rogérienne comme cadre d'analyse de l'expérience religieuse s'appuie également sur l'espoir d'y retrouver une description valide de l'homme d'ici et d'aujourd'hui. Même si le psychologue tend à attribuer à l'homme en général les besoins, les attitudes ou les traits que sa théorie élabore, il n'en présente pas moins l'homme en situation, c'est-à-dire l'homme d'un contexte social et d'une culture donnée. Toute théorie contemporaine de la personnalité témoigne donc, explicitement ou non, des fondements culturels de cette personnalité en tenant compte non seulement de la psychologie de l'homme d'aujourd'hui, mais des structures et des valeurs que lui propose son univers social.

Or, les jeunes adultes sont probablement ceux qui incarnent le mieux la psychologie de l'homme contemporain et leurs expériences religieuses constituent certainement, comme pour tout jeune Canadien français, un secteur important de leur évolution personnelle. Si la théorie rogérienne de la personnalité et des relations interpersonnelles décrit bien, au moins par certaines de ses dimensions importantes, la psycho-sociologie de l'homme contemporain, elle rendra compte adéquatement de l'expérience religieuse des jeunes Canadiens français.

Comme le lecteur pourra le constater, l'univers des besoins ou des tendances du psychologue et celui des valeurs du sociologue sont très près l'un de l'autre. En d'autres termes, le psychologue présente souvent, au nom d'une théorie universaliste, les tendances caractéristiques de l'homme situé dans le temps et dans l'espace. C'est là un biais auquel échappe difficilement le psychologue social : on ne pratique pas les sciences humaines de façon aussi détachée que les sciences exactes. C'est peut-être dommage pour la science, mais peut-être aussi est-ce heureux pour l'homme !

Au lecteur particulièrement intéressé à la théorie rogérienne de la personnalité et des relations sociales, je veux aussi préciser qu'il ne trouvera pas nécessairement dans ce travail un exposé systématique et complet de toutes les principales thèses rogériennes. Utilisant cette perspective rogérienne pour étudier un problème éloigné de son champ habituel d'application (*v. g.* l'interview, la thérapie, la dynamique des groupes restreints, la pédagogie, etc.), j'ai été amené, par la nature même de l'objet de cette étude, à délaisser la problématique traditionnellement adoptée par les chercheurs. Ceci est surtout évident dans la première partie de mon travail ; j'y ai élaboré une typologie de l'expérience religieuse qui, tout en s'inspirant de la théorie de l'actualisation de soi, n'utilise aucun des schémas classiques d'analyse. Le lecteur déjà familier avec la pensée de Rogers y retrouvera cependant les principaux concepts par lesquels il décrit l'expérience de relation humaine.

Dans la première partie de mon étude, ces concepts servent donc à analyser les divers types d'expériences religieuses qui constituent, du point de vue de la personne impliquée, les diverses possibilités existentielles qui s'offrent à elle. Cette typologie, établie aussi empiriquement que possible, a été élaborée à plusieurs niveaux : d'abord au niveau de chacun des principaux « éléments » de l'expérience religieuse (les croyances, les rites, etc.), puis au niveau plus général d'un certain nombre de modèles de référence religieuse. L'intérêt psychologique de cette typologie est double : d'abord elle établit la diversité des expériences religieuses et des conceptions liées à ces expériences dans un milieu où la religion a été longtemps présentée de façon monolithique ; puis elle décrit l'univers dans lequel chacun des jeunes de l'échantillon devait se situer, et vis-à-vis duquel chacun d'eux devait prendre position. Dans la seconde partie, le cadre rogérien sert à analyser la relation entre la personne et les divers groupes de référence : Église, clergé, parents, amis. Il sert également à établir une mesure de l'actualisation de soi, mesure que je mets ensuite en relation avec la conception de la religion elle-même.

Une dernière mise en garde semble ici s'imposer : dans ce travail, le lecteur ne devra chercher une description statistique ni des jeunes de 1969 ni même de ceux de 1962-1964. L'emploi de certaines mesures statistiques m'a permis de dégager diverses typologies ou tendances caractéristiques de l'expérience religieuse des jeunes de mon échantillon, et ce sont ces typologies et ces tendances elles-mêmes qu'il faudra retenir de mes analyses. En d'autres termes, il m'apparaît évident que les statistiques que le lecteur trouvera dans ce livre ne correspondront pas nécessairement à celles que découvrirait une enquête plus récente et portant sur l'ensemble des jeunes du Québec ; par contre, je suis persuadé que les diverses typologies et les diverses tendances que j'ai dégagées conservent toute leur actualité et permettent de comprendre certaines dimensions de l'expérience religieuse des jeunes d'aujourd'hui.

Une fois prise la décision de centrer l'analyse sur l'expérience religieuse de jeunes Canadiens français et de choisir la théorie rogérienne comme cadre d'analyse de ce type d'expérience, j'ai opté pour un échantillon relativement restreint : la recherche, je l'espère, gagnera en profondeur ce qu'elle perdra en extension. Cette restriction de l'échantillon se justifie, je crois, par l'état actuel des recherches dans le domaine psychosociologique de l'expérience religieuse et dans le domaine des applications possibles de la théorie rogérienne à des phénomènes dépassant le cadre des relations interpersonnelles.

L'état relativement peu avancé des recherches dans les domaines qui m'intéressent justifie enfin une autre option que j'ai prise : celle de recourir simultanément ou concurremment à plusieurs approches ou plusieurs méthodes d'enquête. Ainsi ai-je préféré utiliser deux petits échantillons et plusieurs modes d'analyse : l'analyse typologique des conceptions de l'expérience religieuse, l'analyse de contenu systématique des témoignages portant sur les relations interpersonnelles dans certains groupes de référence, l'analyse statistique des réponses à un questionnaire abordant plusieurs dimensions de l'expérience religieuse. Cette décision d'utiliser plusieurs voies méthodologiques, plutôt que de recourir à une seule d'entre elles et d'en explorer toutes les dimensions, assure une validation « croisée » [7] à la recherche empirique tout en assumant l'état actuel des recherches psycho-sociologiques de l'expérience religieuse.

Un travail comme celui que je présente ici suppose, à des titres divers, la collaboration de plusieurs personnes. Sans qu'il me soit possible de les nommer toutes, qu'elles retrouvent ici l'expression de mes sincères remerciements [8]. Je veux toutefois souligner la collaboration de M. Fernand Dumont qui, tout au long de ce travail, m'a aidé de ses conseils et de ses encouragements.

Je tiens à remercier les jeunes gens qui se sont prêtés à l'entrevue ou qui ont répondu au questionnaire. Je suis très conscient d'une certaine contradiction entre l'attitude de l'interviewer et celle du chercheur. L'un aspire à une communication avec l'informateur et à une compréhension intime de son témoignage ; l'autre se situe dans une perspective d'observation et d'analyse. Si chaque informateur trouve ici son identification sous un numéro matricule et si son témoignage porte le sceau d'un score statistique, c'est seulement que la nature même de mon étude l'exigeait.

R. S.

7. Empruntée au langage de la statistique, cette notion de validation « croisée » implique, par exemple, que vérifier une hypothèse à partir de deux échantillons relativement restreints assure une grande validité, parce que le chercheur peut multiplier les probabilités des conclusions auxquelles il parvient.

8. Parmi ces personnes, mentionnons Mlle Lizette Jalbert, Mme Francine Bernard, MM. Luc Martin, Marc Laplante, Paul Bernard et Pierre Guimond.

Introduction

I

La théorie de la personnalité et des relations interpersonnelles de Carl Rogers

La théorie de la personnalité et des relations interpersonnelles de Carl Rogers, qui nous servira tout au long de notre travail, s'appuie sur la notion de tendance à l'actualisation. Cette tendance, inhérente à tout homme, s'exprime dès qu'aucun obstacle n'entrave son développement ou sa mise en application. La théorie de Rogers décrit donc d'une part les principaux traits caractéristiques de la personnalité qui s'actualise pleinement et, d'autre part, le type de relations interpersonnelles qui favorise le mieux le développement de cette personnalité.

Notre propre travail nous amènera d'abord à décrire ce processus d'actualisation de la personnalité à travers les expériences religieuses des jeunes gens de notre échantillon, puis à discuter diverses situations sociales qui favorisent ou empêchent cette actualisation. Certaines de ces situations sociales, on le verra, impliquent divers réseaux de relations interpersonnelles. Nous reviendrons plus loin sur les problèmes méthodologiques liés à l'utilisation que nous ferons de cette théorie.

Précisons tout de suite que l'actualisation, selon Rogers, ne se mesure pas par certaines conduites que l'observateur désignerait comme des signes ou des indices d'actualisation : celui qui s'actualise ne se caractérise pas par le fait d'avoir telle ou telle expérience. Il se caractérise plutôt par la façon de vivre ces expériences et par la façon de se les représenter dans le champ de conscience. En d'autres termes, cette théorie décrit un ensemble de traits qui caractérisent la dynamique psychologique de la personnalité qui s'actualise. Ce que nous appellerons les critères d'actualisation sont les traits que présuppose le processus d'actualisation : la congruence, la cohérence, l'autonomie, l'ouverture à l'expérience.

L'exposé très schématique que nous présentons ici vise avant tout à rappeler les principaux éléments de cette théorie dont notre propre analyse tiendra compte. Cet exposé ne prétend pas résumer l'ensemble de la pensée rogérienne, que l'on peut retrouver ailleurs [1]. Notre exposé n'a pas pour but, non plus, d'en présenter une analyse critique ni d'en rappeler les nombreux éléments de concordance avec diverses autres théories psychologiques [2]. Enfin, précisons que l'exposé qui suit inclut quelques notions qui, tout en étant fondamentalement en accord avec la théorie de Rogers, n'ont pas été directement formulées par ce dernier. C'est le cas, en particulier, des notions de cohérence et de groupes de référence. Le lecteur, déjà familiarisé avec les travaux de Rogers, retrouvera aisément les aspects de cette théorie que nous avons privilégiés et ceux que nous avons légèrement modifiés dans la poursuite de notre propre recherche. L'objectif de cet exposé, répétons-le, n'est pas la présentation rigoureuse de l'ensemble de la pensée rogérienne, mais plutôt la présentation de notre propre cadre

1. La plupart des travaux importants de Rogers sont maintenant accessibles au lecteur français. Voir : G. Mariam Kinget et Carl Rogers, *Psychothérapie et relations humaines ;* Carl Rogers, *le Développement de la personne.* On retrouve une excellente présentation de la théorie rogérienne dans Max Pagès, *l'Orientation non directive en psychothérapie et en psychologie sociale.* Ces trois ouvrages fournissent une bibliographie complète des travaux en langue française aussi bien qu'en langue anglaise portant sur cette théorie.

2. Rogers lui-même a indiqué clairement certaines affiliations entre sa propre théorie et celles d'autres chercheurs : voir, en particulier, G. Mariam Kinget et Carl Rogers, *Psychothérapie et relations humaines,* vol. 1, chap. 7 et 8. Max Pagès, pour sa part, analyse les rapports existant entre l'orientation non directive de Rogers et la psychanalyse : voir Max Pagès, *l'Orientation non directive en psychothérapie et en psychologie sociale,* chap. 8.

d'analyse qui, en majeure partie, s'inspire directement de Rogers et qui demeure toujours en accord avec celui-ci. Voyons donc rapidement les principales notions relatives à cette théorie de l'actualisation de la personnalité.

A. L'EXPÉRIENCE ORGANISMIQUE

La notion centrale de la théorie de Carl Rogers est celle d'expérience et, par expérience, il entend « tout ce qui se passe dans l'organisme à un moment quelconque et qui est potentiellement disponible à la conscience » ; autrement dit, tout ce qui est susceptible d'être appréhendé par la conscience [3]. Les seules conduites qui n'entrent pas dans le cadre de cette définition sont les conduites dont on ne peut pas prendre conscience à cause des processus physiologiques sous-jacents. Selon l'hypothèse rogérienne, l'ensemble des autres conduites est, potentiellement au moins, accessible au champ de conscience. La notion assez simple d'expérience organismique rappelle que toute conduite humaine implique une réaction totale de l'organisme humain. Très souvent, la psychologie, même la psychologie contemporaine, distingue entre les composantes intellectuelles, affectives et physiologiques de la conduite comme si l'individu n'avait pas à la fois des expériences intellectuelles, affectives et physiologiques. Il est bien évident, par ailleurs, que certaines conduites utilisent davantage l'une ou l'autre de ces dimensions.

Pour un petit groupe, à qui l'on a confié la tâche bien précise de trouver une solution à tel problème, il apparaît clairement que la solution à ce problème exige un travail avant tout intellectuel : définir le problème, inventorier les solutions possibles et établir la valeur de chacune, etc. On ne participe pas à une tâche semblable sans faire l'expérience de certaines émotions et de certaines réactions physiologiques. Certains se fâchent, d'autres sont satisfaits, certains deviennent pâles, d'autres manifestent plus de tension, etc.

3. G. Mariam Kinget et Carl Rogers, *Psychothérapie et relations humaines,* vol. 1, chap. 8, définition 3, p. 164.

La conscience qu'une personne aura de cette expérience globale, totale, organismique, pourra varier énormément : on peut très clairement se rendre compte qu'on est en colère, n'en prendre aucunement conscience, ou ne la ressentir que confusément. Enfin, Rogers définit l'expérience comme une donnée immédiate et non comme une accumulation d'expériences antérieures. L'expérience ne constitue pas alors un tout qui viendrait se cristalliser de manière stable et définitive. Au contraire, ce concept d'expérience se rapporte à ce qui est vécu par une personne, à un moment quelconque. On ne parle plus de l'expérience d'une personne, mais plutôt de ses expériences. Sa vie entière constitue un déroulement d'expériences vécues, organismiques.

B. LE CADRE INTERNE DE RÉFÉRENCE

1. CONSCIENCE DU MONDE ET CONSCIENCE DE SOI. — Rogers prend bien soin de définir l'expérience comme tout ce qui, dans l'organisme, « est potentiellement disponible à la conscience » parce qu'à cette notion d'*expérience,* il oppose justement celle de *conscience.* « La conscience, dit-il, correspond à la représentation ou symbolisation, non nécessairement verbale, d'une partie de l'expérience vécue [4]. » Cette définition implique d'abord que la notion de conscience englobe tout ce qui, d'une façon ou de l'autre, à quelque niveau que ce soit, fait partie à un moment donné du champ psychologique [5]. Ce qui importe au chercheur psychologue est avant tout de reconstituer et de comprendre l'univers des sentiments, des significations et des valeurs personnelles. Car le cadre interne de référence est avant tout un univers de significations et de valeurs.

Une autre caractéristique fondamentale de cette théorie psychologique est qu'elle essaie de comprendre l'homme en situation. La personne est avant tout un organisme en situation,

4. G. Mariam Kinget et Carl Rogers, *Psychothérapie et relations humaines,* vol. 1, chap. 8, définition 6, p. 166.

5. *Ibid.*, définitions 8 et 9, p. 167-168.

et la conscience de soi est une conscience de *moi tel que je suis* dans telle situation déterminée, ou de *moi tel que je suis avec telle ou telle personne,* etc. Dans cette orientation, le cadre interne de référence d'une personne et, en particulier, l'image de soi, peuvent être décrits en termes de groupes de référence. Retrouver les principaux groupes de référence d'une personne, comprendre l'image qu'elle se fait d'elle-même à l'intérieur de chacun de ces groupes, les significations et les valeurs qu'ils représentent pour elle, comprendre également ses diverses participations affectives ou symboliques à ces groupes, voilà autant de façons de décrire et d'atteindre l'univers psychologique d'une personne [6].

2. DIFFÉRENCIATION DANS LE CHAMP PSYCHOLOGIQUE. — Une première différenciation existe entre l'image qu'une personne se fait d'elle-même et l'image qu'elle se fait du monde qui l'entoure. Nous allons ici mettre l'accent sur l'image de *soi* en montrant comment cette image est elle-même relativement différenciée.

Une première différenciation s'effectue à partir des divers éléments qui permettent à une personne de prendre conscience d'elle-même. Une personne peut, en effet, se définir à partir de diverses qualités ou de défauts : je suis bon, honnête, compétent, etc. Elle peut, par ailleurs, se faire une image d'elle-même à partir de divers comportements qui, à son point de vue, la caractérisent. Si elle dit : « je prends bien soin de mes enfants, je sors souvent avec ma femme, je fais des discours politiques, etc. », elle se définit d'une certaine façon. Par

6. Nous utilisons ici la définition de groupe de référence de Merton et de Shibutani qui englobe à la fois les groupes de participation et les groupes auxquels on ne participe pas effectivement, mais auxquels on se réfère dans l'orientation de sa conduite. Certains psychologues sociaux, dont Shibutani, définissent d'ailleurs le cadre interne de référence en termes de groupes de référence. « Le concept de *groupe de référence* peut être employé pour désigner tout groupe, réel ou imaginaire, dont le point de vue est utilisé comme cadre de référence par l'acteur [...]. Pour chaque personne, il y a autant de groupes de référence qu'il y a de réseaux de communication auxquels elle participe » (Tamotsu Shibutani, *Society and Personality,* p. 257).

ailleurs, la même personne peut se faire une image d'elle-même à partir de certains modèles qui, pour elle, représentent ce qu'elle a l'impression d'être : « je suis ou je ne suis pas comme mon père, je suis ou ne suis pas comme le leader de tel groupe dont je fais partie, etc. » En même temps, la même personne peut se faire une image d'elle-même en se référant au modèle proposé par l'autorité : « je suis ce que l'Église veut que je sois ». Enfin, la personne peut se faire une image d'elle-même en prenant conscience de ses divers sentiments, de ses propres attitudes : « je suis heureux ou malheureux, je suis à l'aise ou mal à l'aise dans telle situation, etc. » Ce sont là diverses images plus ou moins reliées entre elles qui peuvent constituer la conscience de soi d'une personne. D'autre part, l'image de ce que je suis actuellement ne constitue pas le seul élément de l'image de soi.

L'image du *soi idéal,* c'est-à-dire de ce que je voudrais être, est aussi un élément important de cette image. Cette image de soi peut également se définir en termes de qualités, d'attitudes, de sentiments, de comportements, de modèles, etc. En plus de l'image de soi et de l'image du soi idéal, vient s'ajouter celle de *ce que les autres voudraient que je sois.* Cette image touche à la fois l'image de soi et l'image du monde extérieur. L'on pourrait multiplier ainsi les exemples d'une image de soi différenciée. Nous aurons à y revenir en parlant du phénomène de cohérence interne.

3. Stabilité ou mobilité de l'image de soi. — L'image de soi, comme la notion d'expérience, n'est pas définie comme une structure stable, une donnée cristallisée et définitive. Au contraire, Rogers définit l'image de soi comme étant « en continuel état de flux », comme étant « constamment changeante, encore qu'elle soit toujours organisée et cohérente [7] ». Après avoir rappelé le phénomène des figures ambiguës, étudiées par la psychologie de la forme, il ajoute ceci :

> Quelque chose de ce genre peut se produire dans l'image que le client se fait de lui-même. À l'occasion de quelque

7. G. Mariam Kinget et Carl Rogers, *Psychothérapie et relations humaines,* vol. 1, définition 12, p. 169.

> événement parfois insignifiant, son attitude vis-à-vis de lui-même se modifie, entraînant un changement considérable dans l'idée qu'il se fait de lui-même.
> Le moi se révèle donc comme une Gestalt qui se modifie, non essentiellement par voie d'addition ou de soustraction, mais par voie d'organisation et de réorganisation [8].

De son expérience clinique, Rogers tire quelques exemples de « fluctuations radicales » dans l'image de soi de ses clients ; exemples qui servent de fondement empirique à sa définition de l'image de soi.

Ses travaux laissent aussi entrevoir une autre notion de cette image. Quand il affirme que dans la thérapie « le client ne semble pas avoir d'autre but que de devenir son véritable moi », ce moi ne saurait être considéré comme un simple processus en continuel changement. Il s'agit bien en quelque sorte d'un phénomène relativement stable dans le champ psychologique du client. On retrouve la même idée, exprimée de façon plus explicite, quand il expose sa notion de « considération positive ». À partir d'expériences diverses avec d'autres, la personne en vient à se faire une image globale de la valeur que le milieu lui reconnaît. Ce milieu est, en d'autres mots, l'« autre significatif généralisé » de G. H. Mead. Cette image globale de l'« autre significatif », plus ou moins intériorisée par la personne, constitue une structure totale intégrant des expériences antérieures et relativement stables dans le champ psychologique.

La stabilité de l'image de soi est donc un phénomène très relatif. Chez une même personne, elle peut varier selon les diverses situations vécues et les différents stades de la vie [9]. Le degré de stabilité peut varier également d'une personne à l'autre. De fait, la tendance de l'image de soi à être plus ou

8. G. Mariam Kinget et Carl Rogers, *Psychothérapie et relations humaines,* vol. 1, définition 12, p. 172.

9. Super a montré comment la vie d'une personne s'inscrit dans une série de stades, et comment le changement dans l'image de soi s'effectue surtout au moment de la transition d'un stade à l'autre (voir Donald E. Super, *Psychology of Careers,* 2e partie : « The Course and Cycle of the Working Life »).

moins soumise aux changements constitue un critère dont tout psychologue clinicien se sert quand il pose un jugement clinique sur une personne.

L'image de soi étant, d'une part, en perpétuel état de devenir et d'autre part, une donnée relativement stable dans le champ psychologique, n'implique pas deux conceptions contradictoires. La première acception du terme réfère à la conscience que l'individu a de telle ou telle expérience et la seconde, à l'image plus globale que l'individu se fait de lui-même à tel moment de son histoire. Ce concept, nous l'utiliserons dans les deux sens que Rogers lui donne.

C. LE FONCTIONNEMENT OPTIMAL DE LA PERSONNALITÉ

Une fois définies, ces notions d'expérience organismique et de cadre interne de référence, toutes deux nécessaires à la compréhension de l'ensemble de la théorie rogérienne de la personnalité, il est possible d'étudier comment Rogers définit le fonctionnement optimal de ce type pur de personnalité qu'il propose et les facteurs dynamiques d'actualisation qui favorisent ce fonctionnement. Rogers présente ce type sous quatre traits interdépendants [10] :

— La cohérence qui qualifie un champ psychologique [11] constamment organisé, mais fluide, mouvant et apte au changement ;

— La congruence qui correspond chez l'individu à sa capacité de symboliser adéquatement au champ de conscience son expérience de lui-même et de son univers. Elle apparaît comme un processus d'unification ;

10. Encore ici nous suivons de très près l'exposé de Rogers lui-même (voir G. Mariam Kinget et Carl Rogers, *Psychothérapie et relations humaines,* vol. 1, p. 225-228).

11. Rogers, pour sa part, s'y réfère en termes de cadre interne de référence.

— L'autonomie à laquelle l'individu accède par le processus d'évaluation, impliquant de sa part une acceptation, une valorisation inconditionnelle de sa propre image et non pas nécessairement un accord total avec ce qu'il est et tout ce qu'il fait. L'individu devient ainsi le centre de sa propre évaluation ;
— L'ouverture à l'expérience qui caractérise l'individu dont le fonctionnement social s'inscrit dans un processus d'actualisation maximale de ses potentialités. Également cohérent et doué de congruence, il s'avère moins vulnérable aux situations ambiguës et incohérentes, habituellement source d'anxiété, ainsi que plus apte à une acceptation inconditionnelle des autres.

Ce concept de fonctionnement optimal, il est important de le noter, veut caractériser le fonctionnement psychologique de l'individu et non son intégration sociale. La personne jouissant d'un fonctionnement optimal sera celle qui s'actualisera au maximum dans des situations sociales, parce qu'elle aura tendance à utiliser toutes ses possibilités créatrices et, de façon plus générale, toutes les potentialités de sa personnalité. Cette personne ne sera cependant pas nécessairement intégrée socialement, ne se conformera pas inévitablement aux normes du groupe. Il peut même arriver que cette personne décide d'appliquer ses possibilités de création à une modification de ces normes sociales. La théorie de Rogers n'est donc pas une théorie de l'adaptation sociale, ni une théorie de ce qu'on appelle parfois une théorie de la santé mentale, impliquant que la personne en santé mentale est celle qui s'adapte rigoureusement aux normes de la société.

D. LA COHÉRENCE

Une des hypothèses implicites de la théorie de Rogers est celle qui suppose l'existence d'une tendance à la cohérence dans le champ psychologique [12]. Cette tendance à la cohérence,

12. Rogers parle à peine du phénomène de cohérence entre les différentes régions du champ psychologique. Le seul aspect qu'il met ici en relief est celui de la flexibilité et de la grande aptitude au changement qui caractérise la personnalité à fonctionnement optimal.

ou ce besoin de cohérence, implique que toute personne doit en arriver pour elle-même à une certaine synthèse et établir une relation qui lui apparaisse satisfaisante entre les diverses régions de son champ psychologique. Si on se limite à l'exploration du soi, à l'image que l'individu se fait de lui-même, il serait juste de parler en fait de diverses images qui présentent entre elles un degré plus ou moins grand de cohérence. La personne n'est pas nécessairement appelée à faire coïncider ces diverses régions jusqu'à les rendre toutes identiques ou semblables : la cohérence entre le *moi* et le *moi idéal,* par exemple, n'implique pas nécessairement que je me perçoive comme étant exactement ce que je voudrais être, mais que je puisse intégrer dans un même tout ces deux images et que je prenne conscience d'une certaine continuité, d'un certain accord entre elles. La prise de conscience de soi-même constitue ainsi la recherche d'une certaine cohérence entre les principales régions du champ psychologique [13]. Cette personne à organisation ou cohérence optimale du champ serait toujours capable de modifier certains aspects de son champ de conscience et de tenir compte de façon plus adéquate, à la fois de ses expériences et des situations extérieures à elle-même. Il apparaît évident, pour Rogers comme pour Rokeach, que la capacité d'en arriver à une cohérence optimale est liée au phénomène de congruence.

Les psychologues sociaux utilisant la notion de rôle abordent presque inévitablement ce problème de la cohérence sous le biais des conflits de rôle et de l'intégration des rôles. L'on

13. La personne ayant une organisation optimale du champ psychologique aurait aussi les caractéristiques de ce que Rokeach a décrit comme étant celles de l'*open mind.* Le champ psychologique de cette personne serait relativement plus différencié. Le degré de différenciation serait le même pour toutes les régions du champ. Le secteur concernant les systèmes de croyances autres que ceux de la personne elle-même, par exemple, serait tout aussi différencié que le secteur concernant les systèmes de croyances propres à la personne. Malgré cette différenciation du champ relativement bien marquée, il y aurait peu de barrières, peu de cloisonnements entre les différentes régions du champ. Parallèlement à cette différenciation, le champ psychologique serait aussi plus fluide et plus flexible (voir Milton Rokeach, *The Open and Closed Mind*).

distingue alors, comme le fait Sarbin [14], le rôle défini d'un point de vue extérieur à la personne et la conscience que cette personne a de ce rôle. Toutes les situations sociales impliquant un conflit de rôles posent au détenteur de ces rôles un problème de cohérence. La personne a en somme à intégrer l'image qu'elle se fait d'elle-même. L'hypothèse fondamentale suggère que la personne tend à une intégration de ses divers rôles, à une cohérence aussi parfaite que possible entre chacun. La prise de conscience de ses différents rôles conduit la personne à une prise de conscience d'elle-même [15].

D'un autre côté, la recherche de la cohérence interne dépasse l'exploration des rôles et des groupes de référence. Il semble, en effet, que chez plusieurs personnes, la prise de conscience d'elles-mêmes se fasse justement par une opposition entre le rôle et la personne. Le rôle social, lorsqu'il est imposé, fait prendre conscience à la personne de ce qu'elle est, à part d'être celle qui remplit tel et tel rôle. Deux images coexistent alors dans le champ psychologique : « ce que je suis vraiment et ce que je suis obligé d'être devant les autres ». Ce sentiment d'aliénation renforce le besoin de se découvrir une cohérence interne, une identité personnelle [16].

La tendance à la cohérence peut donc se réaliser par deux processus distincts : la recherche des divers groupes auxquels je m'identifie et dans lesquels je joue des rôles ; la recherche de mon identité propre, telle que je puis en prendre conscience lors de mes diverses expériences organismiques, impliquant toujours un réseau de relations sociales. Ces deux processus de prise de conscience décrivent bien un problème de cohérence : cohérence entre *ce que je suis dans telle situation* et *ce que je suis dans telle autre situation*, cohérence

14. Voir Theodore R. Sarbin, « Role Theory », dans Gardner Lindzey, *Handbook of Social Psychology*, vol. 1, chap. 6.

15. Voir à ce sujet Helen Merrell Lynd, *On Shame and the Search for Identity*, chap. 5 : « Search for Identity », en particulier p. 210 et s.

16. *Ibid.*, p. 166-170 et p. 184-195.

entre ce que j'ai l'impression d'être et *ce que je communique de moi-même aux autres* ou cohérence entre l'*être* et le *paraître* [17].

Buber, dans son analyse du lien interhumain, fait bien ressortir ce problème de cohérence entre l'*être* et le *paraître* [18]. Rogers, à son tour, rappelle, à propos de la thérapie non directive, comment le client est fondamentalement à la recherche de son *véritable* moi. Il retrouve chez ses clients ce besoin fondamental de cohérence entre ce qu'ils ont l'impression d'être *vraiment* et ce qu'ils ont l'impression d'être obligés de paraître dans leurs réseaux de relations sociales [19].

La tendance à la cohérence se retrouve donc au centre du processus de prise de conscience de soi-même. Ce concept permet également de cerner davantage le phénomène de stabilité ou d'instabilité du champ psychologique. Cette stabilité, en effet, implique une cohérence entre deux séries d'images : l'image de *ce que je suis actuellement* et l'image de *ce que j'ai été,* à divers moments antérieurs de mon existence. Une telle cohérence ne s'associe aucunement à une absence de changement au cours de l'existence, mais implique un sentiment de continuité, d'identité dans le temps.

E. LA CONGRUENCE

1. DÉFINITION. — Toutes les données d'une expérience ne sont pas également accessibles à la conscience. Certaines émotions, certaines peurs, liées, par exemple, à une expérience

17. Pour décrire ce phénomène Rogers utilise plutôt la notion de *congruence* entre l'image de soi et l'image communiquée aux autres. Nous préférons toutefois utiliser la notion de cohérence pour décrire un état d'accord ou de désaccord entre deux images du champ de conscience.

18. Martin Buber, *la Vie en dialogue,* en particulier p. 204-208.

19. Dans notre contexte culturel, tout au moins, la recherche de l'identité propre représente, sinon l'objectif principal, au moins un des objectifs de toute psychothérapie. Voir à ce sujet Helen Merrell Lynd, *On Shame and the Search for Identity.*

donnée, peuvent ne pas entrer dans la représentation que la personne se fera de cette expérience. Le degré de disponibilité et la représentation de l'expérience dans le champ de conscience constituent précisément la mesure de congruence.

La notion de congruence est essentiellement relative, puisque la symbolisation de l'expérience peut être d'une congruence parfaite ou d'une incongruence totale. Une personne qui serait parfaitement consciente de toutes les données de son expérience serait une personne parfaitement douée de congruence. S'il y a décalage total entre son expérience et la conscience qu'elle en a, il y a complète incongruence.

Une autre façon de formuler le même phénomène est de dire qu'il y a plusieurs strates dans le champ psychologique. Il y a certaines données de l'expérience dont une personne est très consciente, d'autres dont elle n'est pas du tout consciente. Entre ces deux extrêmes, il y a plusieurs niveaux intermédiaires de conscience. Les textes de Rogers fournissent maints exemples de ce phénomène de décalage entre l'expérience et la conscience. Un des processus inhérents à la relation thérapeutique est, en effet, d'amener le client à faire une exploration de plus en plus profonde de lui-même et, par là, d'en arriver à une plus grande congruence. Aussi presque toujours, des entrevues non directives permettent-elles de déceler chez une personne un certain nombre de phénomènes d'incongruence de ce type. L'analyse des objectifs et des motivations des responsables d'associations font souvent ressortir cette complexité du champ de conscience. Il arrive, par exemple, que l'on soit surtout conscient des motivations qui coïncident avec les motivations officielles, c'est-à-dire avec les motivations que l'on devrait avoir pour faire partie de telle association. Il peut fort bien arriver que l'on ait en même temps plusieurs motivations et que ces motivations ne soient pas dans le champ de conscience. Par exemple, telle jeune fille du monde rural qui décrit les motivations religieuses de son appartenance à telle association d'action catholique dit, après plusieurs minutes d'entrevue, qu'au moment où elle s'y est jointe, tout son groupe d'amis était parti pour la ville. Elle se sentait seule depuis quelques mois lorsqu'elle rencontra quelqu'un qui lui parla de l'association. À ce moment de l'entrevue, elle était consciente du fait que son appartenance à cette organisation satisfaisait chez elle certains besoins de contacts sociaux avec des jeunes de son âge. Mais elle n'avait pas clairement établi la relation entre la satisfaction de ces besoins et sa décision d'entrer dans l'association. Il y avait chez elle toute une zone d'attitudes et de motivations religieuses qui correspondaient justement aux motivations suggérées par l'association à ses membres, et qui étaient beaucoup plus conscientes que ses autres motivations.

L'expérience de Getzels et de Walsh montre bien, dans un contexte expérimental, ce phénomène de congruence [20]. À partir de deux séries parallèles de phrases à compléter, la première série étant de forme directe et la seconde, de forme projective, Getzels et Walsh ont pu montrer comment les sentiments et les attitudes ne sont pas tous clairement représentés dans le champ de conscience. En général, dans le test de forme projective, on exprimait plus de sentiments agressifs, de sentiments pessimistes et aussi plus d'attitudes socialement moins acceptables. Par exemple, quand il demandait au sujet de compléter une phrase concernant les Noirs, les attitudes étaient beaucoup plus négatives à leur égard dans la forme projective du test que dans la forme directe. Nous avons nous-même repris cette expérience avec un groupe d'étudiants et nous avons pu montrer comment l'échec aux examens constituait une expérience qui est extrêmement difficile d'intégrer totalement dans le champ de conscience. Certaines formes d'évasion devant l'échec sont exprimées dans la forme projective du test mais ne le sont guère dans la forme directe. Cette expérience, comme plusieurs autres que nous pourrions rappeler ici, montre bien l'existence de plusieurs niveaux dans le champ de conscience.

2. EXPLICATION DE CETTE INCONGRUENCE. — Cette incongruence s'explique par le jeu de plusieurs facteurs. Certains d'entre eux n'entrent pas dans le cadre de la théorie rogérienne,

20. N. W. Getzels et J. J. Walsh, « The Methods of Direct and Projective Questionnaire in the Study of Attitude Structure and Socialization », *Psychological Monograph,* vol. 72, nº 1, 1958.

mais nous croyons qu'il est bon de les mentionner ici. Un premier facteur d'incongruence, relativement simple, est qu'il soit à peu près impossible pour une personne de *toujours* être consciente de *tous* les éléments d'une expérience. Certains aspects de l'expérience, qui en soi peuvent devenir conscients, ne le deviennent pas, tout simplement parce qu'il y a déjà plusieurs autres aspects dont la personne prend conscience. Mais ce facteur ne concerne guère le phénomène de congruence tel que nous l'entendons ici. Le concept d'incongruence s'applique surtout à la personne qui ne prend pas conscience de certains aspects de son expérience dont il serait important, pour elle à ce moment-là, de prendre conscience.

Le développement du langage et de la vie intellectuelle relègue également au second plan certains aspects de l'expérience. Certes, la prise de conscience chez l'enfant s'explique par le développement du langage. Mais, il y a là une certaine antinomie. En même temps que le langage permet de prendre conscience de certains aspects de l'expérience, il empêche souvent le recours à d'autres formes de communication comme, par exemple, au langage non verbal. En d'autres termes, l'attitude logique empêche facilement la prise de conscience de certaines réactions organismiques. Il s'agit d'un facteur dont le cadre rogérien ne tient pas compte.

Le phénomène d'incongruence s'explique, par ailleurs, par un phénomène de sélection. En général, on tend à ne pas intégrer dans le champ de conscience des expériences qui nous apparaissent comme inacceptables ou trop menaçantes. Un sentiment, par exemple, peut être inacceptable parce qu'il apparaît illogique. Dans l'expérience dont nous venons de parler avec un groupe d'étudiants, il paraissait inacceptable d'exprimer certaines réactions de tristesse ou d'agressivité devant ses confrères, après un échec aux examens. Il est possible, à ce moment-là, que l'étudiant soit tout de même conscient de son sentiment de tristesse et que, tout simplement, il ne l'exprime pas devant ses confrères, mais il est aussi très possible qu'il n'en devienne pas conscient.

À partir de ce qui précède, on peut généraliser en disant que l'image de *soi* joue un rôle de régulateur dans la prise de conscience. On ne prend conscience, selon Rogers, que de ce qui est en accord avec l'image qu'on se fait de soi-même : « Les éléments d'expérience qui s'accordent avec l'image du moi, sont rendus disponibles à la conscience tandis que ceux qui ne s'accordent pas avec cette image sont interceptés. L'image du moi apparaît donc comme un mécanisme régulateur du comportement [21]. »

F. L'AUTONOMIE

1. Besoin de valorisation ou de considération positive inconditionnelle. — Toute image de soi, toute prise de conscience de soi, implique une prise de conscience d'une valeur positive ou négative. Prendre conscience de ce que je suis, dans telle situation, implique que je prends conscience de moi-même comme bon ou mauvais, habile ou malhabile, compétent ou incompétent, etc.

Rogers ne se limite pas à rappeler l'existence de ce processus de valorisation. Il pose plutôt l'existence d'un besoin fondamental de valorisation positive. Plus exactement, Rogers pose que chaque personne a besoin d'être considérée de façon positive par les autres et de se considérer soi-même de façon positive. Il est peut-être plus facile de décrire d'abord la considération positive que l'on peut ressentir pour une autre personne :

> Quand je constate qu'une autre personne se rend compte d'une quelconque expérience relative à elle-même, et quand cette constatation m'affecte d'une façon positive, j'éprouve un sentiment de considération positive à son égard. De même, l'individu qui se perçoit comme l'objet de la considération positive de la part d'une autre personne, se rend compte de ce qu'il affecte le champ expérientiel de cette autre personne d'une manière positive. [...] en langage plus simple, la considération positive englobe généralement les sentiments et attitudes de chaleur, d'accueil, de sympathie, de respect, d'acceptation [22].

21. G. Mariam Kinget et Carl Rogers, *Psychothérapie et relations humaines,* vol. 1, p. 172.

22. *Ibid.*, p. 182.

Le terme *intérêt* peut aussi décrire ce même phénomène à la condition qu'il s'agisse de l'intérêt porté à l'autre en tant que personne. Si je m'intéresse à quelqu'un pour ce qu'il peut m'apporter, à ce moment-là je n'ai pas une considération positive de cette personne dans le sens que ce terme a ici.

Cette considération positive, s'adresse donc à la personne dans son ensemble plutôt qu'à des conduites isolées. Accepter une personne, l'apprécier, ne signifie pas nécessairement être d'accord sur tout avec elle ni apprécier également tout ce qu'elle fait [23]. Cette acceptation globale de la personne devra évidemment s'exprimer par certaines attitudes ou certaines conduites particulières. Il faut également distinguer entre l'acceptation conditionnelle ou inconditionnelle. L'enfant, par exemple, devant ses parents, peut avoir le sentiment d'être aimé par eux *à la condition* de se comporter de telle ou telle manière. Il peut cependant avoir aussi le sentiment, plus ou moins confus, que fondamentalement ses parents l'aiment, l'apprécient, l'acceptent, malgré ses défauts ou malgré telle manière de se comporter que ses parents n'aiment pas. Dans le premier cas, il y a considération conditionnelle, dans le second, considération inconditionnelle [24].

Le besoin de considération dont nous parlons ici est en fait un besoin de considération inconditionnelle. Ce besoin, Rogers en voit l'importance dans la relation thérapeutique :

> En effet, l'un des facteurs les plus puissants de la relation thérapeutique semble émaner de l'attitude d'appréciation inconditionnelle que le thérapeute témoigne à l'égard du client en tant que personne. Il ne semble pas douteux qu'en éprouvant et qu'en manifestant une telle attitude, tant envers les expériences dont le client est effrayé ou honteux qu'envers celles dont il est fier et heureux, le thérapeute contribue aux changements d'attitudes qui s'accomplissent chez le client et qui représentent essentiellement le processus thérapeutique. Petit à petit, le client

23. G. Mariam Kinget et Carl Rogers, *Psychothérapie et relations humaines,* vol. 1, p. 183.

24. *Ibid.*, définitions 30, 33 et 34, p. 183-185.

> en vient à adopter cette même attitude de considération à l'égard de tous les éléments de son expérience [25].

Le besoin de considération positive envers soi-même pourrait se définir dans des termes semblables. D'ailleurs, la considération qu'une personne ressent pour elle-même est dynamiquement reliée à la considération, positive ou négative, manifestée à son égard par les personnes de son milieu qui sont importantes à ses yeux. Cette relation entre la considération positive manifestée par les autres à son égard et la considération qu'une personne ressent pour elle-même se retrouve à la fois sur le plan de l'évolution génétique et sur le plan des relations que la personne peut établir dans sa vie contemporaine.

Encore une fois, le cas de la relation thérapeute-client constitue peut-être un cas typique, puisque dans cette relation, le client vient à adopter pour lui-même l'attitude de considération positive inconditionnelle que le thérapeute manifeste à son égard. C'est là un processus que Rogers suppose non seulement dans le processus thérapeutique, mais dans toute relation interpersonnelle.

2. Autonomie et valorisation de soi. — La notion d'autonomie est directement reliée au processus de valorisation. De façon très schématique, on peut dire que la personne autonome est celle qui a, en elle-même, les critères qui lui servent à évaluer ses propres conduites et à s'évaluer elle-même comme personne. L'évaluation de soi-même constitue un type de conduite qui est privilégié dans la théorie de Rogers. Comme toute conduite, toutefois, elle peut être analysée en termes de cohérence et en termes de congruence.

En termes de cohérence. — La question centrale est celle-ci : où est le centre d'évaluation de la personne ? La personne s'évalue-t-elle en fonction de l'image idéale qu'elle se fait d'elle-même ou s'évalue-t-elle en fonction de ce qu'elle pense que les autres voudraient qu'elle soit ? « La personne qui s'évalue à

25. G. Mariam Kinget et Carl Rogers, *Psychothérapie et relations humaines,* vol. 1. p. 184.

partir de l'image idéale qu'elle a d'elle-même est la personne autonome ; celle qui s'évalue à partir de ce qu'elle pense que les autres voudraient qu'elle soit est une personne hétéronome [26]. »

En termes de congruence. — L'hypothèse fondamentale encore ici suggère que la personne tend d'elle-même à être le plus congrue possible dans son expérience d'évaluation d'elle-même. La personne autonome est alors celle chez qui il n'y a pas de décalage entre les critères d'évaluation effectivement utilisés, au niveau organismique, et les critères dont la personne a conscience de se servir. En d'autres termes, la personne autonome est une personne douée de congruence. À ce type pur auquel correspond la personne autonome s'oppose la personne hétéronome. Celle-ci s'évalue à partir de critères non intériorisés. Certes, elle peut avoir l'impression de s'évaluer à partir de ses propres critères, mais ceux-ci ne sont pas les critères de l'organisme dans son ensemble. Cette évaluation se fera tantôt à partir des critères extérieurs, non intériorisés, qui sont dans le champ de conscience, tantôt à partir de critères plus organismiques qui, eux, ne sont pas dans son champ de conscience. Ce décalage entre les deux systèmes d'évaluation rend l'expérience d'évaluation insatisfaisante pour une personne parce que celle-ci ne peut alors habituellement comprendre ce qui se passe en elle, ne peut comprendre ses propres conduites évaluatives.

La personne absolument autonome est donc également une personne présentant une congruence parfaite et la personne tout à fait hétéronome présente une absence complète de congruence. Toutefois, dans la réalité, il est possible de trouver des personnes qui tout en n'étant pas parfaitement douées de congruence, tendront à avoir en elles-mêmes leur centre d'éva-

26. On reconnaît ici la problématique de D. Riesman qui, lui, oppose l'autonomie à l'intéro-direction et à l'extéro-direction. Ces deux derniers types de conformisme supposent une absence d'intériorisation des normes : le premier comporte un conformisme à l'égard des autorités et le second, à l'égard des pairs (voir D. Riesman, *la Foule solitaire*).

luation, c'est-à-dire tendront à s'évaluer à partir de l'image idéale qu'elles se font d'elles-mêmes [27].

3. Le critère d'évaluation de soi : l'actualisation. — Jusqu'ici, nous avons porté notre attention exclusivement sur l'intériorisation ou la non-intériorisation des critères d'évaluation. Mais il faut répondre à une autre question importante : quel est ce critère d'évaluation ? Ce critère, dans l'hypothèse rogérienne, est toujours le sentiment d'actualisation de soi. La personne tendra à avoir une considération positive d'elle-même à l'occasion de telle ou telle expérience, si elle a le sentiment que cette expérience lui permet d'actualiser les possibilités de son organisme. S'il s'agit, par hypothèse, d'une personne totalement douée de congruence, toutes ses possibilités seront symbolisées de façon adéquate dans le champ de conscience et dans ce cas, le critère d'actualisation ne donnera lieu à aucune ambiguïté au moment de l'évaluation : le sentiment d'actualisation ou de non-actualisation symbolisera alors adéquatement l'expérience vécue.

Par ailleurs, dans le cas d'une personne peu douée de congruence, celle-ci ne sera pas parfaitement consciente de l'ensemble des possibilités de l'organisme et elle aura tendance à s'évaluer, tantôt à partir de l'image qu'elle se fait d'elle-même ou de son idéal, tantôt à partir des réactions organismiques de satisfaction ou d'insatisfaction dont elle n'a pas autant conscience. Dans les deux cas, le critère demeure, en définitive, la tendance actualisante de l'organisme.

27. Ceci signifie que, sur le plan de l'analyse, il faut distinguer le problème de la cohérence et celui de la congruence. Cette discussion peut paraître ici très académique et peu utile à l'analyse. Il s'agit là, au contraire, d'un problème extrêmement important pour comprendre la réaction de l'étudiant, par exemple, à certain système d'autorité. L'étudiant qui se dit insatisfait dans ses relations avec telle ou telle autorité exprimera-t-il son insatisfaction en disant que ce système d'autorité ne le reconnaît pas comme autonome, ou se dira-t-il insatisfait parce que le système ne lui donne pas des directives extérieures assez précises et assez rigides ? C'est là une des questions auxquelles il nous faudra répondre au cours de l'analyse de notre matériel.

G. *LES FACTEURS DYNAMIQUES DE L'ACTUALISATION*

L'élaboration des principaux concepts d'expérience, de conscience de soi et des autres, de cohérence, de congruence et d'évaluation de soi nous a permis de définir le fonctionnement optimal de la personnalité et de montrer les liens qu'ils supposent au niveau théorique. Selon Rogers, les principaux facteurs qui favorisent le fonctionnement optimal de cette personnalité décrite précédemment sont : la tendance à l'actualisation inhérente à tout organisme, et le milieu social pouvant permettre ou empêcher ce développement.

1. TENDANCES FONDAMENTALES. — Comme explication au phénomène d'actualisation, Rogers dit que toute personne possède « une tendance inhérente à actualiser les potentialités de son organisme » et que, d'autre part, « l'individu a la capacité de se présenter son expérience de façon correcte et il a tendance à exercer cette capacité [28] ». La réalisation de ces tendances est conditionnée par le type de relations que cette personne établit avec son milieu.

2. LE RÔLE D'AUTRUI DANS LE PROCESSUS D'ACTUALISATION. — On peut envisager le rôle d'autrui dans le développement de l'actualisation sous deux angles différents : sous l'angle génétique et sous l'angle des expériences contemporaines de l'adulte.

a) Explication sur le plan génétique. — Sur le plan génétique, la pensée de Rogers se rapproche de celle de G. H. Mead [29]. En quelques mots le processus de développement serait le suivant : avant d'en arriver à une considération positive d'elle-même, une personne doit faire l'expérience d'être considérée par autrui de façon positive. Si les autres personnes

28. G. Mariam Kinget et Carl Rogers, *Psychothérapie et relations humaines,* vol. 1, p. 162-164.

29. La notion de *personne-critère* ou d'*autre significatif* s'inspire des analyses de G. H. Mead (voir *ibid.,* p. 185 et p. 208-213).

socialement importantes pour elle, les « autres significatifs », lui expriment ainsi une considération positive, l'image qu'elle se fera d'elle-même sera également positive. Cette image de soi, cependant, ne demeure pas toujours aussi liée à l'image que l'autre lui communique. Au contraire, plus une personne est considérée positivement par les « autres significatifs », plus sa propre considération positive d'elle-même deviendra autonome, indépendamment de la considération d'autrui. Elle aura alors intériorisé les valeurs qui lui étaient transmises. « Elle joue alors, par rapport à elle-même, le rôle de personne-critère assumé antérieurement par certaines personnes qui occupaient une place importante dans son économie interne [30]. »

Cette théorie de l'intériorisation des normes au cours du développement génétique demeure toutefois sans vérification empirique dans les travaux de Rogers. Son analyse porte plutôt sur les relations que l'adulte entretient avec d'autres personnes sur un plan plus contemporain.

b) Les expériences contemporaines : l'acceptation et la compréhension. — Au point de vue des expériences contemporaines de l'adulte, on peut résumer Rogers par la proposition suivante : l'adulte s'actualisera d'autant plus que l'*autre* manifestera à son égard une double attitude d'acceptation inconditionnelle et de compréhension. Comme, par ailleurs, cette attitude d'acceptation et de compréhension doit atteindre le champ de conscience de l'adulte concerné, pour influencer l'actualisation de celui-ci, on peut définir les deux conditions d'actualisation en se plaçant au point de vue de l'adulte qui reçoit la communication et dire : l'adulte s'actualisera d'autant plus qu'il aura le sentiment d'être accepté sans condition et d'être compris par l'autre avec qui il est en contact. Toute chose étant égale par ailleurs, le sentiment d'être accepté et le sentiment d'être compris par l'autre favorisent toujours une plus grande actualisation de la personne [31].

30. G. Mariam Kinget et Carl Rogers, *Psychothérapie et relations humaines,* vol. 1, p. 210.

31. L'influence des expériences contemporaines a surtout été étudiée par Rogers au cours de ses analyses portant sur la relation thérapeutique (voir *ibid.,* p. 115-145 et p. 190-205).

La notion d'acceptation inconditionnelle d'autrui a déjà été décrite précédemment. Il nous reste donc à préciser celle de la compréhension d'une personne. Cette dernière notion suppose qu'un individu, entrant en communication avec un autre, utilisera le cadre interne de référence de ce dernier, connaîtra son univers des valeurs, ses préoccupations, ses centres d'intérêt, etc. Ne pas comprendre une personne, c'est lui imposer un cadre autre que le sien et l'obliger à tenir compte d'un univers psychologique également différent du sien.

En se plaçant du point de vue de celui qui reçoit la communication, on peut dire alors : avoir le sentiment d'être compris, c'est sentir que l'*autre* devient, momentanément au moins, un autre moi-même. En somme, ce sentiment d'être compris implique toujours fondamentalement la perception d'une cohérence entre l'univers psychologique des deux personnes en présence. *Le sentiment d'être compris* est très proche de celui d'être valorisé inconditionnellement.

D'un autre côté, il est plus facile d'accepter autrui sans condition et de le comprendre si on est soi-même doué de congruence, cohérent et autonome. En ce sens, la cohérence et la congruence chez X, par exemple, favorisera l'actualisation chez Y. On peut alors résumer ainsi les facteurs dynamiques et contemporains de l'actualisation. Supposons deux personnes X et Y, en contact l'une avec l'autre : X s'actualisera d'autant plus que Y sera lui-même une personne actualisée, cohérente, congrue, autonome qui le comprendra et l'acceptera sans condition. De la même façon qu'on pose une tendance *actualisante* inhérente à toute personnalité, on pourrait donc supposer l'existence possible de *conditions actualisantes* ou de *situations actualisantes.*

H. DEUX AUTRES CONDITIONS PRÉALABLES

Pour que ces facteurs dynamiques que nous venons d'indiquer influencent effectivement l'actualisation d'une personne, deux autres conditions doivent être remplies. La première est qu'il y ait, au moins chez une des deux personnes, la décision existentielle d'entrer en communication. L'autre condition est encore plus fondamentale. Il faut qu'il existe entre les deux personnes une aire de communication en commun. Pour appliquer le schème de Rogers à la relation avocat-client, c'est l'exemple que Rogers emploie lui-même, il faut le faire à l'intérieur de cette aire de communication qui concerne le problème pour lequel l'avocat sera consulté. Rogers suppose alors que si l'avocat est cohérent, doué de congruence, autonome, *en ce qui touche cette aire de communication,* les problèmes légaux par exemple, son schème d'explications sera valide.

Pour notre propre analyse, ces deux conditions préalables seront extrêmement importantes. La réaction de l'étudiant devant ce qui lui est proposé sur le plan religieux pourra être fonction de la décision existentielle qu'il prendra d'entrer ou non en contact avec certains représentants religieux ou pourra être fonction du sentiment qu'il a ou qu'il n'a pas de l'existence d'une aire de communication commune à lui et à ses représentants religieux. Fondamentalement, l'hypothèse de cette théorie est que, toute chose étant égale par ailleurs, une personne réalisera sa tendance actualisante d'autant plus qu'elle rencontrera des conditions qui lui permettront cette actualisation. Ce sont ces conditions que nous appelons des *conditions actualisantes.* Ce terme peut signifier une relation thérapeutique, mais il peut signifier également plusieurs autres types de situations sociales. Les recherches actuelles ont surtout vérifié cette hypothèse de base dans le secteur de la thérapie et dans le secteur des relations interpersonnelles. Nous nous proposons, au cours de ce travail, de vérifier cette hypothèse dans le secteur des expériences religieuses, expériences qui mettent en cause plusieurs réseaux de relations interpersonnelles ainsi que la relation entre des individus et certaines institutions dont l'Église est la principale.

II

L'expérience religieuse modèle d'analyse

A. *OBJECTIF GÉNÉRAL DE LA RECHERCHE*

Notre recherche s'inspire du cadre général de recherches de l'école anthropologique culture-personnalité et, plus précisément, du cadre d'analyse proposé par certains auteurs qui ont tenté d'appliquer ce schème général à la relation personnalité-structure sociale. Toutefois, ce cadre général décrit une intention qui ne sera que partiellement réalisée au cours de ce travail. En effet, les démarches méthodologiques inhérentes à ce type d'analyse supposent une analyse préalable des systèmes de personnalité et des systèmes sociaux dans lesquels sont imbriquées ces personnalités avant d'en arriver à la description et à l'analyse de la relation personnalité-structure sociale elle-même [1]. Or, les études sociologiques de l'Église catholique et des catholiques ne nous fournissent pas les données nécessaires à une telle analyse. Comme notre propre travail porte sur l'analyse de la personnalité *en situation,* c'est-à-dire

1. Voir, à ce sujet, Alex Inkeles et Daniel J. Levinson, « National Character : The Study of Modal Personality and Socio-cultural Systems », dans Lindzey Gardner, *Handbook of Social Psychology,* vol. 2, chap. 26, p. 977-1021 ; Alex Inkeles, « Personality and Social Structure », dans Robert K. Merton, Leonard Broom et Leonard S. Cottrell Jr., *Sociology Today,* chap. 11.

en relation avec diverses structures sociales de l'Église, nous conservons cet objectif ultime sans toutefois qu'il s'agisse d'une analyse systématique de la relation personnalité-structure sociale : notre analyse tiendra compte de certaines structures sociales, mais uniquement à travers la conscience qu'en auront nos informateurs, à travers leurs attitudes et leurs options personnelles.

On peut résumer l'objectif de ce travail en disant qu'il vise à fournir des matériaux pouvant ultérieurement servir à une sociologie du catholicisme et à une analyse psycho-sociologique de la relation entre l'Église comme institution et la personnalité de ses membres. Considérée en elle-même et de façon plus immédiate, cette recherche vise *à décrire et à analyser le processus d'actualisation ou de non-actualisation lié à l'expérience religieuse.*

B. DÉFINITION DE L'EXPÉRIENCE RELIGIEUSE

Avant de préciser notre modèle d'analyse, il nous faut définir brièvement la notion d'expérience religieuse elle-même. Celle-ci est en soi un phénomène mouvant et complexe qui ne se définit bien qu'à la lumière d'un certain nombre de ses dimensions.

Problèmes fondamentaux. — L'expérience religieuse suppose d'abord la conscience de certains problèmes fondamentaux : les problèmes de l'origine du monde, de l'existence, de la vie, de la mort, de la survie, illustrent bien certains d'entre eux. À l'origine d'une telle expérience apparaissent donc certaines préoccupations perçues comme une remise en cause des fondements de la personnalité, de la société, de l'humanité ou de l'univers. C'est à ce type de problèmes que la plupart des grandes religions proposent une réponse.

Aveu de faiblesse. — Un second élément de l'expérience religieuse se trouve intimement lié au précédent. Non seulement ces problèmes sont-ils fondamentaux, mais ils se présentent à la conscience comme dépassant les limites de l'homme. Malinowski [2], par exemple, considère cet « aveu de faiblesse » comme un trait essentiel du phénomène religieux. Yinger, au cours de son analyse critique des diverses définitions du phénomène religieux, en arrive à la conclusion que la religion est toujours fondée sur une « conscience de l'abîme qu'il y a entre leurs espoirs [ceux des hommes] et les réalités de l'existence [3]. »

Sentiment de dépendance. — L'expérience religieuse implique, d'autre part, que l'homme religieux en plus de la conscience qu'il a de son impuissance, développe un sentiment de dépendance à l'égard d'une force ou d'un être supranaturel. Ce sentiment est à l'origine du sentiment de l'existence d'un Dieu tout-puissant [4].

Le salut. — Enfin, à ce sentiment de dépendance à l'égard d'un Dieu créateur s'ajoute la conscience de la possibilité du salut. Les réponses de l'homme religieux à ses préoccupations ultimes lui viennent de ce Dieu dont il dépend. En d'autres termes, non seulement ce Dieu est-il reconnu comme tout-puissant, mais aussi comme source de salut, c'est-à-dire comme offrant à l'homme une réponse à ses problèmes fondamentaux. Cette conscience d'une possibilité de salut est précisément ce qui distingue l'expérience religieuse de l'expérience morale. Dans son expérience des valeurs morales, l'homme a le sentiment de pouvoir participer à la création de celles-ci, de trouver lui-même, en définitive, les solutions aux problèmes fondamentaux de l'existence. Dans l'expérience religieuse au contraire, le salut apparaît comme *donné* à l'homme par Dieu [5].

2. Bronislaw Malinowski, *The Foundations of Faith and Morals,* cité par J. Milton Yinger, *Religion, société, personne,* p. 19.

3. J. Milton Yinger, *ibid.,* p. 8.

4. Tillich, dans la définition qu'il donne de l'expérience de la foi, exprime cette conscience d'une dépendance en insistant sur l'aspect passif de l'expérience religieuse : « *Faith is the feeling of being grasped by an ultimate concern* » (voir Paul Tillich, « Faith and the Integration of Personality », *Pastoral Psychology,* vol. 3, 1957, p. 11-14).

5. Voir à ce sujet G. Gurvitch, *Morale théorique et science des mœurs,* chap. 4 : « Le problème de l'expérience morale », en particulier p. 128-132.

La religion. — Les dimensions précédentes circonscrivent l'expérience de celui qui a la foi. Mais une définition de l'expérience religieuse doit, en outre, inclure la dimension collective et sociale d'une telle expérience. Ces sentiments de dépendance et de possibilité de salut ont toujours été exprimés à travers des expériences collectives. Dans les sociétés *évoluées* [6], ces dernières ont lieu à l'intérieur des cadres d'une Église. Ces expériences religieuses collectives impliquent habituellement un ensemble de croyances et de pratiques culturelles, ainsi qu'un système de rapports sociaux [7]. Ces trois éléments constituent fondamentalement trois modes collectifs de représentation et de symbolisation de l'expérience de la foi. En d'autres termes, chez l'homme religieux, la conscience d'être en présence d'un Dieu de qui dépend son salut se traduit et s'exprime symboliquement par ces trois modes de représentation. Complétons cette définition rapide par quelques remarques qui en préciseront le sens et la portée.

a) Les expériences affective et rationnelle. — La référence aux notions de *problème* ou de *préoccupation* implique que l'expérience religieuse ne peut se limiter à un processus rationnel. Elle suppose également une expérience affective où se retrouve le sentiment d'être aux prises avec un ou plusieurs de ces problèmes. Ce sentiment peut évidemment devenir l'objet d'une connaissance rationnelle. L'expérience religieuse, considérée dans son ensemble, intégrera alors les deux attitudes rationnelle et affective. Une démarche qui se voudrait exclusivement rationnelle ne saurait être définie comme une expérience religieuse. Le concept de conscience que nous utilisons dans cette définition de l'expérience religieuse englobe donc ces deux modes de connaissance.

b) L'expérience vécue. — Notre définition se situe évidemment au niveau générique, en ce sens qu'elle décrit l'expérience

6. Une société *évoluée* est celle dont la structure sociale est relativement plus différenciée que celle d'une société dite *primitive.*

7. Voir J. Milton Yinger, *Religion, société, personne,* p. 21. Précisons que le « système des rapports sociaux » signifie ici les rapports entre les membres de l'Église, qui sont structurés selon un modèle particulier, *v.g.* la relation prêtre-laïc, pape-évêque.

religieuse de l'homme en général, non celle de tel ou tel individu. Pour les fins de notre recherche, il faudra adapter notre définition de façon à bien circonscrire l'expérience individuelle. L'expérience de la foi se définira alors comme celle où le salut venant de Dieu apparaît à l'homme comme la réponse à ses propres problèmes fondamentaux. Cette référence aux problèmes fondamentaux propres à la personne n'indique pas qu'il faille opposer les problèmes fondamentaux de l'existence, vécus par tout homme, à d'autres qui seraient purement idiosyncrasiques ; elle met simplement en relief la particularité des problèmes fondamentaux tels qu'ils sont vécus existentiellement par une personne donnée et tels qu'ils apparaissent dans son champ de conscience.

c) L'expérience individuelle ou collective. — Précisons que cette expérience religieuse peut se situer dans les cadres de l'Église et constituer alors une expérience religieuse au sens strict [8] ; ou, au contraire, se dérouler en dehors de tels cadres et devenir alors soit une expérience individuelle du divin, soit une expérience du rejet de celui-ci [9]. Nous n'entrerons pas ici dans l'important débat sur les fondements collectifs de toute expérience religieuse. Disons seulement que, selon une hypothèse souvent formulée, même une foi qui se situe hors de l'Église et de toute collectivité utilise une expérience collective comme cadre de référence [10]. Il est vraisemblable que toute expérience religieuse individuelle s'inscrive dans une « aire religieuse » bien qu'en marge d'une Église donnée [11]. Cette distinction entre l'expérience individuelle et l'expérience collective

8. L'individu exprime alors son expérience en utilisant le triple système de symboles collectifs dont nous venons de parler : systèmes de croyances, de pratiques et de rapports sociaux.

9. Notons que, dans ce cas, le décrochage peut se faire à différents niveaux : refus d'admettre les problèmes fondamentaux, refus d'avouer sa faiblesse, refus du sentiment de dépendance vis-à-vis de Dieu, refus d'admettre le salut.

10. Pour une discussion de ce problème, voir G. Gurvitch, *Morale théorique et science des mœurs,* p. 128-132.

11. Nous utilisons ici le concept d'aire religieuse par analogie avec celui d'aire culturelle.

met tout de même en relief certains aspects importants de l'expérience : la décision existentielle d'appartenir ou non à une Église, l'autonomie personnelle face aux valeurs et aux normes institutionnelles, l'expression privée ou publique de ses sentiments, etc. Cette catégorie s'applique aussi bien à ceux qui abandonnent une Église qu'à ceux qui en sont membres.

d) L'expérience religieuse au sens large. — Certaines expériences se trouvent exclues de notre définition de l'expérience religieuse *au sens strict* : celles de l'agnostique ou de l'athée et celles du croyant qui n'exprime pas sa foi par l'appartenance à une Église. Nous désirons toutefois les inclure dans notre étude parce qu'elles expriment une prise de position à l'égard de l'une ou l'autre des diverses dimensions de l'expérience religieuse : la conscience de problèmes fondamentaux, le sentiment de dépendance, l'idée de salut, l'appartenance à une Église. Ces expériences constituent des expériences religieuses *au sens large* dont notre analyse tiendra compte.

Cette brève définition de l'expérience religieuse et les quelques remarques qui l'ont suivie suffiront à bien délimiter le sujet de notre étude. L'objectif de celle-ci n'est pas l'évaluation des expériences religieuses d'un groupe de jeunes gens en fonction de la définition formelle que nous venons de rappeler. Une fois précisée l'aire d'expérience dont nous ferons l'analyse, nous voulons maintenant aborder celle-ci à l'aide de méthodes et de concepts inspirés de la théorie rogérienne de l'actualisation. Comme cette dernière a d'abord été formulée en termes de relations interpersonnelles, et comme l'expérience religieuse, pour sa part, implique une situation sociale relativement plus complexe, il nous faut aborder un second problème : celui de l'application de la théorie rogérienne à l'analyse de l'expérience religieuse.

C. APPLICATION DE LA THÉORIE ROGÉRIENNE À DES SITUATIONS SOCIALES COMPLEXES

a) Si nous considérons l'unité d'observation, c'est-à-dire le découpage des données, nous pouvons déjà dégager deux méthodes complémentaires d'application de la théorie rogérienne à des situations sociales complexes.

1) Une première voie d'application de ce cadre théorique est l'analyse des diverses relations interpersonnelles qu'il est possible d'isoler à l'intérieur de la vie de ces groupes. Dans toute institution ou dans toute organisation, il est évident qu'il y a un certain nombre de réseaux de relations interpersonnelles. Ces divers réseaux peuvent être repérés et analysés à l'aide de la théorie rogérienne. Ainsi, à l'intérieur de cette institution qu'est l'Église, est-il possible d'isoler un certain nombre de relations interpersonnelles comme la relation entre l'étudiant de collège classique et son directeur spirituel, entre l'étudiant et le curé de sa paroisse, etc. Une telle démarche permet l'analyse des réseaux de communication interpersonnelle propres à chaque institution ou à chaque organisation.

Une telle démarche permet également de tenir compte de la diversité des expériences individuelles, car chaque informateur peut exprimer ses attitudes à l'égard des relations interpersonnelles qui lui apparaissent les plus importantes. Ainsi la relation avec le clergé devient une relation avec le clergé paroissial ou avec des professeurs religieux, selon l'expérience individuelle de chaque informateur.

2) Une seconde voie d'approche dans l'utilisation de ce cadre d'analyse consiste à se placer rigoureusement du point de vue de la personne imbriquée dans un système social et à expliquer son cadre interne de référence en fonction du processus d'actualisation.

L'expérience religieuse d'un individu, membre de l'Église catholique, ne saurait se réduire à la seule dimension de ses relations interpersonnelles. Mais on peut décrire les attitudes de cette personne, en face de l'institution, dans les mêmes termes qu'on le ferait si elle était en relation avec un seul individu. Par exemple, devant cette institution complexe qu'est l'Église, l'individu peut avoir le sentiment d'être compris ou de ne pas être compris, d'être accepté ou non. Il peut avoir le sentiment que l'Église lui reconnaît une certaine autonomie comme personne, qu'il y a confusion dans les rôles religieux qu'on lui demande de tenir, qu'il y a plus ou moins de cohérence dans ses conduites religieuses, ou qu'il est plus ou moins congru, etc. Bref, ce second type d'analyse suppose que les différents processus fondamentaux de cohérence, de congruence, d'autonomie, de valorisation constituent des facteurs dynamiques qui peuvent servir à expliquer la réaction d'une personne en face d'une institution, d'une organisation complexe ou d'un ensemble de relations interpersonnelles situées dans le cadre d'une institution.

C'est ainsi que certains des témoignages recueillis par interview ou par questionnaire porteront sur le clergé en général, sur l'Église, sur le collège, les aumôniers, etc. Nous pourrons analyser également la conscience qu'a l'individu des relations qu'il entretient avec des groupes moins organisés ou moins structurés comme « la génération de mes parents », les amis, les autres en général, etc.

b) Si nous considérons maintenant les divers processus liés à toute expérience, il semble que le cadre théorique de Rogers puisse être utilisé selon trois perspectives différentes. Il n'est pas inutile de distinguer chacune de ces perspectives au point de départ.

1) Une première perspective permet de centrer l'analyse sur la prise de conscience de l'univers religieux propre à la personne et des principaux choix existentiels relatifs à son expérience religieuse. Cette démarche revient fondamentalement à l'analyse de la conscience de soi, puisque à l'intérieur d'une aire de communication donnée, cette prise de conscience de soi se manifeste à travers ses options, ses opinions, ses croyances et ses attitudes. C'est dans cette perspective que nous décrirons et analyserons la conception que nos informateurs se font de l'expérience religieuse [12]. Mais, comme on l'a vu, toute prise de conscience de soi implique une certaine évaluation de soi. L'étude de la conception de la religion devrait, en dernière

12. Pour cette analyse de la conception de la religion, voir les chapitres I à V de la première partie.

analyse, faire apparaître les valeurs qui servent de critères à cette évaluation [13]. D'un autre côté, toute prise de conscience de soi signifie également une recherche de cohérence. Cette analyse de la conception religieuse devrait donc permettre de dégager également divers types de cohérence [14].

2) Une seconde perspective consiste à centrer directement l'analyse sur le processus d'évaluation. L'évaluation de soi, on l'a vu, est dynamiquement fonction de la relation établie avec autrui : plus une personne se sent comprise et acceptée, plus elle peut s'évaluer elle-même de façon positive et inconditionnelle. L'évaluation de ses relations avec autrui [15] n'est qu'une des nombreuses facettes de l'évaluation de soi, mais elle prend alors une signification particulière dans le cadre d'une analyse rogérienne.

En même temps, il faut se rappeler que toute évaluation s'effectue en fonction de certains critères explicites ou implicites. L'évaluation de ses relations avec autrui révèle le système de valeurs qui sous-tend cette évaluation. Or, on peut supposer, toutes choses étant égales par ailleurs, que le critère d'évaluation sera la possibilité ou non de s'actualiser dans cette relation avec autrui : une relation sera considérée satisfaisante si on en prend conscience comme d'une situation actualisante. Cette seconde perspective d'analyse se ramène donc essentiellement aux deux démarches suivantes : *a*) centrer l'observation sur l'évaluation des diverses relations avec autrui ou des divers groupes de référence et *b*) à partir de cette observation, inférer jusqu'à quel point la « situation actualisante » sert de critère d'évaluation [16].

13. Le type idéal que nous présenterons au chapitre VII de la première partie tente justement de dégager certaines de ces valeurs.

14. Les dix types d'expériences religieuses exposées au chapitre VI de la première partie décrivent justement dix types de cohérence de l'univers religieux.

15. Cet autrui pourrait être ici une autre personne, une institution, un réseau complexe de relations sociales, etc.

16. C'est là la démarche que nous avons suivie aux chapitres II et III de la deuxième partie dans l'analyse des groupes de références.

3) Une troisième perspective [17] consiste finalement à établir un indice « objectif » d'actualisation mesurant les mêmes dimensions du processus d'actualisation : congruence, cohérence, etc., mais cette fois pour l'ensemble de l'expérience religieuse. Cette procédure suppose un instrument permettant à l'observateur de juger jusqu'à quel point la personne est cohérente, douée de congruence, autonome dans son évaluation d'elle-même, et ouverte à ses diverses expériences [18].

Ce jugement est objectif en ce sens qu'il utilise des indices définis par l'observateur lui-même : ainsi « aimer mieux ne pas songer à ce que sera ma religion dans dix ans » sera défini par l'observateur comme un indice d'une absence d'ouverture à l'égard de l'expérience future [19]. Il est évident, par contre, que ce jugement objectif porte sur la conscience, nécessairement subjective, qu'a la personne de ses expériences religieuses. Ce sont là les trois perspectives complémentaires dans lesquelles nous utiliserons la théorie rogérienne au cours de notre analyse de l'expérience religieuse.

D. HYPOTHÈSES

Dans l'ensemble, *nous supposons que les jeunes de notre échantillon vont tendre à s'actualiser à travers leurs expériences religieuses.* De cette proposition découlent les hypothèses suivantes :

1) Ils auront tendance à valoriser une conception religieuse [20] qui sera en accord avec les diverses dimensions du processus d'actualisation. Une hypothèse particulière illustrant cette hypo-

17. Voir deuxième partie, chap. IV.

18. On reconnaît là les quatre dimensions caractéristiques du fonctionnement optimal de la personnalité.

19. Le lecteur retrouvera cet énoncé à l'intérieur du questionnaire visant à l'établissement d'une telle mesure objective (voir deuxième partie, chap. IV).

20. La conception religieuse est la représentation que se font les informateurs de leurs expériences religieuses, vécues et idéales, *v.g.* de la messe, du prêtre, etc.

thèse générale serait, par exemple, que le rejet de la pratique dominicale symbolise la recherche de l'autonomie ;

2) Les jeunes évalueront leurs relations avec des groupes de référence [21] en se basant sur le sentiment qu'ils ont de s'actualiser ou non au cours de ces relations ;

3) Dans l'ensemble, ceux de nos informateurs qui s'actualiseront le plus à travers leurs expériences religieuses — d'après une mesure objective d'actualisation — seront ceux qui auront le plus fort sentiment que l'Église leur offre une situation actualisante;

4) Enfin, dans la mesure où la liberté concrète de pratique [22] existe au moins à un certain degré et que la pratique régulière est un symbole d'appartenance à l'Église catholique, nous supposons que ceux qui s'actualisent le moins dans les expériences religieuses proposées par l'Église auront tendance à abandonner celle-ci, et donc à diminuer la pratique régulière [23].

Par ailleurs, notre recherche ne se veut pas exclusivement expérimentale. Aussi le lecteur y trouvera-t-il un certain nombre d'informations ou de commentaires qui ne se rapportent pas spécifiquement à l'une ou à l'autre de ces hypothèses mais qui aideront à la compréhension d'ensemble de l'expérience religieuse. Certaines de ces informations devraient permettre la poursuite des recherches dans ce secteur.

21. Les groupes de référence dont on tiendra compte au cours de l'analyse sont les parents, les professeurs de religion, les membres du clergé et les amis.

22. La pratique signifie ici l'assistance ou la participation à la messe dominicale. L'analyse de notre échantillon montre que cette liberté de pratique existe au moins pour certains secteurs de la population des jeunes, puisque certains d'entre eux ne pratiquent pas régulièrement. Voir, dans le paragraphe suivant, ce qui porte sur l'échantillon.

23. Toute la première partie de notre travail porte sur l'hypothèse (1). L'hypothèse (2) est vérifiée et discutée aux chapitres I, II et III de la deuxième partie. Enfin, les hypothèses (3) et (4) le sont au chapitre IV de la deuxième partie.

E. TECHNIQUES UTILISÉES

Deux techniques de cueillette des données ont été utilisées : d'abord l'interview semi-directive, c'est-à-dire non directive à l'intérieur d'un certain nombre de thèmes et, ensuite, un questionnaire de type *Q-Sort* [24].

L'interview. — Chaque interview durait en moyenne deux heures. Les témoignages furent recueillis sur ruban magnétoscopique et transcrits par la suite. Une analyse thématique du contenu permit un premier découpage dans le texte et un premier regroupement des données. Les témoignages furent ensuite analysés selon deux démarches distinctes :
a) Une analyse typologique de la conception de l'expérience religieuse [25] ;
b) Une analyse de contenu systématique des témoignages se rapportant à la relation entre les informateurs et les divers groupes de référence [26].

Le questionnaire de type *Q-Sort*. — Le matériel recueilli au moyen du *Q-Sort* comprend plusieurs parties distinctes [27] :
a) Une première partie porte sur la conception que se font les informateurs de l'expérience religieuse et comporte quarante-cinq item ;
b) Trois autres parties reprennent les mêmes item, mais portent sur l'expérience religieuse idéale : i) la religion idéale selon les informateurs eux-mêmes ; ii) la religion idéale que leur proposent leurs parents ; iii) la religion idéale que leur proposent les membres du clergé ;
c) Une autre partie comprend divers indices d'actualisation. Encore ici, le questionnaire a été administré suivant la procédure *Q-Sort,* mais vingt item ont été analysés au moyen d'une échelle de type Likert, pour fournir un score d'actualisation (score A) ;

24. Le lecteur trouvera à l'appendice A une copie du schéma d'entrevue semi-directive et, à l'appendice B, une copie du questionnaire.

25. Voir première partie, chap. I à V inclusivement..

26. Voir deuxième partie, chap. I à III inclusivement.

27. Voir première partie, chap. V et deuxième partie, chap. IV. Ce questionnaire est reproduit à l'appendice B.

d) Cinq autres item ont servi, de la même façon, à mesurer jusqu'à quel point l'Église apparaît comme offrant ou non une situation actualisante (score EgA) ;
e) Enfin, trois questions furent posées pour mesurer la pratique dominicale. Les réponses ont été regroupées de façon à distinguer entre les catholiques pratiquant régulièrement et volontairement (P) et les autres (NP)[28].

F. LES ÉCHANTILLONS

Tous les témoignages recueillis pour cette enquête viennent de jeunes Canadiens français habitant Montréal et qui, à ce moment-là, avaient terminé leur première année de philosophie du cours classique ou leur onzième année du cours scientifique. Il s'agit donc d'une catégorie de jeunes gens qui avaient la possibilité de poursuivre des études universitaires. Deux échantillons furent choisis : le premier échantillon comprend les informateurs dont les témoignages furent recueillis par interview ; le second échantillon comprend les informateurs auxquels on a administré le questionnaire [29]. Ces deux échantillons, quoique choisis au hasard, ne constituent pas des échantillons *représentatifs* : comme les objectifs de la recherche étaient d'en arriver à une analyse typologique des expériences religieuses et à la vérification d'hypothèses relatives au processus d'actualisation, rien ne nous obligeait à recourir à de tels échantillons représentatifs [30].

Dans les deux cas, nous avons donc eu recours à des échantillons relativement petits. Cette restriction nous était imposée par les cadres mêmes de notre recherche. Toutefois,

28. Pour cette division des informateurs en deux catégories, voir l'appendice C.

29. Les informateurs du premier échantillon ont été interviewés en 1962. Le questionnaire a été administré au second échantillon en 1964.

30. On devra tenir compte de cette remarque dans l'interprétation des données. Précisons toutefois que deux petits échantillons assurent parfois plus de validité qu'un échantillon plus considérable mais unique.

le nombre d'informateurs choisis était suffisant pour que soient représentés les principaux types d'expériences religieuses existant dans le milieu des jeunes étudiants montréalais. En ce sens, les deux échantillons restent valables comme représentation de la population. Ajoutons que plusieurs variables ont été contrôlées au moment de la construction des échantillons, à savoir la classe sociale de l'informateur, son milieu écologique, le prestige de l'institution qu'il fréquentait, le type de cours qu'il suivait (classique ou scientifique) et, quand il y avait lieu, la communauté religieuse où il étudiait [31].

Voici quelques informations supplémentaires se rapportant à ces deux échantillons. Des trente informateurs du premier échantillon, treize venaient du cours scientifique et dix-sept du cours classique. Ce dernier groupe était plus nombreux afin d'inclure quelques élèves pensionnaires. Ces informateurs ont été choisis au hasard dans les écoles scientifiques et dans les collèges classiques répartis dans les différents milieux écologiques du Montréal métropolitain. Cet échantillon n'est pas représentatif de chacune des classes sociales, mais le choix au hasard a été fait de telle façon qu'il inclut des informateurs de tous les milieux sociaux. Le second échantillon a été choisi au hasard dans douze écoles ou collèges des différents milieux écologiques du Montréal métropolitain. Il comprend cinquante élèves du cours classique et cinquante du cours scientifique. La profession du père n'a pas pu être considérée au moment de la construction de cet échantillon [32].

31. Après avoir obtenu des institutions une liste complète de leurs élèves, le choix a été fait par nous, sans l'intervention de celles-là.

32. Le lecteur trouvera diverses informations relatives à cet échantillon à l'appendice D.

Première partie

LA CONCEPTION DE L'EXPÉRIENCE RELIGIEUSE : ANALYSE TYPOLOGIQUE

Au cours des prochains chapitres, nous décrirons et analyserons l'univers des expériences religieuses des jeunes gens de notre échantillon de manière à y déceler certaines constantes et à en dégager une typologie. Relater la conception que l'on se fait de Dieu, de l'Église, de la pratique, etc., mènera indirectement à la conscience du soi religieux. Chez l'individu, en effet, la prise de conscience de soi s'effectue par la prise de conscience de ses options propres, de ses croyances, de ses opinions ou de ses attitudes face aux divers éléments de la vie religieuse.

Cette analyse de l'univers religieux se limitera à quelques-unes de ces dimensions. Privilégier ainsi certaines d'entre elles ne signifie cependant pas que toute l'expérience religieuse puisse être entièrement réduite à ces quelques dimensions. À ce titre, l'utilisation même de la théorie rogérienne comme grille d'analyse ne fait pas appel à toutes les dimensions que suggère cette théorie [1]. Il s'agit plutôt d'isoler celles qui apparaissent les plus utiles à la formulation d'une typologie des expériences religieuses dont le critère fondamental est le processus d'actualisation. Aux quatre catégories d'analyse inspirées de la théorie rogérienne, s'ajoutera une dernière se rapportant à la définition de l'expérience religieuse [2].

1. Précisons que les hypothèses qui fondent le choix des catégories privilégiées au cours de notre analyse ne sont parfois qu'implicites dans la théorie rogérienne.

2. Voir plus loin la catégorie « expérience individuelle-expérience collective ».

Affectivité-rationalité. — Les deux pôles *affectivité-rationalité,* nous permettant d'identifier deux modes de connaissance de l'expérience, nous serviront de première catégorie d'analyse :

> ... tous les états de conscience peuvent être considérés à deux points de vue qu'on peut appeler *intellectuel* (représentatif, gnostique) et *affectif.*
>
> Au premier point de vue, ils sont la *connaissance* d'une situation, leur contenu dépend de la *nature* propre des objets connus. Considérés au second point de vue, ils expriment des *valeurs* (au sens le plus général du mot) que la situation vécue présente momentanément pour le sujet. On les appelle alors des *sentiments* et des *émotions* [3].

Par cette définition très simple mais fondamentale, Paul Guillaume indique bien qu'il s'agit de deux modes différents de relation du monde extérieur avec soi-même. Une personne vit une expérience dite affective en attachant une valeur à tel objet ou à telle personne faisant partie de l'expérience, c'est-à-dire lorsqu'elle se sent elle-même engagée dans sa relation avec cet objet ou cette autre personne. L'expérience rationnelle, au contraire, se caractérise en ceci que la personne vit l'expérience en s'attachant aux seuls traits caractéristiques de cet objet ou de cette autre personne. Ce mode de connaissance peut donc être appelé *objectif* : il est entièrement et exclusivement relié à l'objet. L'expérience rationnelle, qui exclut l'intervention des sentiments et des émotions, suppose donc une constante maîtrise de soi ; l'expérience affective, elle, se caractérise par une plus grande spontanéité.

Étudier ainsi la structure de l'expérience et non son contenu permet de la catégoriser selon le degré d'affectivité ou de rationalité qui la caractérise [4]. L'importance que nous accordons ici à cette dimension affectivité-rationalité ne signifie pas que seul l'un ou l'autre pôle soit valable et permette l'actualisation. Mais cette dernière implique nécessairement une intégration des deux pôles.

3. Paul Guillaume, *Manuel de psychologie,* p. 61.

4. Nous utiliserons ici le terme *rationnel* plutôt que le terme *intellectuel* suggéré par Guillaume.

Rogers lui-même, bien qu'implicitement, laisse supposer la coexistence de ces deux fonctionnements dans l'élaboration de sa théorie de la personnalité. Il est vrai qu'en principe l'affectivité devrait faire partie intégrante de la conduite, cette dernière étant organismique. On la retrouve pourtant très souvent mal intégrée à la personnalité, ce qui d'ailleurs nous amène à formuler le double problème qui semble se dégager du fait qu'il y ait chez l'individu, au moment de l'expérience, coexistence d'un mode affectif et d'un mode rationnel. Il arrive souvent dans notre culture que l'expérience affective soit dévalorisée. Le cas de la structure formelle des grandes organisations sert d'exemple classique d'une structure qui ne tient pas compte des expériences affectives. D'autre part, il arrive fréquemment que la connaissance rationnelle ne soit pas une représentation adéquate des expériences vécues. En d'autres termes, l'activité rationnelle se trouve isolée de l'univers des sentiments ou des expériences affectives. La raison, dans ce cas, ne sert pas à exprimer dans un autre langage les valeurs directement senties mais elle sert plutôt à les nier ou du moins à les masquer. À ce moment-là, elle ne favorise pas une plus grande actualisation. Cette première catégorie d'analyse, expérience affective-expérience rationnelle, nous servira d'instrument dans l'étude des expériences religieuses.

Aspect personnel et relationnel. — Une autre dimension de l'expérience, notre deuxième catégorie d'analyse, peut s'étudier sous *l'aspect personnel et relationnel.* Est considérée ici comme expérience personnelle celle qui implique ou engage la personne elle-même. Dans une relation avec une autre personne ou avec Dieu, cet engagement prend souvent la forme de l'identification. Dans une relation avec certains objets ou certaines situations, cet engagement prend la forme d'une extension de l'image de soi [5]. Telle croyance ou telle pratique religieuse devient d'une certaine façon une partie de l'image

5. Dans l'un ou l'autre cas, le concept d'identification décrit bien ce phénomène, à la condition de bien distinguer les diverses formes d'identification et d'engagement : voir A. Hesnard, *Psychanalyse du lien interhumain ;* Hadley Cantril et Muzafer Sherif, *The Psychology of Ego-involvements.*

de soi. Cette expérience personnelle, précisons-le, intègre nécessairement l'affectivité. La distinction entre l'expérience personnelle et l'expérience impersonnelle ne définit vraiment qu'une nouvelle dimension de l'expérience humaine.

Pour Rogers, l'expérience humaine est avant tout l'expérience d'une relation : relation d'un individu à un autre individu, à un groupe, à certains objets ou à certaines situations. Cet *individu-en-relation* est une personne, c'est-à-dire un tout qui agit comme un organisme, et non pas comme un ensemble inorganisé de fonctions ou de besoins. La notion de réactions organismiques implique justement que toute conduite met en jeu la personne dans son ensemble.

Cette seconde dimension de l'expérience humaine nous amène à formuler une nouvelle hypothèse. Dans notre civilisation ou notre culture occidentale, l'individu ne pourrait ni arriver à faire l'expérience de lui-même comme d'une personne, ni établir des relations satisfaisantes et actualisantes avec autrui, parce que ses relations ne seraient pas personnelles. Cette dimension personnelle et relationnelle de l'expérience humaine nous servira donc de seconde catégorie d'analyse.

Valeurs de l'expérience. — La prise de conscience de la valeur de l'expérience constitue la troisième catégorie d'analyse. « Une valeur est une conception du désirable, implicite ou explicite, à partir de laquelle une collectivité ou un individu choisit ses objectifs et les moyens pour les atteindre [6]. » À la condition d'inclure dans la notion de « conception » toutes les formes, soit rationnelles, soit affectives, de prise de conscience du désirable, celle-ci cerne bien le phénomène dont nous voulons tenir compte. Cette catégorie exige cependant une démarche à deux dimensions.

1) Ce processus d'évaluation suppose de la part de l'individu, une prise de conscience de soi, de son univers. Cette prise de conscience le place alors face à cette double image,

6. Clyde Kluckhon *et al.*, « Values and Value-orientations in the Theory of Action », dans Talcott Parsons et Edward A. Shils (éd.), *Toward a General Theory of Action*, p. 395.

constamment présente dans le champ de conscience, l'image du *moi-idéal* et du *moi-tel-que-je-suis.* Le processus de valorisation que nous avons déjà décrit [7] implique nécessairement une certaine confrontation de ces deux images. Une analyse de l'univers d'une personne doit aussi tenir compte d'un *univers idéal* et d'un *univers tel qu'il est.* Par ce processus de prise de conscience de sa propre valeur ou de la valeur de son univers, l'individu en arrive à évaluer chacune de ses expériences. C'est pourquoi, au cours de l'analyse des expériences religieuses, nous tenterons de dégager les principaux traits des univers religieux, idéal et vécu, de nos informateurs.

2) Cette catégorie nous oblige en second lieu à évaluer le degré d'intériorisation des valeurs chez l'individu. Indépendamment de leur contenu, les valeurs et, à un niveau plus concret, les normes qui orientent les expériences, peuvent être catégorisées comme suit : *a)* les normes et les valeurs que la personne reconnaît comme ses propres normes et ses propres valeurs. Seules deviennent partie intégrante de l'image de soi, les normes ou les valeurs intériorisées ; *b)* les normes et les valeurs auxquelles la personne se conforme, mais sans adhésion complète et profonde. Ces valeurs non intériorisées sont celles que les « autres significatifs » imposent ou ont déjà imposées à la personne comme condition de leur acceptation. Ce sont les « conditions de valeur » dont parle Rogers.

L'intériorisation des valeurs s'exprime habituellement par un sentiment d'autonomie, et le conformisme par un sentiment de contrainte. Ce sont là les deux pôles du continuum qui mesure le degré d'intériorisation de toute valeur comme de toute expérience humaine envisagée comme expérience affective. Cette dernière catégorie est d'autant plus importante que Rogers, pour sa part, pose l'hypothèse que seules les valeurs intériorisées peuvent être source d'actualisation.

Intégration : congruence et cohérence. — Une autre dimension de l'expérience, le *processus d'intégration,* nous servira de quatrième catégorie d'analyse. Par intégration nous

7. Voir p. 18-22.

entendons le phénomène de congruence entre l'expérience vécue et sa représentation dans le champ de conscience, ainsi que le phénomène de cohérence [8] entre les diverses régions du champ psychologique.

Cette dernière catégorie prend son importance dans le fait qu'elle recouvre toutes les autres. Car le processus d'intégration, que l'on retrouve sous forme de congruence ou de cohérence, s'applique à tout contenu quel qu'il soit. Il peut y avoir cohérence ou incohérence entre l'image du *moi tel que je suis* et du *moi idéal,* entre les expériences affectives et les expériences rationnelles, entre les expériences personnelles et les expériences impersonnelles, entre les expériences individuelles et les expériences collectives.

Expérience individuelle ou collective. — La distinction entre ces deux derniers types d'expériences, l'expérience individuelle et l'expérience collective, caractérise une dernière dimension dont tiendra compte l'analyse. Nous avons déjà défini l'expérience religieuse comme étant essentiellement collective, parce qu'elle implique l'appartenance à une Église ou à une religion. Toutefois, sont possibles diverses autres réponses aux problèmes fondamentaux qui, elles, n'impliquent pas une telle appartenance.

C'est le cas de l'agnostique ou de l'athée, comme du croyant qui ne désire pas exprimer sa foi par une telle appartenance. De même, parmi les membres d'une Église, certains peuvent privilégier l'expression collective de leurs sentiments religieux ; d'autres, l'expression privée ou individuelle. L'existence possible de toutes ces positions justifie, à elle seule, l'inclusion de cette catégorie dans notre cadre d'analyse. Il est possible qu'au niveau de l'expérience vécue, cette dimension se rapproche de la dimension personnelle déjà définie. Cette catégorie, enfin, peut parfois refléter la décision existentielle d'appartenir à l'Église ou de la rejeter.

8. Les notions de cohérence et de congruence ont déjà été définies dans l'introduction.

L'analyse des expériences religieuses reposera donc sur les questions fondamentales suivantes :

— Les expériences sont-elles des expériences affectives ou rationnelles ?

— Sont-elles des expériences individuelles ou collectives ?

— Sont-elles des expériences de relations personnelles ou impersonnelles ?

— Quelles sont les valeurs liées à ces expériences et, de façon plus particulière, sont-elles des expériences d'autonomie ou de contrainte ?

— Comment s'effectue le processus d'intégration des diverses expériences ou des diverses régions du champ psychologique ?
Il s'agit là d'un schème d'analyse qui, bien que très général, a le double mérite d'être sous-jacent à la théorie rogérienne et de permettre une continuité avec les parties subséquentes de notre travail.

Méthode d'analyse. — À ce stade préliminaire de la recherche en psychologie sociale religieuse, il aurait été présomptueux et probablement inutile de soumettre les témoignages des informateurs à une analyse systématique et rigide : les catégories définies plus haut indiquent plutôt le cadre général d'analyse qui orientera notre travail. Dans les parties subséquentes nous aurons l'occasion d'appliquer les catégories rogériennes à une analyse plus systématique [9].

Les thèmes analysés. — L'impossibilité de tenter une description complète de l'univers religieux nous a amené à choisir, à titre d'indices, un certain nombre de thèmes significatifs. Ces thèmes sont les suivants : Dieu, l'Église, le prêtre, la messe et la morale.

9. L'état actuel des recherches permet une utilisation plus systématique de ces catégories dans le secteur des relations interpersonnelles (voir deuxième partie, chap . II).

Plan de cette partie. — Les données recueillies par entrevues serviront de matériel de base à l'analyse de ces thèmes que l'on retrouve dans les quatre premiers chapitres. Au chapitre V, on trouvera une analyse des mêmes thèmes, fondée cette fois sur des données recueillies par questionnaire. Nous présenterons, enfin, aux chapitres VI et VII, sous forme de deux typologies plus générales, une synthèse des analyses précédentes.

I

L'expérience de Dieu

La croyance en Dieu et les attitudes à son égard se prêtent difficilement à l'analyse. Les témoignages demeurent plus flous et moins riches d'expressions verbales que les témoignages portant sur d'autres thèmes. On notera également que les expériences de Dieu dont témoignent nos informateurs ne supposent pas de leur part le même processus d'évaluation que leurs autres expériences religieuses. Dieu est évalué en ce sens qu'il peut apparaître à nos informateurs comme menaçant ou protecteur, et leurs sentiments à son égard peuvent être ressentis comme agréables ou non. À cette image de son Dieu, cependant, le croyant n'oppose pas l'image d'un Dieu idéal. Aussi, ne sera-t-il pas question de cet aspect du processus d'évaluation dans la prochaine présentation des quatre types d'expérience.

TYPE 1. L'EXPÉRIENCE RATIONNELLE DE DIEU. — Ce premier type d'expérience se fonde sur une connaissance exclusivement intellectuelle de Dieu et se distingue de l'expérience basée sur un sentiment de la présence d'un être supra-humain [1]. Cet être supra-humain apparaît dans le champ psychologique comme la conclusion d'une réflexion intellectuelle et non comme la connaissance d'un être dont on aurait senti la présence.

1. Précisons que toute expérience rationnelle n'est pas, de soi, isolée de l'expérience affective. Nous pourrions formuler plusieurs types d'expérience rationnelle de Dieu : nous décrivons ici celui qui apparaît le plus souvent dans les témoignages.

L'expérience philosophique n'est pas la seule expérience rationnelle possible. Nous nous rendons compte cependant que pour les jeunes gens de notre échantillon les études de philosophie servent très souvent de cadre de référence à leurs expériences rationnelles de Dieu. Les preuves de l'existence de Dieu et de ses attributs, par exemple, sont très souvent mentionnées au cours de l'entrevue. À quelques exceptions près, la question très générale portant sur Dieu ne déclenche pas chez eux une discussion philosophique, mais l'attitude de base est philosophique. Ils cherchent des « preuves scientifiques », « la seule explication complète de l'univers », « la grande logique basée sur des faits échelonnés sur des millénaires ». À ce moment-là, l'univers de la foi ne se caractérise pas chez eux par ce sentiment « d'être pris » par une préoccupation ultime ; Dieu est fondamentalement celui qu'ils admettent et non celui dont ils sentent la présence. Nous retrouvons cette attitude fondamentalement rationnelle, relativement coupée de toute coloration affective, dans les témoignages suivants [2] :

> Il faut admettre un Dieu, un esprit créateur. La présence de l'homme sur terre ne peut s'expliquer que par l'existence de Dieu. Mais la création s'est-elle effectuée en sept jours ? Là, on peut se chicaner longtemps. (N° 24)
>
> Un jour le professeur dit : il est impossible qu'il y ait d'autres choses qu'un être supérieur qui ait créé la nature. Par la suite, j'ai pris cela pour vrai pendant six, sept mois, peut-être un an, je ne sais pas. Après je me suis dit : « Si Dieu était la matière, il n'y aurait plus besoin d'un être supérieur. L'être supérieur, c'est la matière. » Je me suis dit des choses comme ça... (N° 11)

TYPE 2. L'EXPÉRIENCE AFFECTIVE. — Un second groupe d'informateurs adopte l'attitude de l'individu qui a une foi correspondant à la définition que nous en avons donnée : pour eux, Dieu n'est pas un objet sur lequel ils dissertent, qu'ils dis-

2. Nous devons forcément nous limiter à indiquer de courts extraits des témoignages, mais les extraits choisis expriment l'orientation générale qui s'en dégage. Ainsi, tout ce que les informateurs nos 24 et 11 ont exprimé à l'égard de Dieu correspond à ce premier type d'expérience.

cutent scientifiquement, qu'ils connaissent de manière rationnelle, mais c'est un être supérieur devant lequel ils ont le sentiment de se trouver, dont ils sentent la présence. Les principaux symboles qui expriment ce sentiment sont ceux de l'ami, du confident, de « celui qui comprend », de « celui qui peut nous aider », du juge suprême, du père-ami, du père compréhensif qui pardonne aisément, du père qui est tout-puissant et qui menace constamment d'une punition ou d'un châtiment.

Une première représentation de Dieu est celle d'un être avec qui on peut communiquer ou dialoguer. Une seconde image de Dieu fait référence à un être suprême à qui on se soumet ou qu'on admire, mais avec lequel on ne dialogue pas. Notre propre cadre d'analyse nous justifie de regrouper toutes ces conceptions de Dieu dans deux catégories : l'image d'un Dieu dont on sent la présence, mais avec qui on ne dialogue pas (type 2a) ; l'image d'un Dieu avec qui on peut dialoguer (type 2b). Ce sont là deux représentations qui donnent lieu à deux types d'expériences affectives de Dieu.

Type 2a. Sentiment de la présence de Dieu. — Les sentiments qui, théoriquement, peuvent exprimer le mieux la conscience d'être en présence d'un être supranaturel, sont probablement l'admiration, la crainte, la soumission : l'admiration du Créateur et du Tout-Puissant, la crainte du juge, du maître, du père autoritaire, la soumission à l'autorité suprême.

Simple acceptation de l'existence de Dieu. — L'informateur n° 2 a vécu dans une famille très religieuse : « une religion de médailles et de chapelets », dira-t-il, « dans laquelle on croyait par crainte plus que par volonté ». Il a décidé que cette forme de religion n'était pas satisfaisante pour lui et il s'en dégage peu à peu tout en se rendant compte « qu'on est dépaysé quand on s'arrête et qu'on voit que ce n'est pas ça ». Aujourd'hui, il continue à croire et à pratiquer sa religion sans que la religion ait pour lui une place centrale dans sa vie. Il réfléchit parfois à la religion mais « n'y cherche pas un chemin ». Le Christ lui apparaît « plutôt comme un homme comme les autres, qui comprend... », mais il ne s'y réfère pratiquement jamais. Dieu est tout de même présent dans son champ de conscience. Après avoir rappelé que la religion catholique engage ses membres à croire en un Être suprême, il ajoute que, par suite de sa propre expérience, il croit lui aussi à cet Être suprême : « ... en moi-même, des fois je ne le dis pas, mais je m'aperçois bien qu'il y a un Dieu. En ce qui me regarde, c'est quelque chose auquel je vais penser après avoir vécu telle ou telle expérience. Je vais vivre, puis je vais penser à cela après. » Pour lui, Dieu, c'est l'Être suprême dont il perçoit bien parfois l'existence. Cette acceptation d'un Être suprême n'est pas la conclusion d'une réflexion de type philosophique et ne donne naissance à aucune autre attitude : il ne craint pas Dieu [3], il ne l'admire pas, il ne tend pas à le supplier, il ne sent pas le besoin de se soumettre à sa volonté. « La religion, dit-il, c'est la vie de tous les jours, c'est vivre d'après notre instinct. »

Un grand Dieu. — L'informateur n° 5, lui, est frappé par ce qu'il y a de grand, d'extraordinaire chez Dieu et il craint de le réduire à des dimensions trop étroites. Il préfère alors ne pas essayer de s'en faire une image trop précise. Ce qu'il admire, c'est une sorte de « Dieu sans nom » :

> Moi, je n'ai aucune idée. Dieu c'est Dieu. Puis d'ailleurs, je n'ose pas me faire une idée parce que celle que je me ferais de lui, ne serait pas ce qu'il est. Alors, à ce moment-là, je préfère ne pas m'en faire une idée précise. Puis d'ailleurs, je ne pense pas que quiconque puisse s'en faire une idée précise... parce qu'on va toujours la ramener, la redescendre dans des cadres petits, étroits. Puis, ce ne serait pas un grand Dieu. Vous savez, il y a une espèce de mysticisme là-dedans qu'il ne faut pas détruire.

Le plan de Dieu. — Pour certains informateurs le sentiment de la présence d'un Être suprême se caractérise par des attitudes de soumission et de dépendance. Pour l'un d'entre eux, par exemple, Dieu est celui qui commande et qui aide

3. Le fait que de tels sentiments ne se soient pas manifestés au cours de l'interview n'exclut évidemment pas toute possibilité de leur existence.

l'homme à lui obéir. Dieu n'est pas considéré ici comme celui avec qui on dialogue :

> Il ne s'agit pas de faire endosser au Christ ce qu'on veut faire, mais endosser ce que Lui veut qu'on fasse... A travers chaque événement, ne pas contrecarrer, ne pas aller contre ce qui nous semblerait le plan de Dieu dans notre vie... Je pense qu'à un moment donné, je peux avoir une certitude morale que telle chose pourrait être le plan de Dieu pour moi, pour ma vocation, par exemple. (N° 9)

Par ailleurs, pour cet informateur, « Dieu est comme une main qui peut, en même temps, et conduire le monde et le supporter ». Le Christ est aussi venu pour l'aider. Cette manifestation de l'amour du Christ, de son offre de support, il la considère « comme la plus grande vérité de toutes mes croyances... et cette vérité-là se manifeste à travers toutes les étapes de la vie du Christ ».

Type 2b. Sentiment d'un dialogue avec Dieu. — Pour ceux dont l'expérience de Dieu est l'expérience d'un dialogue, les symboles les plus souvent exprimés sont ceux du « bon père », de la mère, de l'ami, du confident, de « celui qui dirige et qui aide en même temps », de la miséricorde, de la compréhension. La présence de Dieu est constante et profonde :

> C'est un Dieu qui est bon et qui connaît l'homme, qui se donne à l'homme et, en se donnant à l'homme, il veut que l'homme se rapproche de lui. (N° 27)
>
> C'est comme un père qui est là pour conseiller, pardonner nos fautes, nous recevoir...
>
> — Ce que vous trouvez le plus important ?
>
> — De demeurer en état de grâce. C'est ça le plus important : être préparé si je meurs demain. (N° 15)
>
> Il est miséricordieux, il est bon, il est puissant, mais surtout, il pardonne facilement. C'est surtout cet aspect-là... un aspect de paix aussi, de calme. Puis quand j'ai de la misère à m'en faire une idée, je pense à la sainte Vierge, parce que c'est une femme. (N° 22)
>
> Dieu, je le vois comme un homme. Je trouve que si on avait plus de contacts avec les prêtres, on verrait Dieu,

> car ils le représentent. Il est important, je trouve, de se confier à quelqu'un qu'on ne voit pas, mais qu'on sait être là. Mais il faut que ce soit comme un élan qui vient de soi-même. (N° 17)

Du témoignage de l'informateur n° 13, ressort le sentiment d'une relation personnelle avec Dieu. À propos de confession, par exemple, il dit qu'il aimerait se confesser directement à Dieu. Il refuse les prières conventionnelles, mais il lui arrive en même temps de prier Dieu individuellement pour le remercier d'un bon repas ou d'autres événements heureux de sa vie quotidienne. En un mot, il recherche un contact personnel avec son Dieu. Le fait de prier et de remercier Dieu implique évidemment le sentiment d'être en présence d'un être qui lui est supérieur. Par ailleurs, il y a tout un ensemble de croyances concernant l'aspect mystérieux, extraordinaire de Dieu qu'on lui a enseignées et qu'à toute fin pratique il rejette :

> En ce qui me concerne, les choses à croire et à ne pas croire, je prends ce qui me va et ensuite de ça...
>
> — A quoi pensez-vous par exemple ?
>
> — Supposons un mystère ; Dieu en trois personnes. Pour moi, cela existe peut-être et cela n'existe peut-être pas. Alors je prends ça comme tel, plus ou moins. (N° 13)

Type 2c. L'expérience d'une présence et d'une communication. — D'autres informateurs manifestent à la fois le sentiment de l'existence d'un Être suprême et le sentiment d'une communication personnelle avec lui. Ces informateurs ont à intégrer la double image d'un Dieu tout-puissant et distant, et d'un Dieu avec qui il est possible de communiquer. La coexistence de cette double représentation de Dieu provoque parfois un état de confusion et d'ambivalence propre au phénomène d'incongruence. Le témoignage de l'informateur n° 16 illustre bien ce phénomène. Il hésite entre l'image d'un juge suprême, d'un « mauvais père » et l'image d'un père qui apporte compréhension et sécurité. Il tente bien de se libérer de cette image du « mauvais père ». Il s'en défend avec acharnement et la nie avec vigueur. Nous la sentons bien, cependant, associée à ses expériences religieuses :

> Je le vois comme un père qui me comprend, qui me veut du bien aussi, comme quelqu'un de très supérieur. Je le vois comme quelqu'un de bon, je ne le vois pas comme un juge. Je le vois comme un père, quelqu'un qui peut nous aider. Il est essentiellement bon. Il peut nous punir, mais je ne le vois pas comme un juge. (N° 16)

Notons que l'existence dans le champ psychologique d'une double image de Dieu ne crée pas nécessairement cet état d'ambivalence et d'incongruence. Il est théoriquement possible d'imaginer d'autres réponses à la tension créée par la présence de ces deux images.

TYPE 3. LA COEXISTENCE DES ATTITUDES AFFECTIVE ET RATIONNELLE. — Pour les informateurs du sous-type précédent (type 2c) se pose un problème de cohérence entre deux images de la divinité. Leur expérience religieuse, cependant, est essentiellement affective. Ils ont à intégrer, par exemple, dans un tout relativement cohérent, l'image d'un bon père et celle d'un mauvais père, l'une et l'autre appartenant à l'univers du sentiment.

Le troisième type qui se dégage de notre analyse se caractérise par la coexistence de l'attitude rationnelle propre au type 1 et de l'attitude affective propre au type 2. Précisons que pour ces informateurs les sources de l'incohérence et de l'incongruence ne se retrouvent pas uniquement dans cette opposition entre les attitudes fondamentales, rationnelle et affective. À l'intérieur même de l'univers de leurs sentiments, comme à l'intérieur de l'une de leurs représentations rationnelles, se retrouvent beaucoup d'incohérence, de confusion et d'ambivalence. On pourrait poser l'hypothèse que le décalage entre les deux attitudes fondamentales crée un état de tension si grand que l'incohérence et l'incongruence qui en résultent influencent l'ensemble de leur expérience religieuse. En ce sens, ce type 3 se caractérise vraiment par le phénomène d'intégration : intégration entre l'expérience vécue et sa représentation ; entre l'expérience vécue et diverses images plus ou moins opposées du champ de conscience.

Au cours de l'analyse des trois témoignages qui suivent, nous retrouverons ce phénomène, même si nous mettons surtout en relief l'opposition entre l'attitude affective et l'attitude rationnelle. Les témoignages des trois informateurs n°s 18, 21 et 12 ne décrivent évidemment pas toutes les formes de coexistence des attitudes rationnelle et affective. Ils illustrent clairement une forme particulière de ce type d'expérience. Ces informateurs de type 3 ont à établir une relation suffisamment cohérente, à leur propre point de vue, entre Dieu, objet de leur réflexion (intellectuelle, logique, philosophique, etc.) et Dieu, objet de leurs sentiments.

L'informateur n° 18 se réfère à ses études philosophiques quand on lui demande d'exprimer son attitude à l'égard de Dieu. Il discute longuement et avec beaucoup d'intérêt son système philosophique : « Il me semble que Dieu existe par un certain principe de causalité. Le problème est de savoir si Dieu est vraiment distinct de la conscience ou s'il n'est pas lui-même la conscience. Ce que j'appelle l'inconscience, moi, c'est un autre problème. » Après avoir dit qu'il ressent parfois des doutes à l'égard de l'existence de Dieu et de la religion catholique, il souligne que son attitude est très différente de ceux « qui rejettent la foi simplement parce que c'est trop difficile de vivre en catholique ».

Il fait surtout l'expérience d'une certaine opposition entre des « définitions philosophiques » qui selon ses propres termes « semblent éloignées de nous » et le sentiment d'un Dieu avec qui il aurait « un contact plus direct et plus amical ». Cette opposition exprime fondamentalement la conscience d'un décalage entre l'attitude rationnelle et l'attitude affective :

> Enfin, les définitions philosophiques semblent éloignées de nous. Quand on parle d'acte pur, de l'être avec un grand « E », c'est assez loin de la conception de Dieu, le père, qui a un contact plus direct, plus amical avec les hommes. Surtout quand on parle de contact encore plus

> personnel d'un côté et que de l'autre on utilise des grands termes pour définir un être qui est au-dessus de nous, qui semble coupé de nous, disons, d'une certaine manière. [...] Enfin, au point de vue humain, dans l'action humaine plus concrète de chaque jour, on se fait de Dieu, une conception qui colle plus à la vie. Il y a l'amitié avec le Christ. [...] D'ailleurs, la philosophie n'a jamais pu découvrir l'éternité. Il me semble y avoir un décalage entre la conception philosophique et la conception catholique de Dieu. [...] Un Dieu qui nous met dans l'existence continuellement, qui nous crée continuellement, c'est surtout au point de vue philosophique. Mais un Dieu qui nous aide de ses grâces, il me semble que ça peut nous aider dans la vie de penser à ces choses-là. (N° 18)

De façon plus confuse peut-être, cette opposition reflète également une distinction importante entre une certaine gratuité et un certain pragmatisme dans la foi envers Dieu. Le Dieu dont il a parfois le sentiment est un Dieu utile : « ça peut nous aider dans la vie » dit-il. Par ailleurs, envers le Dieu créateur de sa philosophie, il ne peut avoir qu'une foi gratuite, c'est-à-dire, une foi qui ne lui procure aucun sentiment de sécurité et qui ne lui apparaît pas comme une « aide dans la vie [4] ».

L'ensemble des expériences religieuses de cet informateur est certainement influencé et caractérisé par la coexistence de cette double attitude à l'égard de Dieu, et par les tensions que cette coexistence suppose sur le plan de ses expériences quotidiennes, sur le plan du vécu. Face à cette double confrontation, une première manifestation de son état d'esprit est le doute. Sans rejeter définitivement la réalité divine comme telle ou celle du Christ, il lui arrive constamment de s'exprimer sous forme conditionnelle :

> A mon avis la confession, si c'est le Christ qui l'a instituée, je ne vois pas ce qu'on peut dire contre. Evidemment, cela vaut si on croit à la réalité divine du Christ. Mais pour ça, il faut croire à la réalité historique du Christ,

4. Il est fort possible que cette distinction entre la gratuité et le pragmatisme de la foi soit sous-jacente aux expériences d'autres informateurs. Nulle part, cependant, ne s'exprime-t-elle avec autant de force que dans ce témoignage.

> c'est fondamental [...]. Enfin, si le Christ l'a vraiment dit dans les Evangiles, il ne peut pas se tromper, il faut l'accepter comme une donnée de foi. (N° 18)

Ce témoignage à propos de la confession illustre bien l'attitude de soumission qui caractérise aussi son expérience religieuse. Quand, faisant abstraction de ses doutes ou de ses raisonnements philosophiques, il accepte comme un fait fondamental la réalité divine du Christ, il perçoit celle-ci comme engageant exclusivement l'acceptation et la soumission et non pas comme engageant un dialogue fondé sur une compréhension réciproque. Selon lui, le Christ a apporté un message qu'il lui faut « accepter comme donnée de foi » et a institué une Église à laquelle il lui faut se soumettre. Sa réaction à Dieu, en somme, ressemble à la réaction qu'il aurait à une conclusion qui, sur le plan philosophique, lui apparaîtrait sérieuse et fondée. Il s'y soumettrait comme à quelque chose d'inéluctable. La foi signifie alors beaucoup plus l'acceptation d'énoncés que l'on ne peut comprendre intellectuellement que le « sentiment d'être pris par une préoccupation ultime » (Tillich). Cette attitude devant la foi rend probablement difficile le sentiment d'une relation interpersonnelle avec Dieu.

L'analyse de ce dernier témoignage a fait ressortir les choix existentiels que cet informateur effectue face au problème de l'intégration de deux attitudes fondamentales à l'égard de Dieu : il s'oriente vers le doute et, dans la mesure où le doute est dissipé, vers le sentiment d'être en présence d'un Dieu qui engendre la soumission.

L'informateur suivant (n° 21), pour sa part, n'exprime pas aussi facilement le décalage qui ressort de ces diverses attitudes à l'égard de Dieu. Ce décalage apparaît d'ailleurs aussi bien comme un phénomène d'incongruence que d'incohérence [5] :

> D'abord Dieu, pour moi, intellectuellement et d'après ce que j'ai appris, c'est l'amour, tout découle de ça. On ne peut aimer personne sans aimer Dieu... On a appris que

5. Pour l'informateur précédent (n° 18), la tension provoquée par son expérience religieuse résultait surtout d'un problème de cohérence entre diverses images de Dieu et diverses attitudes dont il avait clairement conscience.

> Dieu est le maître incontesté de l'univers mais qu'il est amour en même temps, c'est un Dieu qui nous aime quand même, il faut le respecter quand même.

Le sentiment de malaise et d'insatisfaction de cet individu repose d'abord sur une double incohérence. Il y a d'abord incohérence entre l'image de *ce qu'il ressent lui-même* et l'image de ce que *les autres voudraient qu'il ressente* [6]. Comme cette représentation inadéquate de son expérience lui est suggérée par des « autres significatifs », il tend, d'autre part, à intégrer certaines de ces représentations à son moi idéal ; cela le conduit à faire aussi l'expérience d'une incohérence entre *ce qu'il a le sentiment d'être* et *l'image de son moi idéal* [7].

Le même informateur présente également une incongruence, au niveau de son expérience religieuse, entre son expérience vécue (et donc émotivement ressentie) et la conscience qu'il a de cette expérience :

> D'une façon plus pratique, c'est Dieu qui pourvoit à tout. Il ne peut rien arriver sans Dieu. C'est le maître incontesté de l'univers. A côté de Dieu, moi, je suis rien, zéro. C'est pour ça que quand je vois quelqu'un parler contre la religion, je sens une crainte. S'il voulait vous écraser, il le ferait. *(Geste d'écraser de la main.)* Ce serait fini. Quand quelqu'un sacre, bien là, je sens une crainte pour lui. Dieu pourrait l'anéantir comme ça.

Signalons d'abord que l'impression d'ensemble qui se dégage de cette interview tend à montrer un décalage entre l'expérience et la conscience [8]. De plus, nous retrouvons, dans l'extrait

6. Fondamentalement, cette première incohérence s'exprimerait ainsi : « Je sens que Dieu pourrait m'anéantir, je sens une crainte, mais les autres m'ont appris et me répètent que Dieu est amour. »

7. Cette seconde incohérence s'exprimerait ainsi : « J'ai un sentiment de crainte, mais idéalement je devrais avoir plutôt un sentiment d'amour. »

8. Une analyse clinique du témoignage de cet informateur montrerait que ce sentiment d'être à la merci de forces écrasantes se retrouve dans un grand nombre de secteurs de sa vie et que la prise de conscience de ce sentiment d'être menacé n'est jamais globale mais, au contraire, demeure toujours compartimentée, limitée à un domaine à la fois.

précédent, deux des attitudes qui accompagnent, d'ordinaire, l'incongruence chez un individu : d'une part, l'absence d'une valorisation inconditionnelle de soi, « à côté de Dieu, moi, je suis rien, zéro », d'autre part la projection sur autrui des conséquences du sentiment de crainte, « c'est pour ça qu'en entendant quelqu'un parler contre la religion, je sens une crainte. S'il voulait nous écraser, il le ferait... Quand quelqu'un sacre, bien là, je sens une crainte pour lui. Dieu pourrait l'anéantir comme ça ».

On peut donc caractériser son expérience de Dieu par ces concepts d'incongruence et d'incohérence. Les problèmes d'intégration que pose son expérience de Dieu provoquent chez lui d'autant plus d'anxiété que ce sentiment d'être en face d'un Dieu menaçant n'est pas sans relation avec l'ensemble de son expérience religieuse et même, comme nous l'avons dit, avec l'ensemble de ses expériences humaines.

Type 4. Agnosticisme et athéisme. — Précisons tout de suite que ce quatrième type constitue une catégorie résiduelle dans laquelle on peut inclure des formes très diversifiées d'attitudes à l'égard de Dieu. De toutes ces attitudes dont notre analyse n'a pas encore rendu compte, les deux plus importantes à signaler sont l'athéisme et l'agnosticisme. L'agnosticisme est la conception selon laquelle il est impossible pour l'homme d'apporter une réponse valable au problème de l'existence de Dieu. L'athéisme, par contre, est l'affirmation de la non-existence de Dieu.

Plusieurs formes d'agnosticisme et d'athéisme sont possibles. D'abord ces conceptions peuvent être la résultante d'une démarche rationnelle ou d'une démarche affective. Par ailleurs, elles peuvent être plus ou moins présentes dans le champ de conscience. Pour certains individus, elles s'exprimeront explicitement, pour d'autres elles demeureront implicites, sous-jacentes à certaines expériences. D'autre part, ces conceptions peuvent, dans certains cas, être très dynamiques et orienter des conduites très précises : pensons, par exemple, à l'athéisme militant. Dans d'autres cas, elles peuvent n'orienter aucune autre attitude ou ne susciter aucune autre conduite spécifique.

Notons que ce quatrième type ne suppose pas nécessairement le refus de certaines expériences antérieures. Il est évidemment très rare, dans le milieu canadien-français, qu'un informateur n'ait jamais été mis en contact avec une certaine conception de Dieu, conception qu'il a pu accepter ou rejeter. Après avoir plus ou moins confusément rejeté la conception de Dieu qu'on lui a présentée, cet informateur peut s'orienter vers l'une ou l'autre des formes d'agnosticisme ou d'athéisme que l'on vient d'indiquer. Les limites étroites de notre échantillon ne nous permettent pas d'analyser ici chacune de ces formes.

Un seul informateur de notre petit échantillon appartient à ce quatrième type. Chez lui, on retrouve d'abord le rejet de toute religion parce que celle-ci ne constitue qu'un moyen de donner une « raison de vivre » à ceux « qui n'ont pas une éducation supérieure » :

> La religion, ça m'horripile à cent pour cent. Je considère que la religion c'est absolument inutile, que l'homme, s'il est bien éduqué, n'a absolument pas besoin de la religion... et que tôt ou tard ça va disparaître parce que ça a été inventé par l'homme. (N° 23)

Il apparaît clairement, à la lumière de ce passage, que cet informateur se réfère à une conception des croyances et des pratiques religieuses qu'il a déjà refusées pour lui-même. Mais ce rejet ne suscite pas actuellement une attitude très saillante chez lui. Il ne prête aucune valeur au thème religieux. L'extrait d'entrevue cité plus haut peut donner au lecteur l'impression qu'il s'oppose farouchement à l'idée de Dieu et de la religion. En un sens, cela est exact. Mais après avoir énoncé sa position, il n'a vraiment pas paru intéressé à poursuivre dans cette veine. Au contraire, au cours de l'entrevue, toutes les questions portant sur la religion sont pour lui l'occasion de parler de thèmes qui l'intéressent au plus haut point : la culture intellectuelle, les sciences, les sports comme source de formation humaine, etc. Bref, son rejet global de toute forme de vie religieuse l'amène à ne pas vraiment se faire, actuellement, une conception de la divinité et de la religion. En ce sens, il se distingue par un agnosticisme qui est explicite et conscient, mais qui n'a pas une fonction très dynamique par rapport à l'ensemble de ses expériences. Son attitude actuelle se caractérise par l'absence de Dieu et de toute forme de préoccupations religieuses dans la conception qu'il se fait de la vie.

D'ailleurs, c'est en partant du passé seulement qu'il s'exprime de façon personnelle au sujet de la religion. Dans ce passé, il ne retrouve lui-même aucune acceptation des valeurs qui lui furent présentées. Il explique lui-même son attitude par le fait qu'il n'a « jamais eu de grande conviction quelle qu'elle soit » :

> Je n'ai jamais eu tellement de sentiments religieux... Disons que par mon caractère, je n'ai jamais adhéré à la chose. Je n'ai aucun souvenir d'avoir adhéré fortement à quoi que ce soit de religieux. J'ai déjà pensé à la chose. Je vais remonter loin... A l'âge de dix ans, je me souviens, je me demandais si ce n'était pas une grande farce. Le sujet n'étant pas tellement important pour moi, j'ai laissé tomber... Aussi loin que je peux remonter, je n'ai jamais eu de grande conviction quelconque. En tout cas, je ne pense pas... J'essaye de remonter... non... je ne pense pas.

Très jeune il a donc rejeté une conception religieuse qui, dès ce moment-là, lui apparaissait comme une « grande farce ». Ce rejet ne se fonde pas sur une expérience rationnelle, mais bien plutôt sur une expérience affective. D'ailleurs une analyse clinique de son témoignage montrerait clairement que son rejet est relié à ses expériences affectives et, en particulier, à ses relations parentales. La religion qu'il refuse est la religion d'un père lui-même rejeté. Il a le sentiment très net, par ailleurs, de retrouver chez sa mère des attitudes à l'égard de la religion et à l'égard de plusieurs autres secteurs importants de sa vie qui lui apparaissent très semblables aux siennes.

Encore une fois, rappelons-le, il est fort probable qu'un plus grand échantillon nous aurait mis en présence d'informateurs dont la conception de l'expérience religieuse se serait rapprochée des diverses formes d'agnosticisme ou d'athéisme. Rappelons également que toute typologie est fonction de l'instrument de recherche utilisé. Dans certains cas, une entrevue de quelques heures permet à un informateur d'exprimer les principales dimensions de son expérience religieuse. Dans d'autres cas, l'entrevue permet uniquement de constater qu'au moment de l'entrevue, les thèmes religieux (Dieu, l'Église, etc.) n'entrent pas dans l'univers des préoccupations ultimes de l'informateur. Il est fort possible que des instruments projectifs ou des entrevues plus prolongées permettent de déceler chez un informateur de ce genre certains éléments d'une conception religieuse qui sous-tendent peut-être ses expériences actuelles. Ainsi serait-il possible, par exemple, d'explorer sa conception de l'ultime à partir de ses expériences dans les secteurs qui constituent ses préoccupations les plus profondes [9].

9. Même si cette remarque s'applique particulièrement à ce quatrième type, elle vaut, de fait, pour l'ensemble de notre échantillon.

II

L'Église et le prêtre

A. L'ÉGLISE

En abordant la dimension ecclésiale de l'expérience religieuse, nous centrerons notre analyse sur le processus de valorisation, sur le mode d'appartenance à l'Église et sur le type de structure sociale qu'est l'Église aux yeux des informateurs. En d'autres termes, nous aurons à répondre aux questions suivantes :

— L'appartenance à l'Église correspond-elle à l'expérience religieuse idéale de nos informateurs ?

— L'Église est-elle une institution dans laquelle ils se « sentent » engagés personnellement et affectivement ?

— L'Église est-elle pour eux une structure sociale favorisant des expériences personnelles de communication avec Dieu ou avec les autres membres de l'Église, ou est-elle plutôt une structure sociale favorisant des communications segmentaires et impersonnelles ?

Au lieu de considérer isolément chacune de ces questions, établissons une triple typologie de choix existentiels qui décrive les principales options des informateurs [1] :

1. Il s'agit bien de types de choix et non de types d'informateurs. Comme on le verra, l'informateur peut avoir à se situer par rapport à chacun de ces trois types.

Type 1 : l'Église est dévalorisée parce qu'elle est une structure sociale dans laquelle l'individu n'est pas engagé personnellement et affectivement ;

Type 2 : même si elle est perçue et définie comme une structure sociale dans laquelle l'individu n'est pas engagé personnellement, l'Église est valorisée parce qu'elle a été instituée par Dieu ;

Type 3 : l'Église est valorisée parce qu'elle est une institution dans laquelle l'individu fait l'expérience d'une communication personnelle avec Dieu, ou avec les autres membres de l'Église.

TYPE 1. L'ÉGLISE, ORGANISATION FORMELLE DÉVALORISÉE. — Une première conception de l'Église, exprimée par nos informateurs, est centrée sur les aspects formels de son organisation. Seront alors retenus tous les éléments structuraux d'une grande institution : le système hiérarchique de statuts, la structure d'autorité, l'ensemble de rôles liés à cette structure et définis de façon rationnelle et bureaucratique. Les relations sociales à l'intérieur de cette institution sont, par conséquent, basées sur des critères de rationalité bureaucratique. Quand l'on se réfère à l'Église, ce n'est pas à un ensemble organisé de personnes, mais à un ensemble organisé de rôles (les rôles de pape, d'évêque, de curé) et de fonctions (gouverner le monde, donner des dispenses de publications des bancs, enregistrer les mariages, etc.).

Cette conception de l'Église ne favorise pas chez les informateurs un engagement personnel, ni le sentiment d'y être émotivement liés. Être membre d'une telle organisation ne correspond pas non plus pour eux à l'expérience religieuse idéale. Après avoir associé l'Église à tout ce qui est *hiérarchie, structure d'autorité, bureaucratie, organisation,* plusieurs ajoutent : « La religion, ce n'est pas ça ! ». L'Église, comme institution, n'est pas alors définie comme un moyen permettant d'atteindre un objectif religieux ; au contraire, elle apparaît comme un organisme dont l'objectif, en dernière analyse, est le fonctionnement bureaucratique lui-même. Les témoignages suivants expriment cette première conception de l'Église :

> Je pense à une hiérarchie : le pape, les cardinaux, les évêques habillés en rouge, qui gouvernent et qui ont une

> influence énorme sur le monde entier. Un organisme officiel [...]. Pour moi, c'est une grosse chose bien arrangée. Evidemment, à la base, il ne s'agit pas de faire de l'argent. Mais, ils en font un peu, et je ne crois pas que le premier but de l'Eglise soit de faire de l'argent. Certains sont de bonne foi, mais c'est avant tout un organisme bien hiérarchisé. (N° 10)

> Je sais que l'Eglise a un fond important mais cela vient seulement par réflexion. Si vous me dites : « l'Eglise », automatiquement je pense à la hiérarchie. Je ne pense pas à l'enseignement intégral, à la doctrine. (N° 11)

> L'Eglise est devenue un système administratif : le curé enregistre les mariages, il vend les bancs, il passe la quête, il établit le bilan de la fabrique. Monseigneur donne des dispenses de publication de bancs, il distribue ses prêtres un peu partout. Ils ne sont pas ce qu'ils devraient être. Ils ne signifient plus ce qu'ils devraient signifier. Ils ne sont plus des disciples, ils sont des fonctionnaires. (N° 34)

Cette conception de l'Église est présente dans le champ psychologique de la plupart des informateurs. Pour certains, c'est la seule image qu'ils en ont, et l'Église est habituellement fortement dévalorisée. Pour d'autres, cette conception existe, mais en opposition avec l'une ou l'autre des deux autres conceptions que l'analyse a permis de dégager.

TYPE 2. L'ÉGLISE, ORGANISATION FORMELLE VALORISÉE. — Cette conception se rapproche de la précédente, en ce sens qu'elle se fonde aussi sur l'organisation et la structure d'autorité de l'Église. Sous plusieurs aspects, l'Église demeure une institution favorisant peu l'engagement personnel. Elle constitue un *cadre extérieur à la personne* qui, cependant, oriente et détermine les conduites religieuses :

> Je pense au clergé, et à ces choses-là : c'est une aide, quelque chose pour nous diriger, pour nous stimuler. Sans cela, il n'y en aurait pas beaucoup qui s'occuperaient de religion. (N° 3)

Contrairement au premier type analysé, cette seconde conception valorise la soumission à l'Église qui est définie comme détenant une autorité divine. Cette soumission est autoritaire (conformiste) puisqu'elle implique, chez ces informateurs, la reconnaissance d'une autorité extérieure à la personne, et l'habileté à déterminer pour eux les normes de leurs conduites religieuses. L'Église remplit la fonction d'une autorité fondée sur l'expertise et l'infaillibilité de sa hiérarchie ; à cette autorité suprême et divine, le laïc doit se soumettre de façon absolue :

> [L'Eglise] Cela me fait penser aux communautés religieuses, aux prêtres et surtout au pape. Le pape représente quelqu'un qui gouverne tout ça. Quand il nous dit quelque chose, c'est certain qu'il a des preuves à l'appui et qu'il est infaillible. (N° 4)

L'informateur suivant exprime bien la similitude existant entre ces deux premiers types de conceptions de l'Église. D'une part, il dit :

> Le mot « Eglise » me fait surtout penser aux hommes *dirigeants,* le *business side* de la religion. Le cardinal me fait penser à l'homme qui dirige toutes les paroisses. C'est nécessaire, absolument nécessaire. Il faut ça pour savoir où placer les prêtres, où les diriger. Il n'y aurait pas de religion sans cela. (N° 8)

Par ailleurs, il ne dévalorise pas l'Église comme l'implique le premier type de conception. Au contraire, l'Église est la « société experte » dont il faut « accepter les décisions » : « Si l'Église prend une décision, je vais l'accepter, en considérant que l'Église est une société experte. Elle est là pour ça. Des fois, ils prennent des décisions pour nous. »

Ce second type de conception de l'Église soulève une première question importante. La soumission autoritaire se fonde-t-elle sur la croyance en la divinité de l'Église, c'est-à-dire sur le sentiment d'être en présence d'une institution supra-humaine devant assurer le salut à l'homme et exigeant ainsi sa soumission, ou ne repose-t-elle pas plutôt, au moins dans certains cas, sur un besoin psychologique de soumission à une structure d'autorité extérieure à soi, besoin caractérisant un type particulier de structure de personnalité [2] ?

Laissons de côté les théories selon lesquelles toute croyance religieuse est uniquement l'expression d'un besoin psychologique, car elles posent le problème d'une façon qui ne saurait être vérifiée empiriquement [3]. Il serait important, cependant, de savoir si la soumission à l'Église, chez une personne, se retrouve intimement liée, dans la dynamique du champ psychologique, au sentiment de ne pas avoir soi-même une certaine valeur [4]. Il devrait être possible de vérifier empiriquement l'existence ou l'absence d'un lien entre ces deux phénomènes : soumission à l'Église et dévalorisation de soi. Malheureusement, les données de cette recherche ne permettent pas de répondre adéquatement à cette question. Un grand nombre d'informateurs n'ont pas une conscience très nette de leurs expériences religieuses ; leurs croyances et leurs attitudes religieuses n'apparaissent pas avec beaucoup de relief dans leurs témoignages. Ces croyances et ces attitudes se situent au niveau de l'implicite et, par conséquent, appartiennent à une région relativement indifférenciée de leur champ psychologique. Dieu, le Christ, l'Église, le prêtre constituent semble-t-il, pour eux, un tout indifférencié. S'ils croient à l'Église, c'est qu'elle fait partie de ce tout. C'est cette imprécision des témoignages qui nous empêche ici d'apporter une réponse plus empirique à cette première question.

Ce second type de conception soulève une deuxième question intimement liée à la précédente : la soumission à l'Église est-elle inévitablement une soumission de type autoritaire ? Peut-on émettre la possibilité d'une soumission à une autorité même divine et toute-puissante dont les normes et les valeurs aient été intériorisées par la personne ? Une telle forme de soumission ne se retrouve pas dans les témoignages de ceux pour qui l'Église signifie avant tout une

2. Voir Adorno *et al.*, *The Authoritarian Personality*.

3. Voir Freud et les thèmes de la psychanalyse classique.

4. Le sentiment de ne pas avoir soi-même une certaine valeur constitue une des dimensions importantes du syndrome de la personnalité autoritaire.

organisation formelle et bureaucratique. On peut supposer d'ailleurs que si l'Église est exclusivement perçue comme une organisation impersonnelle et bureaucratique, seule y adhérera la personne qui accepte et valorise une soumission conformiste [5].

Type 3. L'Église, une communauté valorisée. — Cette troisième conception suppose, chez nos informateurs, une participation non conformiste à l'Église. En un sens, cette participation implique une certaine soumission, fondée sur le sentiment de la divinité, mais l'image d'autorité n'apparaît pas comme prédominante dans le champ psychologique. Ce qui caractérise plutôt cette conception, c'est l'image d'une institution favorisant les expériences de communication horizontale, avec Dieu ou avec les autres membres de l'Église. Même si l'Église demeure une autorité à laquelle on se soumet, elle est surtout une *communauté* avec laquelle on peut communiquer ou dialoguer et vis-à-vis de laquelle on a le sentiment d'une responsabilité personnelle. Ceux qui partagent cette conception de l'Église accordent souvent une grande importance à la croyance en un corps mystique, à la communication entre Dieu et les hommes dans un même corps. Voici comment un informateur décrit sa conception de l'Église :

> L'Eglise me fait penser à quelque chose qui est tout de même humain. Il est possible qu'elle fasse des erreurs. Mais il reste que j'endosse ce que l'Eglise avance comme pensée. A un moment donné, elle a pu être en retard sur l'évolution. Cependant, il me semble qu'en embarquant et en essayant de faire ma part, cela peut aider. De toute façon, le corps mystique vit intensément. C'est curieux, j'ai même eu, à un moment donné, une espèce d'intuition de cette vie-là.

5. Ces deux questions concernant l'attitude face aux valeurs (intériorisation ou conformisme), et que l'on vient de formuler ici en fonction de l'Église, pourraient tout aussi bien se poser à propos de Dieu ; si nous ne l'avons pas fait au chapitre précédent, c'est que, comme nous l'avons dit, la partie des témoignages portant sur Dieu est beaucoup moins riche et fournit donc des indications plus dispersées et moins faciles à percevoir à travers de brefs extraits.

> [*A l'occasion du décès d'un parent*] : A ce moment-là, c'est l'image d'un membre de l'Eglise triomphante qui était là et qui, en soi, n'était pas une source de tristesse. Comme disait X : « Ça va en faire un autre pour souffler dans les voiles en haut », et cela aussi m'a frappé quand il m'a dit cela. (N° 9)

Cet informateur exprime clairement le sentiment d'être engagé personnellement dans la vie de l'Église et d'en partager la responsabilité. En ce sens, cette conception est « humaine » tout en étant associée à la conception de Dieu et du salut.

Cette conception de l'Église s'oppose donc en tout point à la première qui était, elle, centrée sur le sentiment qu'a le laïc d'être en face d'une institution : *a*) dont le fonctionnement est toujours impersonnel et systématiquement hiérarchique ; *b*) à laquelle, par conséquent, il n'a pas le sentiment de participer de façon pleinement « humaine » (dans le sens indiqué par le dernier informateur cité) ; *c*) dont la structure bureaucratique semble poursuivre des buts qui ne sont en rien compatibles avec sa conception de l'expérience religieuse ou de l'univers religieux.

Les témoignages suivants, comme celui que nous avons déjà cité, supposent une conception fondamentalement opposée à celle-là ; les thèmes de la fraternité, de la communication ou de la relation avec la communauté, en sont l'expression symbolique :

> Je pense à la communauté qu'on est censé former : les prêtres, les fidèles... Il me semble qu'on devrait englober la religion protestante : l'Eglise catholique devrait être un peu plus ouverte à la pensée des autres religions chrétiennes. (N° 35)
>
> Le christianisme, c'est une relation ; ce n'est pas seulement une relation de l'homme avec le Christ, mais aussi de l'homme avec les autres hommes et avec le Christ. C'est une entité. (N° 30)
>
> Le mot Eglise : c'est supposé être tous des frères. De la manière dont ça se passe aujourd'hui, je crois bien qu'on n'est pas cela. (N° 2)

D'une façon générale, ceux qui ont une telle image de l'Église-communauté y voient l'expression de leur idéal religieux. En d'autres termes, lorsqu'elle est présente au champ psychologique, cette conception est valorisée.

Un des traits sur lesquels se base cette troisième conception de l'Église est l'absence de soumission autoritaire. Apportons ici de nouvelles précisions : l'absence de soumission autoritaire caractérise une conception de l'Église qui, dans le champ psychologique, reflète adéquatement l'expérience personnelle de l'individu. Cette conception, même lorsqu'elle s'exprime de façon plus systématique, comme dans la croyance au dogme du Corps mystique, se situe alors au niveau du sentiment. Le dogme apparaît ainsi, dans le champ de conscience, comme une représentation plus organisée de certaines expériences religieuses personnelles. Comme l'ensemble de la conception de l'Église, le dogme se trouve alors intériorisé et intégré à la personnalité. On ne peut donc pas parler ici de soumission autoritaire à l'Église.

Par ailleurs, si cette troisième conception de l'Église se situe exclusivement au niveau de cette pensée systématique qu'est le dogme et si elle n'est pas le reflet ou l'expression des expériences religieuses personnelles, elle constitue probablement une soumission autoritaire à l'Église. Le dogme formulé par l'Église n'est alors qu'un des éléments de cette organisation formelle et hiérarchique à qui l'on se soumet comme à une autorité extérieure à soi-même. En d'autres termes, la seule adhésion au dogme de l'Église-communauté, ou au dogme du Corps mystique, ne constitue pas, en soi, un indice de ce troisième type de conception à l'égard de l'Église [6].

6. En définitive, cette distinction entre une adhésion dogmatique ou autoritaire et une adhésion intériorisée s'applique davantage à l'ensemble des expériences religieuses d'une personne. C'est donc au niveau d'une typologie des expériences religieuses considérées globalement que cette distinction prend toute sa signification. Mais même si elle apparaît plus clairement au moment d'une analyse globale, on la retrouve évidemment au cours de l'analyse portant sur des expériences particulières, comme c'est le cas pour la participation à l'Église.

B. LE PRÊTRE

Une partie ultérieure de notre analyse porte sur les relations interpersonnelles entre nos informateurs et les membres du clergé. À ce moment-ci de notre démarche, notre objectif est de dégager une conception globale de l'expérience des relations avec le prêtre en général, ou avec cette institution de l'Église qu'est la prêtrise. Cette image se retrouvera sous-jacente aux relations interpersonnelles qui seront étudiées plus loin. Nous tenterons ici de la relier à la conception que nos informateurs se font des autres expériences religieuses. Ce secteur de l'expérience religieuse sera exploré à partir des réponses aux deux questions clefs suivantes :

— Quelle image vous faites-vous du prêtre idéal ?

— Avez-vous déjà songé à la prêtrise ? Croyez-vous que vous pourriez ou que vous auriez pu faire un bon prêtre ? Pourquoi [7] ?

Ces deux questions furent choisies parce qu'elles correspondaient très bien à la pensée de nos informateurs. Le contenu et la forme des réponses nous suggèrent d'adopter une démarche légèrement différente de celle qui fut suivie jusqu'ici : au lieu de présenter immédiatement une typologie des conceptions du prêtre, nous allons d'abord analyser les réponses à ces deux questions. Ensuite, nous synthétiserons cette analyse par la présentation de deux modèles idéaux du prêtre [8].

7. Comme la grande majorité des informateurs répondirent qu'ils y avaient songé à un moment ou l'autre de leur vie, il devenait facile, dans la situation d'interview, de leur demander si maintenant ils croyaient qu'ils pourraient ou qu'ils auraient pu faire un bon prêtre.

8. C'est un lieu commun d'affirmer qu'on ne parle pas du prêtre de la même façon qu'on parle de Dieu. Cette constatation a cependant des implications très importantes : lors de l'interview, le chercheur doit y adapter ses questions ; lors de l'analyse, les témoignages portant sur Dieu et sur le prêtre ne sont pas parfaitement comparables. Nous aurions pu présenter immédiatement les deux types de prêtres que l'analyse a permis de dégager. Mais une revue préliminaire des réponses rendra plus facile et plus précise la formulation d'une typologie.

1. Qu'est-ce que le prêtre idéal pour vous ? — Une première dimension de l'image du prêtre idéal se rapporte à l'enseignement de la religion. Le prêtre idéal est celui qui « doit parler de Dieu avec compétence » (n° 6), « celui qui doit transmettre une vision chrétienne du monde » (n° 9), « celui qui prêche la religion par son exemple, qui sait glisser un mot à propos de la religion... » (n° 2). Le laïc, par contre, « c'est un homme qui est là pour recevoir les conseils du prêtre » (n° 8). Le prêtre, en un mot, est celui qui enseigne et dirige en matière de religion. Cette dimension revient constamment dans les témoignages, mais ce n'est cependant pas celle-là que les informateurs valorisent le plus. Ce qui retient surtout leur attention ce sont les qualités que doit posséder le prêtre enseignant. Dans leur système de valeurs, la forme de l'enseignement est au moins aussi importante que le contenu. Ces qualités se résument en deux mots : compréhension et générosité.

Compréhension. — Sans nécessairement être d'accord avec lui, le prêtre idéal, selon le groupe d'informateurs, doit savoir écouter et comprendre le laïc. Il accepte de discuter avec le laïc et par conséquent, il admet qu'il puisse avoir des opinions personnelles et qu'il suive son propre cheminement spirituel. Il n'a pas oublié ce que c'est que d'être jeune et il pense comme les jeunes.

L'expression qui correspond peut-être le mieux à cette image du prêtre idéal est celle du *prêtre jeune* : on peut parler du prêtre jeune de la même façon que l'on parle du prêtre-ouvrier, c'est-à-dire de celui qui est ou vise à être identifié le plus possible à l'ouvrier par son mode de vie et de pensée. Ce *prêtre-qui-comprend-les-jeunes* doit, en même temps, être capable de les aider et de les conseiller (car on reconnaît une autorité au prêtre idéal), mais il ne doit jamais exercer son autorité de façon autoritaire ou dogmatique [9].

9. Un informateur se demande d'ailleurs si ce genre de relation avec le prêtre (de conseillé à conseillant) ne disparaît pas quand le laïc est parvenu à la trentaine.

Une autre image qui révèle la même conception du prêtre est celle de l'ami. On veut se fier au prêtre comme à un ami. Quelques informateurs le disent expressément : pour la plupart, le prêtre idéal, compréhensif et jeune, est fondamentalement le prêtre avec qui il est possible, sinon d'être ami, du moins d'avoir des contacts analogues à ceux que l'on peut avoir avec des amis.

Générosité. — Une seconde qualité du prêtre idéal, apparaissant cependant moins souvent dans les témoignages, est la générosité. Le prêtre idéal sait se « donner » aux autres. Pour certains, c'est le missionnaire qui symbolise le mieux cet idéal. Pour d'autres, c'est le prêtre qui est toujours prêt à écouter et à aider les autres. Pour tous, c'est celui qui s'oublie, qui fait don de lui-même [10].

En définitive, le prêtre idéal est celui qui est compétent pour enseigner la religion et qui exerce cet enseignement dans un climat de compréhension et de générosité à l'égard du laïc. Les réponses à la seconde question permettent de compléter l'analyse.

2. AURIEZ-VOUS FAIT UN BON PRÊTRE ? POURQUOI ? — De l'analyse des réponses à cette question, se dégagent trois dimensions de la conception de la prêtrise : le prêtre et la foi, les fonctions du prêtre, l'ordre comme institution ecclésiale.

a) Le prêtre et la foi. — Environ le tiers des informateurs justifient leur réponse affirmative ou négative en faisant référence à la foi qui doit animer le prêtre. Certains se contentent de rappeler que pour décider « d'entrer chez les prêtres », il faut avoir la foi (n°s 10 et 18). D'autres précisent la qualité extraordinaire que doit avoir cette foi. L'informateur n° 6 dit qu'il aurait pu faire un bon prêtre s'il avait été « plus croyant, plus convaincu ». L'informateur n° 26 dit qu'il ne pourrait faire un bon prêtre parce qu'il n'accepte pas certains aspects de la foi catholique, c'est-à-dire certains dogmes auxquels l'Église exige une adhésion totale. L'informateur

10. Le lecteur trouvera à l'appendice H des extraits de réponses à la question se rapportant au prêtre idéal.

nº 14 croit qu'il pourrait faire un bon prêtre et il y songe encore sérieusement. Pour lui, cette décision est en référence directe avec sa foi puisque, à son avis, toute vie chrétienne adulte l'est : qu'il s'agisse de choisir une profession « dans le monde » ou de s'orienter vers la prêtrise, le problème fondamental est de « réaliser davantage en soi l'image de Dieu ».

Pour un second groupe, il ne s'agit plus d'une foi en Dieu ou d'une foi catholique. Il s'agit plus spécifiquement d'une foi en l'appel de Dieu. Pour l'informateur nº 9, on peut faire un bon prêtre si c'est là la « volonté de Dieu ». L'informateur nº 5 valorise beaucoup le prêtre, mais il ne croit pas qu'il aurait pu faire un bon prêtre et il ajoute : « À la rigueur, j'accepterais, peut-être, de faire un mauvais architecte mais je n'accepterais jamais de faire un mauvais curé. Celui-ci a beaucoup plus de comptes à rendre. » L'informateur nº 27 dit qu'après avoir mûrement réfléchi il avait maintenant la certitude de n'être pas appelé à la prêtrise, de n'être pas destiné à cette vocation. Il poursuit : « Si cela avait été ma place, j'aurais eu les grâces nécessaires pour faire un bon prêtre [11]. »

Sauf les quelques témoignages cités, on trouve très peu de références à une participation symbolique du prêtre à Dieu et à une croyance explicite en un sacrement de l'Ordre, comme institution divine. Ceux qui motivent leur réponse en faisant appel à la foi font surtout référence à l'idée que le prêtre doit être animé d'une foi plus grande que le laïc. Il est évidemment possible que la croyance en la prêtrise, comme institution divine, existe sans avoir été exprimée dans la situation d'interview. Si tel est le cas, la situation n'en demeure pas moins significative : la plupart des informateurs ne situent pas leurs réponses au niveau d'une croyance spécifique à l'égard du sacrement de l'Ordre. Cette constatation qui ressort déjà

11. Quelques autres témoignages, en particulier les nºs 33 et 12, se réfèrent aussi à cette notion de vocation ou d'appel mais, pour eux, les indices de cette vocation sont moins du domaine de la foi que de celui de la discipline religieuse. Ne pas avoir de vocation, c'est surtout ne pas pouvoir s'adapter à la discipline de la vie religieuse (nº 33) ou se sentir incapable d'accepter les trois vœux prononcés par les religieux (nº 12).

de l'analyse des réponses se référant à la foi chez le prêtre, apparaît avec encore plus de clarté à l'analyse des réponses des deux autres catégories. L'Ordre est alors une institution fortement dévalorisée, ne correspondant pas aux aspirations religieuses des informateurs.

b) Les fonctions du prêtre. — Les informateurs pour qui le prêtre idéal est celui qui a une foi intense justifient leurs réponses par d'autres critères. Plusieurs se réfèrent alors aux diverses fonctions exercées par le prêtre. Il s'agit là, pour eux, d'un critère radicalement différent du précédent. Même quand il s'agit de fonctions spécifiquement religieuses comme l'enseignement de la religion, la prédication, l'organisation du culte, la prêtrise semble envisagée indépendamment de la foi et des croyances. Pour la plupart des informateurs, sinon pour tous, ces fonctions sont décrites et commentées comme s'il s'agissait d'une activité professionnelle quelconque. En d'autres termes, leurs réponses impliquent les mêmes dimensions psychologiques que pour une question portant sur leurs capacités de faire un bon avocat ou un bon ingénieur. Voici les principales fonctions citées par les informateurs, ainsi que quelques extraits significatifs.

Culte de prédication. — Quelques informateurs seulement mentionnent les fonctions de ministre du culte et de prédicateur dans leurs réponses :

> Franchement, je ne me vois pas m'occuper toujours des choses d'Eglise. Etre obligé de dire deux ou trois messes par jour. Puis m'occuper des vêpres, des dames de Sainte-Anne, et de ces histoires-là. (N° 22)
>
> Un bon prêtre ? Je ne le pense pas. Peut-être un prédicateur afin de conseiller. Un prêtre... une vie tranquille... Peut-être un frère enseignant. J'y ai déjà pensé. J'aurais aimé ça. (N° 7)

Apostolat. — L'apostolat en soi est une fonction assez mal définie. Il est cependant possible de distinguer trois formes principales d'apostolat. La première forme est l'apostolat proprement religieux. La seconde forme est l'apostolat social général. Il s'agit alors d'un apostolat plus diffus, par lequel le prêtre joue le rôle de conseiller, d'aide, d'assistant social envers les personnes déshéritées. L'informateur suivant, (n° 28) par exemple, est le seul qui avait choisi la prêtrise au moment de l'enquête. Il aimerait être « un prêtre dans une paroisse pauvre, ou autre chose comme cela » : « J'essayerai d'aider les paroissiens... Peut-être que j'aurais aimé ça aller dans une mission, comme au Congo, et aider les moins fortunés. »

L'informateur n° 33 est déjà allé dans un noviciat et il en est sorti : « parce que ce n'était pas ma place » dit-il. Mais il sait qu'il aurait probablement pu travailler dans telle paroisse pauvre et « dure » de Montréal : « Il y a toute sorte de monde : il y a un beau champ d'apostolat. Ça aurait été un peu mon genre. J'aurais été à l'aise. » L'informateur n° 16 se sent incapable de remplir ce rôle :

> Passer toute sa vie dans le malheur des autres, dans le malheur psychologique, il me semble que c'est très difficile. Je m'en vais en médecine, ça a l'air drôle, mais je ne considère pas la médecine sous cet aspect-là. Je la considère surtout du point de vue scientifique.

L'informateur suivant (n° 26) a conclu que la prêtrise n'était pas sa vocation. Mais avant d'en arriver à cette conclusion, il avait pensé qu'il ferait un bon prêtre : « Je voyais dans le prêtre l'aspect humain, la personne qui accepte les autres, humainement. Quand je me suis aperçu qu'il fallait prier, ... »

La troisième forme d'apostolat est l'apostolat social spécialisé. Il est significatif, à cet égard, qu'aucun informateur n'ait fait référence à l'action sociale entreprise par certains prêtres au niveau des syndicats, des organismes de bien-être et de culture populaire, etc. Aucun d'entre eux ne voyait, à travers ces fonctions, une façon d'être un « bon prêtre ».

Enseignement. — Quatre informateurs mentionnent cette dernière fonction. Ils affirment tous qu'elle n'est pas sacerdotale et qu'elle ne devrait pas être remplie par le clergé.

Dans l'ensemble, les diverses fonctions du prêtre sont assez peu valorisées par nos informateurs. Peut-être faut-il faire exception des fonctions centrées sur l'apostolat auprès de personnes psychologiquement ou économiquement faibles. Ce type d'apostolat semble symboliser le mieux la générosité du prêtre idéal. Les fonctions se rapportant à l'exercice du culte ou à la prédication apparaissent rarement dans les réponses des informateurs [12] et elles ne semblent pas des éléments importants dans l'image qu'ils se font du prêtre ou du prêtre idéal. Cette dernière constatation est en continuité avec ce que nous avons conclu : le prêtre idéal est perçu comme ayant une foi intense et, parfois, comme ayant reçu un appel particulier ; dans ses fonctions cependant, il n'est pas explicitement défini comme un représentant de Dieu. Évidemment une grande partie des informateurs connaissent les définitions apprises aux cours de religion ; mais si, au moment de l'entrevue non directive, les informateurs ne s'y sont pas référés, on peut certainement supposer qu'elles ne sont pas intégrées à leur propre image du prêtre. D'ailleurs la prêtrise, comme institution, prend une signification qui, non seulement n'est en rien associée à l'univers religieux, mais qui s'oppose même à certaines valeurs comme l'autonomie et la possibilité de communiquer avec autrui. Voyons plus précisément ce que signifie, pour nos informateurs, être membre d'un ordre.

c) Le prêtre, membre d'un ordre. — Les expressions comme « entrer dans les ordres », « quitter le monde », ne constituent pas pour nos informateurs de simples figures de style. Accepter d'être prêtre, choisir d'être prêtre, cela signifie, pour eux, se joindre à un groupe sociologiquement défini et exigeant de ses membres l'adhésion stricte à un ensemble de normes et de valeurs. Plus spécifiquement, on peut ramener à deux thèmes principaux la conception que ce groupe d'étudiants se fait de la prêtrise comme institution : la contrainte sociale et l'isolement.

Au niveau des comportements et des modes de vie, cette institution place le prêtre dans un cadre rigide et sévère.

12. Le fait que les informateurs aient déjà exprimé leurs attitudes à l'égard de l'enseignement religieux (voir question précédente) peut expliquer qu'ils n'aient pas mentionné plus souvent le rôle de la prédication ou de l'enseignement religieux.

Les informateurs indiquent plusieurs de ces exigences. Pour certains, il s'agit de l'obligation de prononcer les trois vœux de chasteté, d'obéissance et de pauvreté (nº 12). Pour d'autres, la prêtrise signifie cette discipline obligeant les prêtres à lire le bréviaire et à accepter tout ce qui leur est imposé (nºs 3-5), « à perdre une certaine liberté » (nº 16) et « à mener une vie, pas enfermée, mais à la même place tout le temps » (nº 19). C'est également cette règle d'obéissance qui fait craindre à un autre informateur (nº 6) qu'un individu choisissant la prêtrise soit obligé de se consacrer à l'enseignement même si cette fonction ne l'intéresse pas. Pour d'autres, enfin, le célibat, associé à la prêtrise, constitue en soi une règle stricte.

Mais l'institution ne définit pas uniquement les comportements et les modes de vie. Pour certains informateurs, choisir la prêtrise signifie accepter l'encadrement des attitudes personnelles et même de toute la personnalité. En d'autres termes, la prêtrise, comme institution, refuserait au prêtre la possibilité d'avoir une personnalité propre, de poursuivre son cheminement humain, intellectuel ou spirituel et d'en arriver à une certaine autonomie et à une certaine authenticité dans sa vie spirituelle. Cette conception de la prêtrise n'est évidemment pas formulée telle quelle par nos informateurs. Elle se dégage plutôt des témoignages de plusieurs d'entre eux : l'informateur nº 17 affirme : « Les prêtres sont tous pareils : ils ne sont pas personnels, etc. »

L'informateur nº 21, pour sa part, dit qu'il ne pourrait pas faire un bon prêtre parce qu'il n'a pas encore fréquenté de jeunes filles : « Est-ce que je serais capable de résister à la tentation, une fois prêtre ? Moi, je réponds, non. Plutôt que faire un mauvais prêtre, j'aime autant ne pas en faire du tout. » Pour cet informateur, ce n'est pas tant le vœu de chasteté comme tel qu'il craint, mais le fait qu'on puisse exercer sur lui des pressions afin qu'il devienne prêtre, alors qu'il n'a pas l'impression de se connaître lui-même ni d'avoir fait certaines expériences humaines qu'il juge importantes. D'ailleurs, cet informateur ne pourrait pas choisir la prêtrise, parce que ce choix ne saurait être perçu par lui comme un choix autonome.

Depuis son enfance et jusqu'à aujourd'hui, ses parents, son milieu familial, les prêtres de son collège exercent une pression ; cette pression est si fortement ressentie qu'effectuer un tel choix signifierait un échec ou une évasion devant un monde hostile dont il tente de se dégager depuis quelques années :

> A un moment donné, je pensais à la prêtrise. Je voulais entrer à... Je me suis dit : Mon petit gars, penses-y sérieusement. Ne va pas là pour te sauver du monde ! J'y allais peut-être pour me sauver du monde : le monde me déteste, je déteste le monde ; on va là-bas, et personne pour nous embarrasser. Mais ce n'est pas ce dessein-là qui devrait nous guider. (N° 21)

L'informateur suivant ne pourrait décider d'entrer dans le clergé, sans ressentir qu'il n'a pas choisi en toute conscience. Pour lui aussi, choisir d'être prêtre ne serait pas, actuellement, un choix autonome et authentique. Remarquons qu'il n'affirme pas que les structures cléricales empêchent toute autonomie chez le prêtre. Mais il désire poursuivre certaines expériences afin que, éventuellement, son choix puisse être autonome et conscient. Toutefois, ses commentaires semblent aussi impliquer qu'il lui serait impossible de poursuivre son cheminement à l'intérieur des cadres du sacerdoce :

> Je ne pense pas que la prêtrise soit d'abord s'embarquer dans une situation pour faire quelque chose. Ensuite je pense que la prêtrise ça vient au bout de certaines prises de conscience. Actuellement, je veux vivre, je veux savoir ce que sont les hommes. Je veux me connaître, et je pense que c'est par les hommes qu'on se connaît. (N° 30)

Ce premier thème, celui d'un certain *encadrement* de la personnalité ou d'une certaine contrainte sociale, n'apparaît pas dans toutes les entrevues [13]. Mais lorsqu'il apparaît, il est associé à des attitudes négatives, très saillantes, à l'égard de la prêtrise comme institution.

13. De fait le même thème n'apparaît jamais dans toutes les entrevues.

Le second thème se dégageant de l'analyse de certains témoignages est celui de *l'isolement* du prêtre par rapport au reste du monde. Ce thème est fondamentalement lié au précédent : en même temps que la prêtrise fournit à ses membres un mode de vie, des règlements disciplinaires et des valeurs particulières, elle les soustrait au mode de vie, aux normes et aux valeurs du reste du monde. Par exemple :

> Je ne me sentais pas fait pour la prêtrise. Il me semble que ça doit être difficile de vivre seul. Plutôt que de faire un prêtre, j'aurais fait un moine isolé. Vivre dans la société, et passer ma vie au presbytère, j'en aurais été incapable. (N° 16)

L'attitude des informateurs devant cette institution qu'est la prêtrise apparaît donc plutôt négative, mais très homogène. On peut supposer, à priori, d'autres attitudes que celles décelées dans les interviews. Les thèmes de la solitude, de la discipline, ne pourraient-ils pas, par exemple, donner naissance à une certaine admiration devant des valeurs comme le renoncement, l'obéissance, le don de soi, le contrôle de soi ? Il est significatif que l'on ne retrouve pas, ou à peu près pas, l'expression d'attitudes positives face à ces aspects de la prêtrise. Cette constatation n'est-elle pas reliée à ce que nous avons déjà observé à propos de l'Église en général ? Nous aurons à y revenir ; mais remarquons tout de suite la généralité de cette attitude négative à l'égard de tout ce qui touche l'institutionnalisation des conduites religieuses.

3. Le prêtre tel qu'il est et le prêtre idéal. — Même si nos deux questions (« Quelle est votre conception du prêtre idéal ? » et « Avez-vous déjà songé à la prêtrise ? Auriez-vous fait un bon prêtre ? ») cernaient l'image du prêtre idéal, elles permirent aux étudiants d'exprimer leur conception à la fois du *prêtre-tel-qu'il-est* et du *prêtre-idéal.* Ainsi, le non-dogmatisme et l'ouverture à l'expérience des autres, qu'ils attribuent au prêtre idéal, s'accompagnent plus ou moins confusément d'une définition de ce qu'est souvent, à leurs yeux, le prêtre d'aujourd'hui : dogmatique, autoritaire, fermé à une grande

partie de l'expérience des étudiants laïcs. Aussi les résultats de notre analyse peuvent-ils se synthétiser en deux conceptions du prêtre. Comme nous ne faisons que reprendre les thèmes analysés plus haut, nous nous limiterons à une description schématique de ces deux types [14].

a) Le prêtre tel qu'il est. — Le prêtre est un homme qui a une foi plus vive, plus profonde, mieux informée que celle de la plupart des autres membres de l'Église. Quand on songe au prêtre, on ne voit pas le Christ lui-même, sauf peut-être quand on songe au contexte immédiat de la messe [15]. Le prêtre a la foi dans le Christ ou en Dieu, mais il n'est pas le Christ, il n'est pas Dieu par participation symbolique : il représente Dieu à travers ses fonctions de ministre du culte et d'enseignant. Il est un « homme d'Église », c'est-à-dire un homme qui aime diriger les diverses pratiques cultuelles et qui attache beaucoup d'importance à ces pratiques. Même s'il considère sa fonction d'enseignant comme se limitant au magistère religieux, il intervient quand même, sur le plan de la religion, dans tous les secteurs de la vie des laïcs [16]. Ces interventions ont tendance à s'effectuer dans un climat de dogmatisme et d'autoritarisme dans lequel le prêtre est l'unique juge de ce qui est valable ou non dans les expériences religieuses des laïcs.

Ce dogmatisme ne le porte guère à écouter et à comprendre les laïcs qui expriment des valeurs qu'il ne reconnaît pas lui-même en tant que valeurs religieuses, ou qui expriment des valeurs religieuses différentes des siennes. Le prêtre, enfin, appartient à un ordre religieux. Cet ordre peut être reconnu comme institution divine, mais ce caractère divin et sacramentel n'est pas le plus important. Les traits caractéristiques du prêtre tendent à lui faire perdre son autonomie personnelle, à l'enca-

14. À l'analyse, ces deux types apparaissent comme deux types modaux, *i. e.* où ils sont tous deux décrits par la plupart de nos informateurs.

15. Voir les pages suivantes portant sur la messe.

16. En ce sens nous pouvons décrire cet enseignement comme un enseignement spécifique et non diffus.

drer par un ensemble de normes et de valeurs différent de celui des laïcs. C'est sa participation à un groupe spécifique, le clergé, qui l'empêche de comprendre le laïc de l'intérieur et de vivre au même diapason que lui.

b) Le prêtre idéal. — Sur le plan de la foi, le prêtre idéal ne diffère guère de celui qu'on vient de décrire. Même idéalement, il ne représente pas Dieu symboliquement, du moins pas au niveau explicite du champ de conscience des jeunes laïcs interviewés. Sur le plan de la représentation fonctionnelle, c'est-à-dire en tant qu'il a pour fonctions de présider aux exercices du culte et d'enseigner les valeurs religieuses, d'enseigner Dieu, le prêtre idéal définit son autorité d'une façon beaucoup plus diffuse. Il accepte que les pratiques cultuelles n'occupent pas une place prépondérante chez la plupart des étudiants [17].

Tout en se reconnaissant la tâche spécifique de « parler de Dieu », il inclut dans ses fonctions tous les types de conseils ou d'aides que le laïc veut bien lui demander. À ce moment-là, il accepte qu'une bonne partie de ses contacts avec le laïc ne portent pas spécifiquement sur un contenu religieux. Cette attitude implique un type de relation non dogmatique, non autoritaire, dans l'exercice de ses fonctions. Il se définit comme celui qui va aider le laïc à poursuivre son propre cheminement humain ou spirituel et à assumer ses propres expériences. Il n'accepte pas nécessairement chacune de ces expériences, mais il écoute et tente d'en comprendre la signification profonde. Ce prêtre idéal fait lui aussi partie d'un ordre, mais il réussit à être du monde, tout en n'y étant pas complètement, comme il réussit à être jeune, tout en n'étant pas aussi jeune que l'étudiant qu'il rencontre.

17. Cette généralisation s'inspire du fait qu'en décrivant le prêtre idéal, peu d'informateurs accordèrent de l'importance aux pratiques cultuelles. Aucun étudiant, par exemple, ne mentionna que le prêtre idéal devait accorder une grande valeur à la liturgie ou devait être rigoureux à l'égard des pratiques cultuelles. Cette généralisation doit évidemment être complétée par l'analyse des conceptions religieuses portant sur la pratique religieuse, en particulier sur la messe. Le prêtre, comme réformateur de la liturgie ne peut alors être exclu à priori de l'image du prêtre idéal.

Bref, ce prêtre idéal réussit à dépasser un certain nombre d'antinomies : il détient et exerce une autorité sans autoritarisme ; il a acquis par l'expérience une compétence dans l'exercice de ses fonctions, mais cette compétence, il l'exerce comme s'il était aussi jeune que les informateurs eux-mêmes. Il fait partie d'un ordre qui l'isole des autres tout en lui permettant d'être près des autres.

Rappelons qu'il s'agit ici de deux modèles idéaux qui correspondent à deux conceptions (images) du prêtre. Au niveau des expériences concrètes, il est évident que certains prêtres sont définis par les informateurs comme correspondant à l'image du *prêtre-tel-qu'il-est* et d'autres comme correspondant à l'image du *prêtre-idéal*. Il se peut aussi que les conduites d'un même prêtre soient perçues comme étant de types différents. Il arrive que les informateurs valorisent le prêtre, parce qu'ils ont le sentiment qu'il participe à une réalité divine et qu'il est associé symboliquement à Dieu et à l'Église. Mais dans l'ensemble, cette dimension n'apparaît pas souvent dans le champ psychologique. La valeur du prêtre est fondée surtout sur sa capacité d'entrer en relation avec le laïc, de le comprendre, de l'accepter et de l'aider de façon non dogmatique.

En définitive, le prêtre est valorisé quand il est associé à l'expérience d'une communication satisfaisante et d'un dialogue parfait. Si l'image qu'on se fait du prêtre est l'expression d'une image implicite de Dieu, le Dieu de nos informateurs est celui qui sait dialoguer : Dieu serait pour eux « Dialogue ». Le dialogue, ou plus simplement, la communication, apparaît comme une des principales préoccupations des jeunes de notre échantillon. Presque toujours, évidemment, le prêtre « fait penser » à Dieu et à l'univers religieux ; mais quand il n'est pas associé à l'expérience du dialogue, il devient surtout le signe conventionnel plutôt que le symbole du divin.

III

L'expérience de la messe

L'assistance ou la participation à la messe est certainement une des plus importantes pratiques cultuelles de l'Église catholique. Aussi, une analyse des diverses représentations de ces expériences dans le champ de conscience constitue-t-elle un indice certainement incomplet, mais significatif, de la conception que l'on se fait de la pratique cultuelle en général.

Notre perspective demeure essentiellement la même que dans les chapitres précédents et l'analyse sera encore centrée autour des questions suivantes : l'expérience de la messe est-elle une expérience dans laquelle la spontanéité et l'émotivité du pratiquant entrent en jeu, ou est-elle plutôt une expérience qui fait surtout appel aux processus rationnels et à la maîtrise des émotions ? Quand et comment la messe est-elle une expérience valorisée par l'informateur ou, en d'autres termes, quand et comment coïncide-t-elle avec l'image d'une expérience religieuse idéale ? Comment se pose, enfin, au niveau du champ psychologique, le problème de l'intégration, en un tout relativement cohérent, des diverses images que l'on peut avoir de l'expérience de la messe ? Ce sont les réponses à ces questions qui justifient la formulation de quatre types de conception de la messe.

TYPE 1. LA MESSE, EXPÉRIENCE RATIONNELLE. — Nous avons déjà décrit un type analogue à celui-ci au moment de l'analyse des conceptions de Dieu. À la base de cette conception de la messe, se retrouve habituellement le sentiment de la présence d'un Dieu. Mais ce n'est pas au moment même de la messe que ce sentiment apparaît. Car entre la croyance en Dieu et l'acceptation de la messe, s'intercale un processus rationnel par lequel on reconnaît que, Dieu étant Dieu, il est normal ou logique de lui rendre hommage, et par lequel on accepte que la messe en soit l'occasion. C'est ce processus rationnel qui accorde une valeur aux gestes ou aux rites cultuels, mais qui ne les associe pas directement au sentiment de la présence de Dieu.

Cette conception se retrouve, au moins implicitement, chez cet informateur pour qui la messe doit être une expérience « pensée », au cours de laquelle il maîtrise son émotivité et réagit rationnellement. Évidemment, il ne s'oppose pas à l'expression d'un sentiment, mais à la « sensiblerie ». Cependant, on se rend compte que la conception de la messe qu'il valorise est, en définitive, en opposition avec une expérience affective qui se caractériserait par sa spontanéité et son engagement total et personnel :

> Au point de vue sensibilité, la messe ne me dit rien. Mais au point de vue pensée, je suis obligé d'admettre que la messe est un grand sacrifice. Cependant, je ne peux concevoir qu'un gars de philosophie aille à la messe, qu'il aime ça et qu'il trouve ça beau avec sa sensibilité. (N° 24)

Le nombre d'informateurs exprimant ce type de conception est beaucoup moins élevé pour la messe qu'il ne l'était pour Dieu [1]. Dieu se prête plus facilement à cette orientation rationnelle et les cours de philosophie et de religion semblent souvent avoir guidé les informateurs dans cette direction. Par ailleurs, la messe étant une expérience très concrète, qui suppose même

1. Notons que tous les témoignages s'opposant à la « sensiblerie » de certaines pratiques religieuses n'expriment pas nécessairement ce premier type de conception de la messe. « Sensiblerie » s'oppose le plus souvent à « authenticité », en ce sens que la pratique trop centrée sur cette « sensibilité » empêche l'expression d'émotions profondes qui ne s'extériorisent pas aussi facilement.

des expressions corporelles [2], il est presque inévitable que la représentation qu'on en a implique une participation plus affective de la personne.

Enfin, pour plusieurs informateurs, l'expérience de la messe est probablement antérieure à l'expérience de Dieu : il s'agit d'une pratique apprise dès le jeune âge et qu'on ne remet pas aussi facilement en question au nom d'une réflexion intellectuelle. On peut remettre la messe en question, on peut y voir un rite qui n'a rigoureusement aucune valeur, mais cette évaluation de la messe ne saurait s'effectuer en dehors d'une expérience affective. En d'autres termes, même si, à l'égard de la messe, il est théoriquement possible de porter des jugements de valeur, les témoignages n'expriment, effectivement, que des sentiments de valeur.

Type 2. La messe, expérience valorisée. — Pour comprendre les diverses conceptions de la messe, peut-être faut-il encore utiliser la notion de l'expérience multidimensionnelle. Nous suggérons ici d'employer quatre dimensions pour la représentation symbolique de l'expérience religieuse idéale. Ces dimensions ne sont pas nécessairement liées les unes aux autres, mais elles ne sont pas non plus mutuellement exclusives. La messe peut être une expérience valorisée quand :

Type 2a : elle est l'occasion d'un contact personnel avec Dieu ;

Type 2b : elle constitue une participation à une institution qui, sur le plan symbolique, est liée à Dieu ou au Christ ;

Type 2c : elle constitue un minimum de religiosité ;

Type 2d : elle favorise une réflexion personnelle sur soi-même.

Type 2a. Contact avec Dieu. — Chez ceux qui valorisent la messe, il faut d'abord distinguer ceux qui y voient un moment privilégié de leur existence, au cours duquel ils ont l'impression d'entrer en relation personnelle et intime avec leur Dieu. Ce qu'ils valorisent n'est pas le rite lui-même mais,

2. C'est là d'ailleurs un trait de toute pratique cultuelle.

d'une part, ce sentiment d'intimité avec Dieu et, d'autre part, ce « climat », cette ambiance, qui leur permet de penser à Dieu, de le prier, de lui rendre hommage. Ils reconnaissent parfois que ces expériences pourraient avoir lieu à d'autres moments et en d'autres lieux, mais ils ont appris à utiliser le temps de la messe pour avoir une relation personnelle avec leur Dieu. Voici quelques extraits d'entrevues exprimant cette conception de la messe :

> Quand je vais à la messe sincèrement, non pas lorsque j'y vais et que je ne suis pas porté à prier, mais quand je vais, par exemple, à une messe libre au collège, ce n'est pas surtout pour la messe que j'y vais. C'est pour chercher l'ambiance permettant de continuer le dialogue, parce que je crois que la messe, en soi, ça apporte peu. (N° 11)

Plus loin, cet informateur, en décrivant son évolution religieuse récente, revient sur cette notion de dialogue « qui s'accompagne d'une certaine présence en moi, d'une présence que je sentais en moi ».

L'informateur n° 27 affirme bien : « J'admets toute l'importance et toute la signification de la messe », mais ce qu'il valorise le plus, dans la messe, c'est l'« atmosphère » qui lui permet de se « sentir emporté » : « Je suis peut-être difficile, mais moi, les messes que j'aime, ce sont celles où il y a de l'atmosphère. Prenez, par exemple, une messe dans un noviciat quelconque ou dans une abbaye... je ne sais pas... il y a une atmosphère là-dedans, on se sent emporté. » Cet informateur évoque ensuite certaines réformes qui devraient permettre une meilleure participation à la messe. Mais les réformes qu'il souhaite touchent beaucoup moins la signification symbolique de la messe que l'atmosphère dont il vient de parler. Il espère que les églises ne seront plus des « musées » de l'ancien style remplis de toutes sortes de « fioritures », et que les architectes disposeront les bancs de façon à mieux faire participer les fidèles. Cette participation, il ne la définit pas clairement, mais il semble bien que, pour lui, participer soit se « sentir emporté » vers une réalité supra-humaine et établir un contact avec Dieu dans un climat propice [3].

Dans cette perspective donc, le critère de valorisation de la messe est fondamentalement le sentiment d'une relation individuelle, immédiate et personnelle avec Dieu. La messe elle-même est valorisée globalement parce qu'elle permet une telle expérience religieuse, et les divers éléments rituels (liturgie, musique, architecture) sont valorisés seulement s'ils favorisent la spontanéité et l'émotivité qu'implique une telle expérience religieuse.

Type 2b. Participation à une institution religieuse. — Parallèlement à cette conception personnelle de la messe, une autre conception apparaît, selon laquelle la messe est définie et ressentie comme une expérience d'Église. On conçoit alors la messe comme une pratique cultuelle collective, c'est-à-dire comme un geste de la communauté des chrétiens à l'égard de Dieu. On voit dans cette communauté le symbole de l'Église et du Christ. Le geste du prêtre officiant symbolise le sacrifice du Christ ; le participant s'identifie également au Christ. Tout d'abord, selon cette conception, la messe est différenciée des autres expériences religieuses : elle constitue une partie d'un tout beaucoup plus vaste. Cette pratique cultuelle est reliée à tout le système des croyances religieuses et à l'ensemble de la vie communautaire de l'Église. L'acceptation de la messe est alors la conséquence et l'expression d'une adhésion totale et profonde à l'Église [4].

> Puis, naturellement, le point central de la pratique religieuse, c'est la messe. La messe vue dans une optique spatiale, si on peut dire, comme étant une prière de l'univers au complet qui, à ce moment-là, rend vraiment hom-

3. Il en serait autrement si les réformes auxquelles il fait allusion touchaient la notion très importante de participation au sacrifice, à l'offrande, etc. Dans ce cas, cette réponse exprimerait plus la seconde dimension, la dimension sociale de la messe.

4. Les informateurs qui expriment ce type de conception à l'égard de la messe définissent habituellement l'Église comme une communauté (voir notre troisième type de conception de l'Église).

> mage. C'est le sacrifice, c'est le mystère du Christ, chemin terrestre pour mener vers Dieu. Puis également, la messe, c'est formidable ce qu'elle peut nous faire découvrir. En fait, nous sommes le Christ, qui que nous soyons. Dans la messe, c'est nous qui, d'une certaine façon, offrons le Christ par participation. Alors, ça doit être le point central de notre vie religieuse. (N° 14)
>
> La messe est le lieu vital de notre religion. C'est là qu'on rencontre réellement Dieu. Ça demande de l'effort. Pour vivre en communauté ça demande de faire abstraction de soi-même, ça demande de ne pas être individualiste, c'est ça qui est difficile [...] Moi, la messe, je pense que je ne la vis pas comme je devrais la vivre. Toute la messe doit être en fonction de ça, cette relation de l'homme avec Dieu. (N° 30)

Les quelques informateurs exprimant cette conception de la messe précisent que chacune de leurs expériences concrètes ne revêt pas inévitablement une telle signification : cette conception traduit plutôt une image idéale globale qu'ils ont de la messe. Ce qui les caractérise, en définitive, c'est justement de privilégier cette image globale idéale et de ne pas accorder d'importance au fait qu'elle ne coïncide pas toujours avec leurs expériences.

Type 2c. La messe, condition minimale de la foi. — L'assistance à la messe est souvent conçue comme la condition minimale de la foi ou de la religiosité. La messe devient alors, l'unique symbole de l'expérience religieuse. La continuation de la pratique dominicale s'accompagne, chez certains, du rejet d'une grande partie de l'expérience religieuse, chez d'autres, le désir de retrouver une foi qu'ils estiment perdue. Cette conception pourrait se résumer en ces quelques mots : « Si je veux être croyant, ou si je veux être catholique, il faut que j'aille à la messe au moins une fois par semaine [5]. »

> La messe est ce que je considère comme le plus important, puisque c'est la seule chose que je fais. [...] Il me

5. Dans les citations qui suivent, le lecteur notera la fréquence de l'expression « au moins ».

> semble que la première chose à faire pour une personne qui pratique au moins un peu sa religion, c'est d'aller à la messe. (N° 4)
> Actuellement, la messe c'est quelque chose d'important, car c'est un point de contact, un des seuls qui existent. Mais d'une façon ou d'une autre, moi, ça ne me dérange pas. (N° 5)
> Pour rendre un culte à son Dieu tous les dimanches, l'Eglise a fixé une limite d'au moins une fois par semaine. Sinon, avec la vie qu'on mène, qui y irait ? Il faut aller prier le bon Dieu au moins une fois de temps en temps pour lui porter respect, pour lui montrer une certaine reconnaissance pour tout ce qu'on a. (N° 22)
> Il me semble que s'il n'y avait plus de messe, il n'y aurait plus rien ; en fin de compte, c'est le centre de la religion.
> — Vous me disiez que pour vous la messe c'était central, que si vous laissiez tomber la messe à un moment donné, ça veut dire...
> — Ça veut dire que tout tombe.
> — Est-ce que ça vous est déjà venu à l'idée de laisser tomber la messe pour un certain temps ?
> — Sérieusement, non. Souvent, j'ai bien envie de tout laisser ça là ; mais en fait, ce sont des choses auxquelles on tient, presque malgré nous autres. On dirait que c'est notre dernière chance de sécurité. (N° 25)

Cette conception de la messe présente une certaine similitude avec celle du type précédent : dans les deux cas, la messe apparaît comme une expérience privilégiée, qu'elle soit l'expression *centrale* de la foi, ou qu'elle en soit la condition *minimale.* Par ailleurs, il s'agit de deux types distincts du point de vue de l'organisation du champ psychologique. Selon la conception précédente, la messe est un élément d'un système *différencié* d'expériences religieuses. Quand la messe est définie comme la condition minimale du sentiment religieux, toutes les expériences forment dans le champ de conscience un tout relativement *indifférencié* : la pratique dominicale exprimant tout à la fois la croyance en Dieu, l'adhésion à l'Église et une réflexion sur soi-même. C'est donc cet état relatif d'indifférenciation qui caractérise ce troisième type de conception de la messe ; à la limite, elle exprime une attitude très proche de la pratique dominicale par pur conformisme.

Type 2d. La messe, occasion d'une prise de conscience de soi-même. — Une autre conception de la messe définit celle-ci comme une occasion de faire le point sur les événements de sa vie, de faire, en quelque sorte, un examen de conscience. Cet examen de conscience n'est pas nécessairement basé sur des critères religieux d'évaluation. Il peut même se faire et se fait même souvent en dehors de la messe dominicale. Mais un certain nombre d'informateurs font de cette messe dominicale un moment privilégié au cours duquel ils réfléchissent sur eux-mêmes, essayent de se comprendre mieux, décident de certaines orientations à prendre. Voici comment l'informateur n° 8 décrit son attitude : « Je considère que la messe du dimanche est nécessaire. Durant la semaine, on est pris avec nos problèmes. Je pense qu'il est bon de s'arrêter pendant trois quarts d'heure pour y réfléchir. » Ce moment est valorisé parce qu'il satisfait à un besoin ressenti comme très important. Ce qui est valorisé n'est pas alors la messe elle-même, mais le processus de prise de conscience dont elle est l'occasion. Cette conception de la messe se rapproche de celle que plusieurs ont de la confession. Dans cette perspective, la confession est moins un sacrement ayant une valeur religieuse comme telle que l'occasion privilégiée d'une prise de conscience de soi :

> Je vais à la messe, c'est instinctif. Au lieu d'aller prier Dieu... je parle de moi au lieu de parler de lui... [A propos de la confession] ... Après être allé à confesse, j'ai les idées plus gaies. Je suis libéré d'un problème, parce que ça m'arrive de mêler mes problèmes personnels à la confession. (N° 21)

TYPE 3. LA MESSE, EXPÉRIENCE DÉVALORISÉE. — Face à la messe, certains informateurs ont le sentiment d'une expérience n'ayant aucune valeur. Comme pour le type précédent, cette conception de la messe comprend plusieurs sous-types différents.

Type 3a. La messe et le rejet global de l'expérience religieuse. — Dans certains cas, l'absence de valeur accordée à la messe vient de ce qu'elle est une partie d'un tout qui est rejeté globalement. L'informateur, par exemple, qui tend vers l'agnosticisme ou l'athéisme, accordera habituellement peu de valeur à la messe [6]. Parfois, l'image qu'il en a est fortement colorée par une attitude générale d'indifférence à l'égard des diverses expériences religieuses.

Type 3b. Le rejet de toute pratique cultuelle. — Ceux qui se définissent comme croyants ou comme adhérents à l'Église peuvent n'accorder aucune valeur à la pratique cultuelle elle-même. Une telle conception n'a pas été explicitement formulée par les informateurs de notre échantillon, mais chez certains elle se confond probablement avec l'attitude d'indifférence que nous avons signalée plus haut.

Type 3c. La messe, expérience d'une contrainte. — Ce sentiment que la messe est l'expérience d'une contrainte se retrouve dans la plupart des témoignages recueillis. Pour certains, il s'agit de la seule dimension de la messe qui soit présente au champ psychologique. Les uns ont l'impression d'être obligés de poser certains gestes dont ils comprennent difficilement la signification ou dont ils rejettent la valeur ; les autres n'y voient pas une expérience dont la motivation soit intériorisée et personnelle [7] :

> Il faut y aller : c'est une chose à faire. En y allant, je pense à toutes sortes de choses. (N° 2)
>
> Pensez-vous que c'est intéressant d'être obligé d'aller à la messe ? Si le petit gars veut aller à la messe, pourquoi ne le fait-il pas seul ? Que cela soit personnel — un acte personnel. Mais non ! On lui dit : tu vas y aller demain, et si tu n'y vas pas, il y a quelque chose qui t'attend. Je comprends qu'il y en ait qui deviennent écœurés de la religion. Si chacun faisait des actes personnels, probablement qu'on aurait plus d'amour envers Notre-Seigneur.
> — Vous, par exemple, si vous repensez à votre situation à vous... ?
> — Souvent je m'en vais à la messe et je rencontre un ami ; on jase et la messe passe. Cela arrive à n'importe

6. C'est le cas de l'informateur n° 23 dont nous avons déjà rapporté le témoignage à propos de l'expérience de Dieu (voir type 4).

7. Encore ici, chaque citation est habituellement le reflet de l'ensemble du témoignage.

> qui. Des fois on est porté à oublier ce qui se passe en avant. Cependant, je continue à croire, mais c'est obscur. (N° 1)
>
> J'ai l'impression qu'on est obligé... c'est un office auquel on est obligé de se rendre... on ne sait pas au juste pourquoi. Probablement que c'est un miracle que le bon Dieu fait ! [...] Quand je me rends à la messe, c'est très rare que je pense : « Là, je m'en vais à la messe. Pour la plupart, ça nous dépasse encore de songer à ça. » (N° 20)

Ce dernier témoignage indique une nouvelle dimension du sentiment de contrainte : le sentiment que les gestes imposés ne sont pas existentiels, c'est-à-dire qu'ils ne sont pas l'expression de ses expériences vécues : « Pour la plupart, ça nous dépasse encore de songer à ça. » Cette personne fait alors l'expérience d'une double source d'insatisfaction : le sentiment de ne pas être autonome et le sentiment d'être amenée à poser des gestes inauthentiques [8].

Toutefois, le sentiment de contrainte n'apparaît pas toujours aussi clairement dans le champ de la conscience : l'informateur suivant, par exemple, tend à nier cette dimension de la messe pour ne pas ternir l'image qu'il a de lui-même. Son témoignage sur l'expérience de la contrainte exprime beaucoup d'ambiguïté et d'ambivalence :

> — Vous parliez du dimanche. Quand vous partez pour la messe, quand vous y êtes ou quand vous en revenez, quelle impression avez-vous ?
>
> — Je n'y pense pas trop, trop : c'est une affaire que je dois faire [...] Je dois le faire, et j'y vais volontairement... L'impression que j'ai, c'est que cela me donne la confiance ; ça me change les idées ; ça me règle l'esprit, peut-être. Après, je me sens prêt à affronter une autre semaine.
>
> Il y en a plusieurs qui font ça, lorsqu'ils sont jeunes et puis, plus tard, quand personne ne les surveille, ils abandonnent ; moi, pas. J'ai eu plusieurs fois l'occasion de ne pas y aller, lorsque j'étais seul : mes parents étaient en voyage. Dans ces occasions-là, j'y suis allé volontairement. (N° 15)

8. L'authenticité, par contre, signifierait un geste (le paraître) qui serait cohérent avec son expérience (l'être).

Même lorsque cet informateur affirme pratiquer « volontairement » et ne pas avoir besoin de la surveillance de ses parents pour observer le précepte de la messe dominicale, il n'en ressent pas moins confusément l'existence d'une certaine contrainte qu'il tente d'oublier ou de nier : « Je n'y pense pas trop, trop : c'est une affaire que je dois faire... » D'autre part, l'énergie qu'il met à se distinguer des autres jeunes qui abandonnent « quand personne ne les surveille », et l'importance qu'il accorde au fait qu'il aille à la messe même lorsque personne n'est là pour exercer un contrôle, suggèrent que la satisfaction principale qu'il retire de la messe est de préserver l'image d'un garçon obéissant qui n'a pas besoin de sanction pour obéir à la règle. La règle extérieure est là, et la conformité à cette règle devient une motivation importante, sinon primordiale [9]. Elle devient aussi importante que l'expérience elle-même.

En termes plus concrets, il est possible que la satisfaction que cet informateur retire de la messe découle de la conscience qu'il a de s'être conformé à la règle (des parents, de l'Église), autant et sinon plus que de l'expérience de la messe elle-même. Encore une fois, le sentiment de contrainte que l'on observe chez lui n'empêche pas l'existence du sentiment opposé : celui de pratiquer volontairement sa religion. Le résultat global est donc une certaine ambivalence. Ajoutons un dernier indice de cette ambivalence : en même temps qu'il a conscience de se conformer librement à la pratique dominicale, on s'aperçoit qu'il a élaboré une stratégie qui lui permettrait de s'en abstenir : « ... on a trois différentes églises où aller à la messe... de sorte que mes parents ne pourraient pas contrôler aisément ma présence à l'église. Je pourrais toujours prétendre être allé à la messe à l'une ou l'autre de ces trois églises. »

TYPE 4. LA MESSE, EXPÉRIENCE D'UNE INCOHÉRENCE. — Les deux derniers types de conception de la messe que nous avons décrits jusqu'ici sont deux types purs que nous retrouvons

9. Cet informateur a la même attitude dans d'autres secteurs. Par exemple, il se dit très fier de pouvoir prendre des boissons alcooliques et de savoir respecter, par lui-même, les limites suggérées par ses parents.

assez rarement au niveau des attitudes concrètes. Ce que nous décelons le plus souvent est une conception selon laquelle la messe est définie *à la fois* comme une expérience religieuse idéale et comme une source constante d'insatisfaction et de frustration. Ce qui prédomine dans la conscience des informateurs exprimant cette conception est l'image de l'incohérence elle-même. Il y a aussi d'autres informateurs qui se rendent compte de certaines incohérences entre *la messe idéale* et la messe *telle qu'elle est vécue.* Mais, ici, la conscience de ces incohérences constitue le trait dominant de l'image de la messe. Voici, de façon très brève, les principales antinomies que nous découvrons dans les interviews. Pour les décrire, utilisons le style qui se rapproche le plus de celui des informateurs eux-mêmes :

a) Autonomie-contrainte. — D'une part, la participation à la messe devrait être l'acte le plus libre, le plus autonome, le plus personnel qu'un individu accomplisse et, d'autre part, c'est un acte religieux qui, obligatoire, s'accompagne de contraintes de toutes sortes [10].

b) Être-paraître. — L'opposition autonomie-contrainte extérieure prend parfois une forme plus générale : l'opposition entre l'*être* et le *paraître.* D'une part, la messe, comme centre de l'expérience religieuse, devrait être une expérience où l'on se découvre tel qu'on est, où l'on peut se permettre d'être ce qu'on a l'impression d'être. D'autre part, la messe, à cause des contraintes et des normes « extérieures à soi-même », devient une expérience où il faut surtout paraître tel que les autres veulent qu'on soit. On pourrait ici parler de l'opposition entre des valeurs intérieures et des valeurs extérieures à la personne. L'informateur suivant se réfère à cette antinomie :

> Ce qui me répugne le plus dans la messe du dimanche c'est que cela devient très très facilement un moyen facile de se faire des amis, de se glisser dans un milieu. Un moyen qui est trop facile pour moi, alors que la religion du cœur est complètement oubliée. Une exigence extérieure, formaliste : c'est ça ma principale objection. (N° 10)

10. Nous avons déjà décrit ce sentiment de contrainte.

c) Acte réfléchi-acte routinier. — La participation à la messe devrait être un acte réfléchi, conscient, exigeant une participation active, alors qu'en fait elle devient un acte routinier fait par habitude et de façon passive. La messe devrait être l'occasion d'un engagement, alors que souvent on y assiste sans avoir l'impression d'être là. On y est comme un étranger.

> — Quand vous partez pour aller à la messe, quand vous y êtes ou quand vous en revenez, qu'est-ce que vous vous dites ?
>
> — C'est une église anglaise : le sermon est en anglais. Je ne comprends pas tellement, je n'écoute pas, comme j'arrive à cinq heures et cinq, je ne vois pas l'autel. Pourtant, chez nous [dans un petit village], j'aime bien aller à la messe. Je n'apporte jamais mon missel. J'ai un tempérament religieux : j'ai toujours aimé les saluts du Saint-Sacrement, les chants religieux. On ne se sent pas étranger : on a notre banc réservé. Il me semble qu'on n'est pas distrait. (N° 25)
>
> Quand je suis dans les derniers bancs, je ne me force pas bien gros ! J'ai l'impression d'aller rencontrer Dieu, mais ce n'est pas assez fort. (N° 27)
>
> Souvent je vais à la messe, et je n'y pense même pas. J'y vais par habitude. Il ne faudrait pas. La messe c'est quelque chose de concret, quelque chose qui a été vécu, une reproduction de ce qui s'est fait à la Cène. Ça devient une routine et il ne faudrait pas. (N° 28)

d) Communauté-foule. — Le fait de se sentir perdu à l'église est aussi lié au phénomène de foule. Alors qu'idéalement la messe devrait être le moment où l'on communique avec Dieu, où toute une communauté entre en contact avec Dieu, un esprit de foule où l'on se sent « perdu », « étranger », se substitue à l'esprit communautaire. Ce sentiment d'isolement s'oppose vraiment au sentiment de participation et de dialogue qui devrait se retrouver à l'église :

> D'abord c'est toujours plein de monde... il y a 2 000 personnes assises, 200 debout. On n'est pas porté à prier. (N° 1)
>
> Je n'aime pas aller à la messe le dimanche. Je me sens perdu dans la foule. Je me demande ce que font les autres à côté de moi, à quoi ça rime tout ça. Si les trois

> millions de catholiques qui vont à la messe le dimanche en savaient quelque chose, ça transformerait la face de la terre ! Je trouve ça « dégueulasse » de voir la foule qui est là. J'arrive en retard, je pars avant la fin, juste pour satisfaire au précepte. (N° 26)

e) La messe : événement sans beaucoup de signification. — La messe, centre de la vie religieuse, devrait être le moment privilégié d'une certaine lucidité face à l'expérience religieuse. L'on devrait pouvoir comprendre le sens du rituel, des diverses pratiques. Mais au contraire, la messe n'a pas beaucoup de signification, soit parce que le prêtre pose « des gestes de façon mécanique », soit parce qu'on réussit à peine à le voir tant il est loin des fidèles. L'informateur n° 19 résume bien cette pensée : « Le prêtre est en avant et il fait des gestes. Les gars disent : « Regarde-le en avant qui gesticule. » On ne comprend pas ce qu'il dit. À quoi ça sert alors d'aller à la messe ? »

Évidemment, la connaissance du texte et des rites peut être un élément important dans l'explication de la messe. Il est fort possible toutefois que ces critiques, faites en partant d'un critère idéal, révèlent une opposition plus fondamentale : l'opposition entre la communication avec un Être supérieur, immatériel, spirituel, et les gestes rituels symbolisant cette communication mais ayant une forme concrète et empruntant des objets sensibles. En définitive, cette antinomie est celle qui existe entre l'image d'un Dieu infini et les pratiques cultuelles qui le symbolisent. L'informateur n° 14 est un des rares à appuyer sur cet aspect de la vie religieuse :

> La messe me paraît vide de tout sens. On est trop porté à considérer comme seule réalité, ce qui est sensible. Comme dans la messe, il n'y a rien qui puisse frapper les yeux (même le prêtre fait souvent des gestes mécaniques ; l'hostie ne semble rien contenir) c'est difficile d'arriver à vivre ce qu'on sait être la vraie réalité. C'est difficile de voir les choses dans leur véritable optique : orientées vers Dieu.

f) Autres antinomies. — Il est possible d'illustrer d'autres antinomies. Il y a, par exemple, opposition sur le plan liturgique entre le *beau* et le *laid.* Il y a aussi l'opposition entre la messe qui devrait être une *fête* et la messe que l'on trouve au contraire *une rencontre ennuyeuse.* Il y a enfin, la messe qui au lieu d'être un *moment fort* de l'existence est un *moment faible.* En conclusion, ce quatrième type de conception religieuse constitue une sorte de synthèse des deuxième et troisième types décrits précédemment. Il est également celui que l'on rencontre le plus souvent chez les informateurs.

IV

La morale et la religion

L'expérience morale est celle au cours de laquelle une personne définit les normes et les valeurs qui orientent ses conduites comme membre d'une collectivité. Dans la mesure où ces valeurs et ces normes sont définies par la culture et s'inscrivent dans une structure sociale donnée, l'expérience morale de tel ou tel individu devient une expérience d'adhésion à un système de valeurs. Alors que l'homme participe à la création des valeurs morales, les valeurs religieuses lui sont données par Dieu. C'est en cela précisément qu'elles se distinguent les unes des autres. Le concept de valeur ne peut donc pas définir cette dimension de l'expérience religieuse qu'est le sacré, car celui-ci se place au-delà d'une confrontation entre la réalité et l'idéal : à l'image de son Dieu, par exemple, le croyant n'oppose pas l'image d'un Dieu idéal. En un mot, l'expérience religieuse se distingue essentiellement de l'expérience morale par la non-participation de l'homme à la création du sacré et par sa participation à l'établissement des valeurs morales [1].

1. Pour cette distinction entre l'expérience religieuse et l'expérience morale, voir G. Gurvitch, *Morale théorique et science des mœurs,* p. 128-133. Nous avons défini ici l'expérience morale comme une expérience des valeurs, mais cet auteur en indique d'autres dimensions dont notre définition ne rend pas compte. Celle-ci suffira tout de même à poser le problème qui nous intéresse ici.

Entendons-nous : ceci signifie que les valeurs morales sont, du moins en partie, le fait de la réflexion de l'homme. Il demeure que certains individus, placés dans une situation donnée, peuvent avoir le sentiment très net de ne pas participer à cette création de la morale.

La distinction que nous venons de faire entre les expériences religieuse et morale ne nie en rien l'existence de relations entre celles-ci dans le concret. Elle n'empêche pas, par exemple, les deux expériences d'être très proches l'une de l'autre et même de se fondre parfois dans l'expérience vécue d'un individu. Par ailleurs, les deux expériences peuvent demeurer très isolées l'une de l'autre. En définitive, chaque individu doit parvenir, pour lui-même, à un type particulier de cohérence entre ses expériences religieuse et morale.

Il n'entre pas dans notre propos de définir l'univers des valeurs morales des jeunes de notre échantillon ; nous allons nous limiter à mettre en relief les divers types de cohérence qu'il est possible d'établir entre les deux expériences. Nous en distinguerons quatre principaux. Le premier est fondé sur une indifférenciation de la morale et de la religion ; les trois autres se basent sur une distinction d'une netteté variable entre ces deux domaines de l'expérience humaine.

Type 1. La morale et la religion, composantes d'une expérience unique et indifférenciée. — Ce premier type suppose que les valeurs morales sont considérées comme valeurs religieuses et *vice versa*. Plus exactement, la personne a le sentiment, en obéissant à certaines normes morales (touchant la sexualité, par exemple), de respecter un principe énoncé par l'Église, qui représente Dieu ; Dieu et l'Église constituent alors l'unique fondement de ces normes de conduite. En même temps, ces normes morales prennent d'ordinaire aux yeux de l'individu une importance relativement grande, qui surpasse souvent la valeur accordée aux croyances et au culte. Les croyances et les pratiques cultuelles servent alors principalement d'appui aux règles morales et d'incitation à leur mise en pratique. La mise en doute de ces normes équivaudrait, pour cet individu, à une attaque de l'édifice religieux tout entier.

L'informateur n° 1, en parlant de la sexualité, explique ainsi les nombreuses heures que les prêtres doivent consacrer à la prière :

> Si les prêtres doivent réciter du bréviaire tous les jours et faire aussi toutes sortes de prières, c'est certainement parce que sans ça, ils ne pourraient pas résister à la tentation. Je sais que moi, si je devais rester célibataire, jamais sortir avec des filles, il faudrait que je prie beaucoup, sans ça, je ne pourrais rester là...

Le respect de certaines normes morales demeure pour cet informateur le critère principal d'une bonne vie religieuse. Quand il parle de ses amis, il dit qu'il doit constamment « rester sur [ses] gardes », « faire attention à leur comportement », pour ne pas se laisser entraîner à « de mauvaises places » (tavernes, salles de billard, etc.)

Pour un autre informateur (n° 13), le principal danger menaçant celui qui fréquente trop souvent la même jeune fille est qu'il risque de « manquer à sa religion » : « J'ai un de mes amis qui est toujours avec sa blonde : on dirait qu'il ne peut pas sortir avec d'autres ; pour quoi faire, je ne le sais pas ; moi, je trouve qu'il a plus de chance..., je ne sais pas, il a plus de chance de tomber que de rester fort sur le plan religion... ».

Pour l'informateur n° 11, le lien entre la religion et la morale est si fort que le fait de se sentir incapable de « pratiquer la religion sur le côté moral » enlève toute signification et toute valeur aux autres expériences religieuses qu'il pourrait avoir :

> Selon moi, la morale fait partie de la religion : cela a même été pour moi un problème... C'est difficile à dire... Puis-je avoir confiance en vous ?...
> Pendant un certain temps, j'ai eu un problème moral, même si maintenant, c'est passé. A un moment donné, j'ai été très pris par le problème de la sexualité et en particulier de la masturbation. Ce sont surtout ces problèmes qui m'éloignaient de la religion. Je me disais : « Ça ne sert à rien d'aller à la messe, je ne suis pas dans l'état d'aller communier. » Cela a duré deux ou trois ans. [...] Ce n'est peut-être pas juste ça qui m'a éloigné de la religion, mais cela a certainement été un des gros fac-

> teurs. Je liais très intimement la religion et la morale. Je me disais : « Ça ne sert à rien de pratiquer la religion, puisque je ne suis pas capable de respecter la morale. »

Une attitude conservatrice caractérise cette indifférenciation entre la religion et la morale : ceux qui partagent cette attitude remettent peu en question, d'ordinaire, les fondements de leur conduite et considèrent les normes religieuses ou morales comme ayant toujours existé sous la même forme et devant demeurer inchangées. Le conservatisme peut sans doute se rencontrer sous d'autres formes et par rapport à d'autres contenus que celui de la morale. Mais cet état d'indifférenciation entre la morale et la religion favorise certainement son développement.

TYPE 2. DISTINCTION ABSOLUE ENTRE LA RELIGION ET LA MORALE. — La morale peut également être conçue et définie comme complètement distincte de la religion : non seulement établit-on une nette différenciation entre ces deux régions du champ psychologique, mais on ne conçoit aucune relation entre elles. On ne croit pas, par exemple, que les croyances religieuses puissent constituer le fondement de normes morales, ni que le fait de se conformer ou pas à des normes morales ait une signification religieuse.

En termes de valeurs, les deux secteurs peuvent se retrouver sur un pied d'égalité ou, au contraire, en une disposition hiérarchique : certaines personnes valorisent plus la morale que la religion, ou uniquement la morale, d'autres font le contraire. L'informateur nº 23, par exemple, que nous avons décrit comme un agnostique, accorde énormément d'importance à la morale :

> Chaque homme a sa morale. S'il est éduqué normalement et s'il n'a pas, disons, de difficultés dans sa vie, et enfin, s'il est élevé de telle manière que son psychisme n'est pas affecté d'une manière ou d'une autre, il peut très bien avoir le sens de l'intégrité d'après la loi naturelle. Il y a des gens qui ne professent aucune religion et qui sont beaucoup plus intègres que d'autres. En tant qu'hommes, la loi naturelle leur dicte de faire telle ou telle chose.
> — Si vous repensez à votre expérience à vous, de quelle façon définiriez-vous votre morale à vous ? Votre morale personnelle ?

> — Suivre la loi naturelle, disons. Enfin, suivre un instinct bien balancé... De ce côté-là, je crois que ma mère a fait beaucoup. Par exemple, pour moi, même avant qu'on me le dise, je savais que, si quelqu'un avait quelque chose, je n'avais pas d'affaire à le prendre. Si je l'avais pris, j'aurais pu en prendre l'habitude. On commence par un œuf on finit par un bœuf. Mais si la loi naturelle est assez bien suivie, si justement on se dit : « Non, c'est pas pour moi ! », le problème est réglé, on n'a pas d'affaire à le prendre. (N° 23)

L'informateur n° 21, pour sa part, accorde beaucoup d'importance à son expérience religieuse, mais n'en établit pas moins une nette opposition entre la morale et la religion :

> La morale, c'est différent de la religion ; quelqu'un va faire du tort à un autre, qu'il soit catholique ou protestant, qu'il soit athée ou non, c'est une question de loi naturelle... On n'a pas d'affaire à voler quelqu'un, ni à le tuer. Moi, franchement, la morale, je n'y pense pas [2]. Je pense au respect de l'homme. Si c'est un homme qui est devant toi, c'est ton égal, même si le gars est athée ; à ce moment-là, c'est pas une créature de Dieu, c'est ton égal, c'est un homme, respecte-le, soit en ne le volant pas, en ne le tuant pas, ou en ne disant pas de calomnies sur lui...

Même si, par définition, l'univers des valeurs morales se retrouve aussi bien sous forme de sentiments de valeurs que sous forme de jugements de valeurs, il est significatif que les informateurs qui relèvent de ce second type attachent beaucoup d'importance aux expériences morales affectives, c'est-à-dire aux sentiments de valeurs. La morale n'a pas, dans ce cas, à être formulée de façon systématique ni non plus à être apprise intellectuellement car, placé dans des situations concrètes, l'homme aurait facilement le sentiment des valeurs et des normes morales qu'il doit respecter.

Quand nos informateurs se réfèrent à la loi naturelle, c'est presque toujours en termes d'expérience affective, fondée sur

2. La signification de cette phrase semble être : « La morale n'est pas le résultat d'une expérience rationnelle : je n'ai pas besoin d'y penser, je n'ai pas besoin d'apprendre cette morale. »

le contact humain avec autrui : « c'est un homme qui est devant toi » et sur les relations parentales : « de ce côté-là, je dois beaucoup à ma mère ». Cette référence à la loi naturelle empêche souvent l'individu de s'apercevoir que la morale humaine à laquelle il adhère, morale qu'il suppose universelle, correspond très souvent à une « morale sociale », c'est-à-dire à un ensemble de normes et de valeurs propres à sa culture et à sa société : ainsi, le respect de l'autre et l'intégrité sont-ils des valeurs dont les définitions varient selon les milieux sociaux.

TYPE 3. MORALE AUTORITAIRE ET SPÉCIFIQUE. — Dans ce cas-ci [3], on conçoit une morale, d'ordinaire assez bien détaillée, qui porte sur un certain nombre de conduites spécifiques. Discuter de morale signifie alors discuter de l'application des valeurs ou des principes religieux à divers domaines assez bien définis, comme, par exemple, les fréquentations entre jeunes gens et jeunes filles, le contrôle des naissances, la masturbation, les boissons alcooliques, les mauvaises lectures, la médisance ou la calomnie, le blasphème, l'honnêteté de l'homme politique ou du commerçant. Bien que s'appuyant dans l'esprit d'une personne, sur des croyances religieuses très générales, ces normes morales sont en fait spécifiques :

> Si c'est vraiment des commandements de Dieu, si Dieu existe vraiment, il y a toujours le « si », c'est sûr, à ce

3. Ce type et le type 4, que nous présenterons à la suite, ont ceci en commun qu'ils établissent une nette distinction entre la religion et la morale, mais contrairement au type 2, ils conçoivent la religion comme le fondement de la morale. C'est à cette conception que se réfère l'informateur suivant (nº 14) quand il nous dit, par exemple : « La morale, pour moi, si elle n'était pas orientée par la religion, serait inutile en fait. On peut se bâtir une certaine morale naturelle, mais sur quoi se baser pour fonder une morale objective si l'on prétend que rien d'objectif n'existe ? Il faut absolument que ce soit basé sur quelque chose d'objectif en soi, c'est Dieu. » Il demeure, cependant, que les types 3 et 4 sont distincts par rapport aux deux dimensions suivantes : le degré de généralité de leurs normes morales et le degré de liberté dont l'individu jouit à leur égard. Le type 3 définit une morale *spécifique* dont l'Église, comme institution, a l'entière responsabilité. Le type 4 définit une morale *générale* dont la responsabilité est presque entièrement laissée aux individus.

> moment-là, on doit les accepter. J'essaye de les mettre en pratique... de les réaliser... enfin... s'il y a moyen de vivre de cette manière-là. Je ne crois pas que c'est trop nous demander, ce qu'il peut y avoir comme règles morales. C'est entendu que c'est assez rigide...
> Tout ce qui a rapport au mariage, à la sexualité... ça peut être rigide, mais enfin, si ce sont des commandements de Dieu, il faut les accepter. J'essaye de vivre selon cette morale sans savoir si vraiment j'agis, si vraiment ces règles-là sont vraies, sont demandées par quelqu'un, un maître, qui est supposé être Dieu. C'est beaucoup plus un problème de foi qu'un problème de morale. (N° 18)

Cette morale, les individus du type 3 la voient non seulement comme spécifique, mais aussi comme autoritaire : la formulation des normes et des règles relève entièrement de Dieu ou des cadres dirigeants de l'Église ; le laïc, pour sa part, n'a que la liberté de les respecter ou de les transgresser. Nos informateurs se réfèrent souvent à ce type de morale en s'y opposant, mais il ne fait pas de doute qu'il demeure présent à leur esprit :

> La morale ça a toujours été le côté « fatigant » de la religion. Disons, la morale avec les filles : même si je ne fais pas de folies, je trouve que c'est bien strict, que ça ne s'applique pas dans tous les cas personnels. Il me semble que toutes ces formules ne peuvent pas être justes. En fait, je trouve que ce n'est pas seulement religieux, ça, il me semble que même s'il n'y avait pas de religion, il y aurait quand même une certaine morale à suivre [...] Les commandements, tout ça, ça ne me dit rien. Pour moi, l'important c'est de vivre, avec les autres, les exemples de fraternité que le Christ nous a donnés. Les commandements, les ordres (surtout le côté négatif, ne pas faire ceci, ne pas faire cela), je n'y crois pas, pas toujours... J'aime mieux me forcer pour faire quelque chose de positif... (N° 16)

TYPE 4. RELIGION ET MORALE GÉNÉRALE. — Une autre forme de relation entre la religion et la morale se retrouve chez ceux qui conçoivent la religion comme devant conduire à une forme d'engagement portant sur l'ensemble de la vie. Pour eux, adhérer à un système de croyances ou s'adonner à certains exercices cultuels n'a de sens et de valeur que si ces croyances et ces pratiques guident leur conduite dans d'autres secteurs de leur vie. Cette forme d'engagement se distingue nettement du type précédent en ceci que les valeurs et les pratiques religieuses servent de fondement à un engagement très général : ce n'est plus au niveau de certaines normes très spécifiques, touchant, par exemple, la sexualité ou le blasphème, que s'établit la relation entre la religion et la vie de tous les jours, mais au niveau des orientations beaucoup plus globales.

Évidemment, cette morale ne s'énonce pas toujours en des termes identiques. On y réfère parfois en termes de charité envers les autres, parfois en termes d'une simple prise de conscience des motivations religieuses qui doivent animer l'ensemble de la vie du chrétien. D'autres affirmeront que « leur religion doit paraître dans tous les secteurs de leur vie ». Dans tous les cas, la religion fonde une morale générale, en ce sens que l'homme religieux doit réaliser les valeurs de sa foi dans l'ensemble de ses expériences. Voici quelques extraits d'interviews qui expriment bien ce dernier type de morale [4] :

> Je crois que la religion est dominée par les deux mots charité et amour ; je pense que cela peut tout dominer le reste ; ce n'est pas nécessaire de prier vingt-quatre heures par jour. Réellement vivre notre religion, vivre pour Dieu, ce n'est pas nécessairement penser toujours à cela. (N° 8)
>
> Il y a l'autre chrétien, un vrai chrétien celui-là... cela ne paraît pas, on ne le voit pas... le gars qui a vraiment une flamme en dedans de lui... qui fait vraiment vivre son Evangile, le véritable Evangile que le Christ a prêché : aime ton frère comme toi-même, et ne te venge pas... c'est un vrai chrétien, celui qui va prêter deux dollars à quelqu'un qui en a besoin parce que c'est un homme comme lui. (N° 10)

4. À cause du caractère de généralité de cette morale, on doit en chercher l'expression à travers l'ensemble du témoignage de nos informateurs. Cette morale, par définition, ne peut guère s'exprimer en une réponse spécifique. Les extraits d'interviews que nous citons, par exemple, sont tirés des réponses à une question beaucoup plus générale portant sur l'idéal religieux.

> Pour moi, l'homme religieux idéal, c'est un homme qui a accompli son devoir d'état, dans la simplicité et qui prend conscience que c'est pour Dieu qu'il le fait. (N° 11)
>
> C'est un type entièrement engagé, qui réalise que sa religion est concrétisée dans un engagement journalier, si on peut dire. Il sait qu'en posant tous les actes qu'il pose, il réalise davantage en lui l'image de Dieu. Autrement dit, c'est un type qui accepte la vie telle qu'elle est, qui accepte surtout d'y travailler quotidiennement. (N° 14)
>
> Je veux que ma vie soit réussie ; je veux que ma vie soit une recherche [...]. Ce qui compte, avant tout, c'est de vivre sa vie de chrétien dans la pratique, dans la vie de tous les jours : il y a le mariage (comment je vais vivre mon mariage), ou ma profession... (N° 30)

Cette forme de morale propose donc certaines attitudes générales et laisse à chacun le soin de déterminer aussi bien les secteurs où celles-ci doivent s'appliquer que les diverses modalités de cette application.

On pourrait dire qu'il s'agit d'une morale de l'intégration des valeurs religieuses : l'obligation qui découle de cette morale consiste précisément à intégrer son système de croyances et de pratiques religieuses aux principaux autres secteurs de la vie [5]. C'est le sens que prennent, par exemple, des expressions comme : «vivre pour Dieu », « voir qu'on est là pour ça », « être conscient des choses qu'on fait pour Dieu », « concrétiser sa religion dans un engagement journalier ».

5. On voit tout de suite comment cette morale pose inévitablement un problème de cohérence du champ psychologique : respecter cette morale, c'est intégrer, de diverses façons, ses valeurs religieuses à l'ensemble des secteurs de son existence.

V

La conception de l'expérience religieuse vérification statistique

Au moyen d'un instrument différent, nous nous proposons au cours de ce chapitre de vérifier et de compléter l'analyse typologique des témoignages recueillis par interview. Notre objectif demeure donc essentiellement le même qu'au cours des quatre chapitres précédents [1]. L'instrument utilisé fut un questionnaire de type *Q-sort* comprenant quarante-cinq item [2]. Dans la première partie de ce questionnaire, l'informateur indiquait sur une échelle en neuf points, si les énoncés du questionnaire décrivaient *très peu* ou *très bien* l'image qu'il se faisait de ses expériences religieuses. Dans la seconde partie, il indiquait sur une échelle de même type ce qu'était, selon lui, l'image de l'expérience religieuse idéale.

1. Comme les données recueillies à l'aide de cet instrument sont aisément quantifiables, nous nous en servirons également plus loin pour établir une mesure statistique d'un type global d'expérience religieuse (voir chap. VII).

2. Le lecteur trouvera ce questionnaire à l'appendice B. Nous avons déjà indiqué les principales parties de ce questionnaire (voir p. 38. Précisons que 7 de ces 45 item ne furent pas utilisés par la suite pour des raisons purement techniques ou parce que leur contenu ne correspondait pas aux dimensions privilégiées par le cadre d'analyse. Les item abandonnés sont les suivants : 8, 17, 23, 29, 18, 30 et 45.

TABLEAU 1

Réponses au questionnaire du type Q-sort
portant sur la conception de la religion et de la religion idéale (N = 97)

item nº	énoncé	ma religion		ma religion idéale	
		me décrit très peu 1er tiers %	me décrit très bien 3e tiers %	me décrit très peu 1er tiers %	me décrit très bien 3e tiers %
1	Je n'ai pas un esprit religieux	49,5	26,8	59,8	19,6
2	Mon idéal religieux influence vraiment ma vie de tous les jours	39,9	24,8	14,5	70,1
3	J'ai de la difficulté à ne pas voir ensemble sexualité et péché	50,6	26,8	14,9	18,6
4	Dieu m'apparaît comme une personne compréhensive avec laquelle on peut entrer en contact	13,4	77,0	10,3	80,5
5	Je considère que la pratique religieuse (messe, confession, etc.) est l'aspect le moins important de la religion	26,7	52,6	38,1	30,9
6	Je crois que ma vie religieuse n'aurait pas de sens hors de l'Église	38,1	38,1	36,1	47,5
7	Dans ma croyance en Dieu, je distingue ce qui vient de mes réflexions individuelles et ce qui vient de la foi	11,3	61,9	6,2	75,3
9	Je me dis que plus je fais de prières, plus j'ai de mérite	72,2	10,3	60,7	22,7
10	Le problème religieux tient une place importante dans l'ensemble de ma vie	19,9	47,5	7,2	75,3
11	Pour moi, une des meilleures façons de vivre sa religion est d'appartenir à des associations ou à des mouvements sociaux	54,6	28,9	40,2	36,0

TABLEAU 1 (suite)

Réponses au questionnaire du type Q-sort
portant sur la conception de la religion et de la religion idéale (N = 97)

item nº	énoncé	ma religion		ma religion idéale	
		me décrit très peu 1er tiers %	me décrit très bien 3e tiers %	me décrit très peu 1er tiers %	me décrit très bien 3e tiers %
12	Je pense que si je laissais la morale catholique, c'est toute ma vie religieuse que je viendrais à abandonner	34,1	44,3	36,2	48,5
13	J'ai l'impression de ne pas beaucoup connaître le Christ	26,8	46,3	53,6	25,8
14	Pour moi, la messe du dimanche est une façon de continuer un dialogue avec Dieu	41,2	39,2	18,6	67,0
15	J'accorde moins d'importance au culte organisé par l'Église qu'aux prières que je fais moi-même	22,6	44,3	25,8	44,3
16	Je tente d'en arriver à une certitude intellectuelle par rapport au problème de l'éternité et de l'âme	20,6	58,8	9,3	76,3
19	Dans ma vie religieuse, les dogmes sont ce qu'il y a de plus important	50,4	16,4	48,4	26,8
20	Je trouve qu'une messe en semaine a autant de valeur qu'une messe du dimanche	18,6	67,0	11,3	68,1
21	Je préférerais (ou je préfère) me confesser directement à Dieu plutôt qu'à un prêtre	28,8	56,4	22,7	54,7
22	Dans ma vie religieuse, je tente de raisonner mon affaire le plus possible	6,2	76,3	7,2	79,4

TABLEAU 1 (suite)

Réponses au questionnaire du type Q-sort
portant sur la conception de la religion et de la religion idéale (N = 97)

item nº	énoncé	ma religion: me décrit très peu 1er tiers %	ma religion: me décrit très bien 3e tiers %	ma religion idéale: me décrit très peu 1er tiers %	ma religion idéale: me décrit très bien 3e tiers %
24	J'aime mieux (ou j'aimerais mieux) quelquefois ne pas aller à la messe le dimanche plutôt que d'y aller sans que ça ne me dise rien	30,0	57,8	26,8	69,8
25	Je suis moins religieux qu'avant	35,0	45,4	69,0	16,5
26	Je sens que mon idéal religieux me pousse ou pourrait me pousser à m'occuper de politique	65,9	15,5	54,7	23,6
27	Pour moi, être honnête et compétent à mon travail (ou à mes études) est une façon de respecter la morale catholique	12,4	72,2	11,4	78,3
28	Je me demande si, sur le plan logique ou historique, la croyance au Christ a du sens ou non	35,0	47,4	30,9	40,1
31	J'aime discuter de religion	11,3	55,7	7,2	74,2
32	Ce que je fais dans ma famille, dans mon travail (ou dans mes études), etc., c'est pour Dieu que je le fais	42,2	19,6	22,7	61,9
33	Je trouve qu'au fond l'honnêteté politique n'a rien à voir avec la religion	47,4	36,0	56,7	23,8
34	Dans ma vie religieuse à moi, le prêtre est plus un homme comme les autres qu'un représentant du Christ	28,9	43,3	37,0	41,3

TABLEAU 1 (suite)

Réponses au questionnaire du type Q-sort
portant sur la conception de la religion et de la religion idéale (N = 97)

item nº	énoncé	ma religion — me décrit très peu 1er tiers %	ma religion — me décrit très bien 3e tiers %	ma religion idéale — me décrit très peu 1er tiers %	ma religion idéale — me décrit très bien 3e tiers %
35	La pratique religieuse a pour moi de moins en moins de signification	37,0	41,2	57,7	26,8
36	J'accorde plus d'importance aux prières collectives (à l'église, en famille, etc.) qu'aux prières que je peux faire tout seul	68,0	8,3	49,4	15,5
37	Je n'ai pas encore vraiment compris ce qu'est la religion	40,1	35,1	19,5	56,4
38	Le fait d'aller à la messe ne change pas grand-chose dans les divers secteurs de ma vie	14,5	55,7	60,5	29,9
39	Je pense rarement aux problèmes de morale religieuse (morale sexuelle, morale politique, etc.)	50,4	23,7	62,9	20,7
40	Je pense souvent au salut de mon âme	14,4	57,7	14,4	70,2
41	Aller à la messe m'amène à penser aux dogmes qui concernent la messe, l'Eucharistie, etc.	46,3	27,8	36,1	47,5
42	Pour moi, ma religion est surtout un dialogue *personnel* entre Dieu et moi	5,2	73,2	4,1	87,6
43	Je pense que l'Église est plus une institution humaine qu'une institution religieuse	30,9	40,2	41,3	32,0
44	Les choses auxquelles j'accorde le plus de valeur dans ma vie ne sont pas reliées à mon idéal religieux	35,1	42,2	56,4	31,9

Sans constituer une mesure précise de chacune des typologies élaborées aux chapitres précédents, cet instrument cerne tout de même plusieurs dimensions dont ces typologies tenaient compte [3]. Ainsi la forme du questionnaire tient compte de la différenciation entre les expériences réelles et les expériences idéales. Par ailleurs, le contenu des item reflète certaines autres dimensions importantes. La forme même du questionnaire suppose plus facilement la notion d'échelle que celle de type. De plus, au moment de la cueillette des données, l'échelle en neuf rangs pose peu de problèmes techniques et se rapproche assez bien du mode de pensée des informateurs. Au moment de l'analyse des données, par contre, nous avons regroupé ces rangs pour en arriver à trois catégories : chacune composée des trois premiers rangs, des trois derniers ou des trois rangs du milieu de l'échelle. Comme, par ailleurs, chaque item se situe habituellement sur une ou plusieurs dimensions bipolaires, nous pouvons considérer que les premier et troisième tiers constituent deux pôles opposés.

Le lecteur trouvera au tableau 1 les résultats des réponses à ce questionnaire. Ils indiquent, pour chaque item, la proportion des réponses qui se situe au premier tiers et au dernier tiers. Ces réponses portent, tour à tour, sur l'image de l'expérience réelle et sur l'image de l'expérience idéale. Elles permettent, par ailleurs, l'exploration des secteurs suivants de l'expérience religieuse : 1. Le sentiment général de religiosité ; 2. Dieu et le Christ ; 3. L'Église et le prêtre ; 4. Les pratiques cultuelles ; 5. La morale.

1. Le sentiment général de religiosité. — Les item du questionnaire exprimant un sentiment général de religiosité montrent que, dans l'ensemble, au moins la moitié des étudiants se situent au pôle religieux : 49,5 % d'entre eux considèrent que la phrase « je n'ai pas un esprit religieux » (item 1) les décrit très peu ; 47,5 % d'entre eux jugent que « le problème religieux tient une place importante dans l'ensemble de [leur] vie » (item

3. Il ne sera pas inutile au lecteur de savoir que ce questionnaire fut administré avant l'analyse systématique des témoignages recueillis par interview.

10) ; 55,7 % disent « aimer discuter de religion » (item 31) ; 76,3 % se trouvent très bien décrits par l'item 22 : « Dans ma vie religieuse, je tente de raisonner mon affaire le plus possible [4]. » Cependant, ce pourcentage s'abaisse à 40,1 % quand on considère le sentiment de compréhension à l'égard de la religion. En fait, pour l'item 37 : « Je n'ai pas encore compris vraiment ce qu'est la religion », les informateurs se répartissent de façon sensiblement égale aux deux pôles de l'échelle (35,1 % et 40,1 %).

Il est intéressant de noter que si l'on pose la question en termes d'évolution de l'attitude religieuse, un moins grand nombre d'informateurs se situent au pôle religieux. Ainsi, l'item 25, « je suis moins religieux qu'avant », est jugé par 45,4 % d'entre eux comme une phrase qui les décrit très bien.

Donc, dans l'ensemble, près de la moitié des informateurs se définissent comme ayant un esprit religieux, mais une plus grande proportion encore se définissent comme étant moins religieux que dans le passé, et comme n'ayant pas une très grande compréhension de l'univers religieux. Sur le plan du moi idéal, la proportion de ceux qui se situent au pôle religieux est beaucoup plus forte, et ceci pour l'ensemble des item (item 1, 10, 22, 28 et 37). Dans une proportion de 56,4 % à 75,3 %, selon les item considérés, les informateurs se définissent comme ayant un idéal très religieux.

2. Dieu et le Christ. — Voyons d'abord les item dans lesquels s'exprime fondamentalement une attitude affective à l'égard d'un univers divin : 77,0 % des informateurs jugent qu'ils sont très bien décrits par l'item 4 : « Dieu m'apparaît comme une personne compréhensive avec laquelle on peut entrer en contact » ; 57,7 % se situent au pôle religieux à l'item 40 : « Je pense souvent au salut de mon âme » ; 46,3 %, par ailleurs, « ont l'impression de ne pas beaucoup connaître le Christ » (item 13) ; de fait, pour ce dernier item, seulement 26,8 % se

4. Ce dernier item voulait d'abord mesurer l'attitude rationnelle à l'égard de la religion, mais il est fort probable que ceux qui se sont sentis d'accord avec cette phrase exprimèrent surtout leur tendance à considérer la religion comme une chose sérieuse.

situent au pôle religieux. Le résultat le plus significatif est peut-être l'écart entre l'item portant sur Dieu et celui portant sur le Christ. La notion de Dieu est beaucoup plus importante pour les informateurs que la notion du Christ. Ce résultat, nous le verrons, est très cohérent avec leur conception de l'Église et du prêtre.

Si on considère maintenant les item 7, 16 et 28 qui mesurent plus explicitement l'attitude rationnelle à l'égard des croyances religieuses, on voit que les informateurs se situent à ce pôle *rationnel* qui, dans l'échelle, s'oppose au pôle *religieux.*

À l'item 7, 61,9 % des informateurs disent distinguer, dans leur croyance en Dieu, « ce qui vient de leurs réflexions individuelles et ce qui vient de la foi ». Pour eux, Dieu n'est pas uniquement une personne qui fait partie de l'univers religieux et que la raison ne pourrait remettre en question. La réflexion personnelle y joue une part importante. L'énoncé, comme tel, ne précise pas qu'il s'agit d'une réflexion rationnelle, mais quand cet énoncé se retrouve dans le contexte des entrevues en profondeur, c'est habituellement pour indiquer une certaine tension entre le domaine de l'affectivité et celui de la rationalité [5]. Cette tendance est d'ailleurs encore plus manifeste dans les réponses à l'item 16 : « Je tente d'en arriver à une attitude intellectuelle par rapport au problème de l'éternité et de l'âme. » Une proportion de 58,8 % des informateurs jugent que cet énoncé les décrit très bien, alors que seulement 20,6 % considèrent qu'il ne les décrit que très peu. Il y a donc une tendance assez nette à adopter l'attitude rationnelle à l'égard des croyances religieuses. C'est ce qu'on retrouve également à l'item 28 : près de la moitié des informateurs (47,4 %) abordent la croyance au Christ dans une perspective logique ou historique.

Considérons maintenant l'image de ce que devrait être, à leurs yeux, leurs croyances religieuses idéales. Pour chacun des

5. Comme cet énoncé fait référence à une réflexion *individuelle,* il reflète peut-être aussi la dimension individuelle ou collective de la croyance en Dieu. Interprétés de cette façon, les résultats obtenus à cet item seraient en accord avec les réponses à d'autres item mesurant cette dimension de l'expérience religieuse.

item, la proportion de ceux qui se situent au pôle religieux est plus forte dans le cas de l'image idéale que dans le cas de l'image réelle. Dans l'ensemble, les informateurs jugent qu'ils devraient être plus religieux qu'ils ne le sont. Mais il est significatif que le plus grand écart entre ces deux images se retrouve à l'item 13, qui se rapporte à la connaissance du Christ. Alors que seulement 26,8 % jugent avoir une connaissance assez bonne du Christ, 53,6 % jugent qu'idéalement ils devraient se situer à ce pôle.

3. L'ÉGLISE ET LE PRÊTRE. — Par rapport à l'Église, quatre questions se posent en relation avec notre analyse :

— L'Église est-elle perçue, définie comme une institution religieuse, c'est-à-dire une institution représentant symboliquement Dieu, le Christ ou tout Être supra-humain ?

— Les informateurs ont-ils tendance à concevoir l'expérience religieuse comme une expérience individuelle, ne mettant en cause que leur propre relation avec Dieu, ou comme une expérience collective, devant avoir lieu dans le cadre d'une Église et mettant en cause non seulement leur propre relation avec Dieu, mais aussi la relation de toute une collectivité avec Dieu [6] ?

— Quelle attitude a-t-on à l'égard du dogme en tant que celui-ci constitue une formulation institutionnalisée de certaines croyances ?

— Le prêtre est-il défini comme un représentant de Dieu, du Christ ou de l'Église, ou est-il plutôt défini sans référence à un univers du divin ?

L'Église, institution religieuse. — Pour répondre à la première question, voyons où se situent les informateurs par rapport

6. Les réponses à ces deux premières questions ne sont pas sans relation l'une avec l'autre. Il est évident que plus les informateurs définissent l'Église comme représentant symboliquement une réalité divine, comme participant à la divinité, plus ils tendent à concevoir l'expérience religieuse comme une expérience collective qui se situe dans le cadre de l'Église ou d'une Église.

à l'item 43 : « Je pense que l'Église est plus une institution humaine qu'une institution religieuse. » Un nombre considérable d'entre eux (40,2 %) jugent que cet énoncé décrit très bien leur conception de l'Église. Même sur le plan de leur image idéale de la religion, 32,0 % des informateurs répondent dans le même sens. Cette proportion assez élevée (40,2 %) constitue la réponse modale, car les autres informateurs se répartissent également entre les deux autres catégories (deuxième et troisième tiers). Cette réponse est assez cohérente avec les réponses à l'item 13 se rapportant au Christ : 46,3 % des informateurs jugent ne pas avoir une grande connaissance du fondateur de l'Église. Dans l'ensemble, on peut conclure qu'au moins 40,0 % des informateurs ne voient pas dans l'Église une institution participant symboliquement à l'existence de leur Dieu. Pour eux, l'Église constitue surtout une réalité qui n'a pas une étroite relation avec leur expérience religieuse. Il reste toutefois que le tiers des informateurs se situe au pôle opposé de ce continuum.

Expérience individuelle ou collective. — Si cette tendance à ne pas voir dans l'Église une réalité divine existe et si, par conséquent, les réponses à l'item 43 sont valides, nous devrions retrouver également une large proportion d'informateurs pour qui l'expérience est individuelle et non collective. Or, en considérant les réponses aux item 6, 15, 36 et 42, nous arrivons justement à cette constatation. Voici ces résultats.

À l'item 6 : « Je crois que ma vie religieuse n'aurait pas de sens hors de l'Église », une proportion égale de répondants se situe à chacun des deux pôles de l'échelle (38,1 %). Même sur le plan de leur religion idéale, 36,1 % des répondants jugent que cet énoncé ne les décrit pas bien ; cependant, il y a sur ce point une augmentation de ceux qui jugent que cet énoncé décrit bien leur idéal (47,5 %). À l'item 15, 44,3 % des répondants se déclarent en accord avec l'énoncé suivant : « J'accorde moins d'importance au culte organisé par l'Église qu'aux prières que je fais moi-même. » L'item 36 reprend fondamentalement la même question, mais sous une forme positive : « J'accorde plus d'importance aux prières collectives [à l'église, en famille] qu'aux prières que je peux faire moi-même. » Seulement 8,3 % des répondants jugent que cet énoncé les décrit bien, alors que 68,0 % jugent qu'il les décrit mal. Encore ici, nous constatons un rejet de l'expérience religieuse qui prendrait une forme collective. D'ailleurs, nous retrouvons encore la même tendance dans les réponses suivantes. Une proportion de 73,2 % des répondants jugent, en effet, que l'item 42 : « Pour moi, ma religion est surtout un dialogue personnel entre Dieu et moi » décrit bien leur conception de la religion. Sur le plan de leur image idéale de la religion, cette proportion monte jusqu'à 87,6 %.

Dans l'ensemble donc, l'Église n'est pas une institution très valorisée par les répondants. Ceux-ci tendent beaucoup plus vers une expérience religieuse privée, orientée vers une communication personnelle entre eux-mêmes et leur Dieu. Cette orientation générale par rapport à l'Église influence les attitudes à l'égard des divers dogmes proposés par l'Église.

Les dogmes. — Du point de vue de notre recherche, les dogmes sont des définitions que l'Église propose à ses membres. Ces définitions portent aussi bien sur des croyances proprement dites (*v.g.* Dieu en trois personnes) que sur des croyances justifiant certaines pratiques ou certains éléments du culte catholique (*v.g.* les croyances relatives à la messe ou aux divers sacrements). En autant que l'Église est peu valorisée par les informateurs, on peut supposer que les croyances ainsi proposées par l'Église ne constituent pas un élément important de leurs expériences religieuses. Ceci ne signifie pas nécessairement que les informateurs n'adhèrent pas à certaines croyances religieuses, ni même que les croyances auxquelles ils adhèrent ne sont pas effectivement des croyances proposées par l'Église. Ceci peut signifier tout aussi bien que les informateurs ont tendance à choisir parmi les divers dogmes proposés par l'Église, et que ce choix s'effectue en fonction de la conception personnelle que chacun se fait de l'expérience religieuse. Le seul fait pour un dogme d'être proposé par l'Église n'assure pas nécessairement l'adhésion des informateurs.

L'item 19 du questionnaire porte explicitement sur les dogmes [7]. Il n'est pas surprenant, à ce moment-ci de notre analyse, de constater que seulement 16,4 % des informateurs trouvent que dans leur « vie religieuse, les dogmes sont ce qu'il y a de plus important ». Effectivement, la tendance modale se situe à l'autre extrémité du continuum, puisque 50,4 % d'entre eux jugent que cet énoncé décrit très peu leur attitude. L'item 41 porte sur les croyances relatives à la messe : « Aller à la messe m'amène souvent à penser aux dogmes qui concernent la messe, l'Eucharistie, etc. » Nous retrouvons ici la même tendance qu'à l'item précédent : seulement 27,8 % des informateurs jugent que cet item les décrit très bien, alors que 46,3 % d'entre eux jugent le contraire. Quant à l'item 20 : « Je trouve qu'une messe sur semaine a autant de valeur qu'une messe du dimanche », il ne met pas en cause toutes les définitions dogmatiques à l'égard de la messe ; toutefois il se rapporte directement aux définitions du dimanche considéré comme « jour du Seigneur » et comme journée commémorative de la résurrection du Christ. Or, encore ici, 67,0 % des informateurs se trouvent en accord avec l'énoncé et s'éloignent ainsi des définitions officielles de l'Église.

Nous pouvons déceler un certain nombre d'implications aux résultats obtenus dans les item portant sur les dogmes. D'un côté, l'attitude des jeunes face aux dogmes est l'expression d'un certain rejet de l'Église, en tant qu'institution humaine. Ceci peut également être relié à la dimension individuelle de l'expérience religieuse, à laquelle nous avons déjà fait référence, et vers laquelle tend une bonne partie des jeunes de l'échantillon.

Le prêtre. — Un seul item du questionnaire porte directement sur la conception de la prêtrise, l'item 34 : « Dans ma vie religieuse à moi, le prêtre est plus un homme comme les autres qu'un représentant du Christ. » Or, la proportion des informateurs qui trouvent que cet énoncé les décrit bien est

7. Dans les entrevues individuelles, la plupart des informateurs exprimaient une attitude assez négative à l'égard des dogmes, et si l'item 19 est formulé de façon positive, c'est surtout pour assurer dans le questionnaire une certaine *alternance* entre les formulations négatives.

plus grande que la proportion de ceux qui le rejettent (43,3 % contre 28,9 %). Cette tendance, comme on le voit, est logiquement en accord avec leur conception de l'Église. Ceci ne signifie pas pour autant que le prêtre est perçu ou défini comme une personne ne symbolisant en aucune façon une valeur religieuse. Mais la valeur du prêtre est liée à sa capacité d'entrer en profonde relation humaine avec le laïc. L'analyse des interviews a aussi montré que les attentes développées par les informateurs à cet égard sont extrêmement idéalisées. Mais, cependant, cette capacité de compréhension dans le dialogue n'a pas nécessairement une valeur religieuse à leurs yeux.

4. LES PRATIQUES CULTUELLES. — Nous nous attachons ici particulièrement au culte public, c'est-à-dire aux pratiques cultuelles proposées par l'Église et impliquant une participation collective. Deux des item du questionnaire portent sur la pratique en général, mais dans le milieu que nous avons étudié, ce terme signifie avant tout les pratiques publiques et, en particulier, la participation ou l'assistance à la messe dominicale. Nous analyserons d'abord les deux item portant sur la pratique en général. Ensuite ,d'autres item nous permettront d'éclairer la signification attribuée à la pratique.

La pratique en général. — En ce qui concerne la pratique en général, l'item 5 montre que 52,6 % des informateurs considèrent « que la pratique religieuse (messe, confession, etc.) est l'aspect le moins important de la religion », alors que seulement 26,7 % rejettent cet énoncé. La tendance modale est donc de ne pas accorder une très grande valeur à la pratique. Par ailleurs, le milieu étudiant étant en pleine évolution, il nous a semblé important de mesurer cette même attitude en terme de changement. C'est l'objectif de l'item 35 qui se lit : « La pratique religieuse a pour moi de moins en moins de signification. » Une proportion sensiblement égale d'informateurs accepte ou refuse cet énoncé (41,2 % et 37,0 %). Si on tient compte de ces deux derniers énoncés, on peut conclure que parmi ceux qui accordent une importance relativement moins grande à la pratique, il y en a au moins 10 %, (52,6 % moins 41,2 %) pour qui cette attitude est déjà établie depuis un certain temps.

Pratiques et croyances. — Par ailleurs, cette signification de la messe peut être fonction d'au moins deux facteurs. La messe comme pratique cultuelle peut d'abord être la symbolisation et l'expression de certaines croyances religieuses comme la mort et la résurrection du Christ ou, le dogme de la communion des saints. Le peu d'importance attaché à la messe vient alors de ce que l'expérience concrète de la messe n'est pas associée symboliquement à cet univers des croyances religieuses [8].

La messe, expérience individuelle de dialogue. — La valeur affective de la messe peut, d'autre part, s'expliquer par le sentiment que la messe constitue un moment privilégié et qu'elle permet d'être en contact avec son Dieu. Ce sentiment d'être en présence de Dieu suppose évidemment la croyance en Dieu. Mais l'aspect fondamental n'est pas tellement ici la relation entre les différents mouvements expressifs qui caractérisent la messe (prière, consécration, etc.), et les croyances relatives à Dieu. Il s'agit plutôt du fait que la messe est l'occasion d'un contact personnel entre la personne et Dieu. La notion de dialogue exprime bien, dans l'esprit des informateurs, le type de signification que nous décrivons ici. À l'item 14 : « Pour moi, la messe du dimanche est une façon de continuer un dialogue avec Dieu », une proportion sensiblement égale d'informateurs acceptent ou rejettent l'énoncé : environ 40 %. Mais, encore ici, il y a un très grand décalage entre ces réponses et les réponses qui se rapportent à l'image idéale de la religion. Alors que seulement 39,2 % des informateurs jugent que cet énoncé les décrit très bien, 67,0 % jugent qu'il décrit très bien leur idéal religieux. On peut donc logiquement supposer qu'une bonne partie des attitudes négatives à l'égard de la messe sont en relation avec l'absence de tout sentiment de dialogue au cours des expériences habituelles.

Cette tendance à concevoir la messe comme un moment privilégié de dialogue entre Dieu et la personne n'est pas non plus sans relation avec la tendance à favoriser autant la messe en semaine que la messe dominicale : dans la mesure où la

8. Voir plus haut l'analyse de l'item 41. On attache, dans l'ensemble, assez peu d'importance aux dogmes relatifs à la messe.

messe est définie comme un moyen permettant ce dialogue personnel entre Dieu et l'individu, il importe peu que la messe ait lieu le dimanche ou pendant la semaine (voir plus haut les réponses à l'item 20). Le même raisonnement vaut pour l'item 21 portant sur le choix entre la confession au prêtre et la confession directe à Dieu [9].

Cette analyse nous permet déjà certaines conclusions : la pratique tend à être peu valorisée ; cette absence de valorisation et de signification est liée d'une part à une certaine incohérence entre les croyances et les pratiques cultuelles et, d'autre part, à la tendance à concevoir la messe comme une occasion d'un dialogue personnel entre soi-même et son Dieu.

Importance des motivations personnelles. — Notre analyse a également montré jusqu'ici la tendance à valoriser davantage les croyances ou les pratiques mettant en cause les motivations personnelles. On tend, par exemple, à rejeter les pratiques dont on ne voit pas la cohérence avec ses propres croyances ; on tend à accorder de la valeur à la messe en autant que celle-ci est l'occasion d'un dialogue avec Dieu ; même au niveau des seules croyances, on tend à ne retenir que celles qui ont été intégrées à son système personnel de croyances, et on n'accepte pas une croyance du simple fait qu'elle fait partie des définitions de l'Église. L'analyse des item 9 et 24 nous permettra une dernière vérification de ce point.

L'item 9 se lit comme suit : « Je me dis que plus je fais de prières, plus j'ai de mérites. » Ici, seulement, 10,3 % des informateurs jugent que cet énoncé les décrit très bien et 72,2 % jugent le contraire. L'item 24 reprenait fondamentalement la même attitude, mais dans une formulation différente : « J'aime mieux (ou j'aimerais mieux) ne pas aller à la messe le dimanche plutôt que d'y aller sans que ça ne me dise rien. » La tendance

9. À l'item 21, 56,4% déclarent qu'ils préféreraient se confesser directement à Dieu plutôt qu'à un prêtre. Les réponses à cet item peuvent s'expliquer par plusieurs aspects de l'expérience de la confession, par exemple, la relation avec un prêtre qui ne symboliserait pas Dieu, l'aveu de ses fautes, etc. Mais il est plausible que les réponses à cet item aient également été influencées par une orientation vers l'expérience religieuse individuelle.

modale va dans le même sens que pour l'item précédent : 57,8 % des informateurs jugent que cet énoncé décrit très bien leur attitude. C'est donc dire qu'ils semblent accorder une grande importance à l'intention ou à la motivation individuelle, comme sources de mérite [10].

Nous pouvons résumer en quelques propositions les tendances relatives aux pratiques cultuelles :

— Par rapport aux autres dimensions de l'expérience religieuse, la pratique tend à être moins valorisée ;

— Par ailleurs, sur le plan de la conception idéale de la religion, les informateurs se situent en proportion beaucoup plus grande au pôle religieux, c'est-à-dire valorisent beaucoup plus la pratique. Le secteur de la pratique est de ceux pour lesquels il y a un plus grand décalage entre l'image réelle et l'image idéale ;

— Cette attitude à l'égard de la pratique est cohérente avec la tendance, que nous avons dégagée, à valoriser davantage les contacts personnels avec Dieu. Les pratiques, et en particulier la messe, ne sont pas des moyens indispensables à une telle expérience religieuse ;

— Cette attitude est cohérente également avec la tendance qu'ont certains informateurs à rejeter des expériences dont ils ne perçoivent pas la signification ou la valeur. La messe leur apparaît une expérience n'ayant aucun véritable lien avec l'état actuel de leurs croyances et n'étant pas liée symboliquement à leur univers religieux ;

— Ce rejet de la pratique, plus ou moins radical selon le cas, constitue une forme de rejet de ce qui n'est pas intégré à leurs

10. D'autre part, il nous faut remarquer que, sur le plan de la conception idéale, on retrouve une situation plus complexe que celle constatée dans les autres secteurs. Dans le cas de cet item 9, les informateurs, sur le plan de l'idéal, tendent à accorder une place plus importante à l'attitude magique, mais ceux-ci y accordent une importance moindre pour l'item 24. Cette constatation révèle une certaine confusion, reflétant sans doute l'ambiguïté de ce qui leur est proposé par l'Église. D'ailleurs, le contenu même de ces deux item traduit cette ambiguïté.

propres motivations ou leurs propres intentions. En définitive, ces deux dernières propositions se complètent.

5. LA MORALE. — Analysons d'abord un item portant sur l'attitude générale à l'égard de la morale. Ensuite, nous distinguerons entre la morale générale et la morale spécifique [11].

a) La morale dans son ensemble. — L'item suivant permet de porter un jugement d'ensemble sur ce secteur de la morale spécifique. Placés devant l'énoncé suivant : « Je pense rarement aux problèmes de morale religieuse (morale sexuelle, morale politique, etc.) », 23,7 % acceptent l'énoncé et 50,4 % le rejettent. La moitié des informateurs se situent donc au pôle favorisant une morale religieuse. Voyons maintenant quelles généralisations sont possibles à partir de ces résultats.

La tendance modale est donc de concevoir la religion comme étant reliée à un système de normes ou de valeurs morales : le fait de se définir comme religieux, c'est-à-dire comme adhérant à un ensemble de croyances et comme pratiquant un certain nombre de rites cultuels, doit normalement avoir des répercussions au niveau des relations humaines (étude, travail, relations familiales, relations avec les amis, etc.). Dans l'ensemble, on accepte le principe général d'une telle relation entre religion et morale, principe qui leur est proposé par l'Église. Par ailleurs, on semble accepter en moins grande proportion l'énoncé de normes morales spécifiques que l'Église pourrait suggérer.

b) Morale générale ou morale spécifique. — Morale générale. — Quatre item de notre questionnaire portent sur une morale générale, c'est-à-dire portent essentiellement sur l'idée que les croyances religieuses servent ou doivent servir de fondement à un système de valeurs englobant l'ensemble de l'expérience humaine. Dans cette perspective, les valeurs religieuses servent à établir le critère du bien et du mal pour l'ensemble des principaux secteurs de vie. Ce critère très général porte essentiellement sur cette idée : « La religion doit influencer

11. Voir le chapitre précédent à propos de cette distinction.

toute mon existence. » C'est ce thème que l'on retrouve dans chacun des quatre item suivants :

> Mon idéal religieux influence vraiment ma vie de tous les jours. (Nº 2)
>
> Ce que je fais dans ma famille, dans mon travail (ou mes études), etc., c'est pour Dieu que je le fais. (Nº 32)
>
> Le fait d'aller à la messe ne change pas grand-chose dans les divers secteurs de ma vie. (Nº 38)
>
> Les choses auxquelles j'accorde le plus d'importance dans ma vie ne sont pas reliées à mon idéal religieux. (Nº 44)

Or, trois constatations principales ressortent de l'analyse de ces item.

D'abord, au niveau de l'image de soi, nous ne retrouvons qu'une faible proportion de répondants qui se situent au pôle de l'intégration des valeurs morales : 26,8 % à l'item 2, 19,6 % à l'item 32, 14,5 % à l'item 38 et 35,1 % à l'item 44. Dans l'ensemble, il y a donc assez peu de répondants qui jugent que leur expérience religieuse « influence vraiment [la] vie de tous les jours ».

Par ailleurs, au niveau de la religion idéale, les jeunes de notre échantillon se situent d'emblée au pôle de l'intégration des valeurs religieuses et morales : 70,1 % à l'item 2, 61,9 % à l'item 32, 60,5 % à l'item 38 et 56,4 % à l'item 44. La tendance modale est donc de considérer les valeurs religieuses comme devant être reliées d'une façon ou d'une autre à l'ensemble des activités. Une croyance religieuse ou une pratique cultuelle ne prend une valeur à leurs yeux qu'à la condition que leur existence quotidienne en constitue une sorte de prolongement ou d'actualisation. Mais pour autant que cette tendance modale implique que la religion fonde une morale de leur existence, elle n'implique pas nécessairement l'adhésion à une série de normes morales précises, spécifiques.

Tout ce qu'énonce cette morale générale, c'est qu'il ne doit pas y avoir de cloisonnement entre la religion et les autres régions du champ psychologique. La concrétisation d'une telle morale générale demeure nécessairement la responsabilité de chacun. Avant d'interpréter plus à fond ces résultats, voyons les réponses obtenues aux item se rapportant à une morale spécifique.

Morale spécifique. — Rappelons que nous définissons comme étant une morale religieuse spécifique, la morale selon laquelle l'adhésion à certaines croyances religieuses (ou l'acceptation de certaines pratiques cultuelles de l'Église) fonde en même temps l'adhésion à un certain nombre de règles morales, définies par l'Église, et se rapportant à certains secteurs spécifiques. L'exemple le plus frappant — et celui dont parlent le plus volontiers les informateurs — est celui de la morale sexuelle.

Dans la plupart des interviews, les informateurs rappellent avec beaucoup de force que, au nom de la religion, les divers agents de socialisation religieuse (le clergé et les parents surtout) leur ont proposé (et souvent imposé) une morale sexuelle très stricte. L'item 3 : « J'ai de la difficulté à ne pas voir ensemble sexualité et péché », reflète bien cet état d'esprit de nos informateurs. Même si effectivement seulement 26,8 % des répondants jugent que cet énoncé les décrit très bien aujourd'hui, la plupart (en interview) seraient probablement d'accord pour dire que c'est là une attitude qui leur a été proposée et qu'ils ont partagée à un moment ou l'autre de leur vie. Un très grand nombre ont aujourd'hui le sentiment de s'être dégagés de cette moralité sexuelle et certains ont aussi le sentiment que les normes de l'Église changent à cet égard. Toutefois, le fait que ces quelque 26,8% des informateurs se jugent très bien décrits par cet item ne suppose pas nécessairement que la majorité d'entre eux rejette toute morale sexuelle.

Un autre secteur retiendra notre attention : c'est celui du travail et des études. Ce second thème nous apparaît d'autant plus intéressant qu'il représente un domaine particulier de la morale où ce sont, bien souvent, les valeurs générales qui jouent. Ce secteur est celui que les informateurs jugent le plus souvent comme étant en relation avec leur religion. On constate en effet que 72,2% d'entre eux acceptent l'énoncé suivant (item 27) : « Pour moi, être honnête et compétent à mon travail (ou à mes études) est une façon de respecter la morale catholique. » Cette proportion très élevée se rapproche des tendances modales que nous avons trouvées pour les item se rapportant à une morale générale. Quand la plupart des informateurs jugent que leur religion doit influencer leur vie de tous les jours, ils appliquent probablement cette valeur générale au secteur des études et du travail. Il faut voir par ailleurs que les normes de compétence et d'honnêteté dans le travail ou les études que peut proposer l'Église ne sont jamais aussi précises et spécifiques que, par exemple, les normes de morale sexuelle ou de morale politique. Aussi, cet énoncé sur la « morale du travail » demeure-t-il surtout au niveau d'une morale générale que l'on accepte plus facilement, il nous semble, qu'une morale spécifique. Dans ce cas-ci, chaque répondant doit lui-même déterminer ce que signifie concrètement cette norme de compétence et d'honnêteté dans ses études.

c) Tendances modales. — Rejet d'une morale institutionnalisée. — Le rejet des normes spécifiques, en particulier dans le cas des normes reliées à la sexualité, constitue probablement, sous une autre forme, le rejet de ce qui apparaît aux yeux des informateurs comme une trop grande institutionnalisation des définitions de l'expérience religieuse. Ils acceptent le cadre général que pose l'Église entre religion et morale, mais refusent que celle-ci définisse de façon plus spécifique en quoi et comment ce principe général doit s'appliquer. Précisons que pour ce qui est des item portant sur cette morale spécifique, il y a peu de décalage entre l'image de la réalité et l'image de la religion idéale. Ce rejet d'une morale trop fortement institutionnalisée doit également être mis en relation avec tout ce que nous avons déjà constaté à propos des attitudes à l'égard de la messe, de la confession, des dogmes, du prêtre, etc.

Morale, forme d'authenticité. — L'acceptation d'une morale générale liée à l'expérience religieuse apparaît également comme une forme d'authenticité. À leurs yeux, l'expérience religieuse n'aurait pas de signification profonde si elle était totalement isolée de l'ensemble des expériences humaines. Le fait de tenir compte des valeurs religieuses dans ces expériences humaines satisfait un besoin de cohérence et d'authenticité. En fait, la moralité d'une personne devient pour elle l'indice plus concret de son degré de religiosité. Accepter que l'on doive soi-même être bon vis-à-vis des autres, constitue l'indice que l'adhésion à la croyance n'était pas que superficielle et ne manquait pas d'authenticité. À partir du moment où la morale est conçue comme un indice d'authenticité, il est très compréhensible que la tendance modale soit d'accepter au moins une forme de morale générale.

Forme de relation entre religion et morale. — Jusqu'ici, nous avons constaté que la tendance modale était de concevoir la religion comme étant reliée à la morale, sans pour autant décrire quelle forme revêtait cette relation. Il est en effet possible de concevoir la religion et la morale comme étant reliées mais en même temps différenciées et, d'autre part, il est possible de concevoir cette relation sous le mode de l'identité. Dans ce dernier cas, religion et morale ne constituent en fait qu'une seule région du champ psychologique. Or, à cet égard, il ne semble pas qu'une de ces deux tendances ait la priorité sur l'autre, pour l'ensemble de notre échantillon. C'est ce qui se dégage des réponses à l'item 12 qui s'énonce comme suit : « Je pense que si je laissais tomber la morale catholique, c'est toute ma vie religieuse que je viendrais à abandonner. » Or, si 44,3 % des étudiants jugent que cet énoncé les décrit très bien et ont donc tendance à ne pas établir de différenciation entre morale et religion, une proportion des informateurs (34,1 %) jugent pour leur part que cet énoncé les décrit très mal. On retrouve donc les deux modes de relation chez nos informateurs. Ceci montre plus clairement que, pour ce qui est du mode de relation entre la religion et la morale, il ne se dégage pas une seule tendance modale, mais que les deux modes de relation coexistent dans l'ensemble de la population étudiante.

Ces constatations n'impliquent pas toutefois que la majorité des étudiants, en posant une relation entre religion et morale, rejette nécessairement l'existence d'autres fondements à un système de morale. Aucun item du questionnaire ne portait sur l'existence d'une morale qui n'aurait pas la religion comme fondement. Toutefois, on l'a vu précédemment [12], un grand nombre d'informateurs acceptent la notion d'une morale humaine ou naturelle. Il ne s'agit pas là nécessairement d'une contradiction ou d'un illogisme. D'une part, les étudiants peuvent reconnaître l'existence d'un double fondement à la morale. D'autre part, ils peuvent considérer que la religion doit s'exprimer dans des considérations morales, sans affirmer pour autant que toute morale doit avoir un fondement religieux. Il semble que ce soit plutôt la première affirmation qui corresponde à la conception de nos répondants.

12. Dans la partie où les interviews sont analysées.

VI

Dix types principaux d'expériences religieuses

Jusqu'ici notre analyse typologique a porté sur les quelques secteurs importants de l'expérience religieuse et a mis en relief les choix existentiels propres à ces secteurs. Chacun en arrive, au cours de ses expériences, à privilégier plus ou moins l'un ou l'autre des types d'expérience de Dieu, de l'Église, que nous avons dégagés dans les chapitres précédents. Ces choix existentiels s'inscrivent toutefois dans un processus plus global que ne l'a laissé supposer notre analyse jusqu'à maintenant. Si nous avons formulé des typologies propres à chaque secteur, c'est que nous voulions poursuivre une démarche analytique systématique. Il n'en demeure pas moins que l'expérience religieuse vécue, pour chaque personne, se présente de façon plus globale. C'est là une hypothèse sous-jacente à l'objectif de ce chapitre : chaque personne en arrive à se caractériser non seulement par certains choix existentiels isolés, mais plutôt par un ensemble de ceux-ci ; ensemble qui, considéré du point de vue de chaque personne concernée, apparaît comme un tout relativement cohérent. Ce sont ces ensembles ou ces systèmes cohérents que nous voulons décrire maintenant. Cette typologie constitue donc une première synthèse des analyses précédentes. Trois dimensions sont à la base de cette typologie : le secteur des expériences religieuses particulières, l'orientation de ces expériences et leur intensité. Définissons rapidement chacune d'elles.

Le secteur de l'univers religieux. — Cette dimension de l'expérience fournit à l'individu la possibilité de privilégier parmi les secteurs caractérisant l'expérience religieuse l'un ou plusieurs d'entre eux. Sa propre expérience pourra englober l'ensemble de ces éléments tels que nous en avons tenu compte jusqu'ici : Dieu, le Christ, l'Église, les croyances, le culte, la morale ; soit n'en sélectionner qu'un seul ou quelques-uns. Parmi nos informateurs, par exemple, certains accordent beaucoup d'importance à Dieu et moins au culte ; d'autres préfèrent une morale religieuse générale.

L'Église semble rejeter, cependant, ce découpage de l'univers religieux et proposer à ses membres d'adhérer à l'ensemble d'un système religieux plutôt qu'à des éléments isolés. Certains théologiens, par ailleurs, semblent privilégier parfois l'un ou l'autre de ces éléments tout en ne rejetant pas l'ensemble du système religieux proposé par l'Église [1]. Notre typologie tiendra compte du ou des secteurs privilégiés par nos informateurs.

L'orientation de l'expérience religieuse. — Cette seconde dimension de notre typologie se base sur les cinq catégories dont nous nous sommes servi dans l'analyse de la conception de l'expérience religieuse, c'est-à-dire dans l'analyse de la conception qu'on se fait de Dieu, de l'Église et du prêtre, de la messe et de la morale. Ces catégories sont l'intégration (la congruence et la cohérence), l'autonomie, l'intériorisation des valeurs, l'affectivité ou la rationalité, l'individualisme de l'expérience. Par rapport à chacune de ces catégories, un individu peut se situer entre deux pôles extrêmes. Une personne peut se situer au pôle « autonomie » ou préférer l'adhésion autoritaire et dogmatique à l'Église, définir l'expérience religieuse comme individuelle ou comme collective, etc.

1. Bien que notre propos ne soit pas ici de faire un inventaire des modèles proposés par l'Église, nous devons mentionner leur diversité, car nos informateurs eux-mêmes en tiennent compte quand ils se définissent sur le plan religieux par rapport à l'abbé Pierre, à Lebret ou à ce qu'ils appellent « la morale traditionnelle de l'Église ».

Par ailleurs, cette orientation peut influencer l'un ou l'autre des secteurs ou des éléments de la vie religieuse. L'orientation vers une expérience collective plutôt que vers une expérience individuelle peut influencer aussi bien l'attitude face à la pratique que face aux aspects moraux de l'expérience religieuse. Ces exemples illustrent comment ces cinq catégories circonscrivent une autre dimension dont doit tenir compte une typologie de l'expérience religieuse.

L'intensité. — Enfin, l'expérience religieuse peut être plus ou moins intense quel que soit le secteur privilégié et quelle que soit son orientation. Quelqu'un peut concevoir la pratique comme un élément de l'expérience religieuse, sans pour cela s'attacher intensément à des pratiques cultuelles. De la même façon, quelqu'un peut concevoir la croyance en Dieu comme étant à la base de toute expérience religieuse, sans s'adonner fréquemment à des expériences de dialogue personnel avec Dieu ou à des réflexions philosophiques à son propos. L'expérience religieuse peut donc se situer à des degrés variables d'intensité.

Une typologie complète qui tiendrait compte systématiquement des trois dimensions que nous venons de définir en arriverait logiquement à un très grand nombre de types d'expériences religieuses. Comme nous l'avons dit, notre objectif est plutôt de définir un nombre relativement petit de types. Sans prétendre que l'inventaire typologique qui suit soit exhaustif, nous croyons qu'il rend compte d'un très grand nombre d'expériences religieuses vécues par les jeunes gens de notre échantillon.

TYPE 1. L'ADHÉSION TRADITIONNELLE À L'ÉGLISE. — L'appartenance à l'Église catholique et l'acceptation globale des normes et des valeurs qu'elle propose constitue un premier type d'expérience religieuse. En un certain sens, ce type est centré d'abord sur l'adhésion à l'Église et ensuite seulement sur les normes et les valeurs qu'elle suggère ou impose à ses membres. Ces dernières sont acceptées sans beaucoup de différenciation du champ psychologique, c'est-à-dire que dans la mesure où elles se fondent sur l'autorité de l'Église on y adhère globalement. L'attitude typique caractérisant l'adhésion traditionnelle s'exprime souvent de la façon suivante : « Je crois tout ce qu'enseigne l'Église [2]. » La valeur d'autorité qu'on reconnaît à l'Église ne permet pas l'expression de doutes à son sujet. Pour les individus dont les expériences religieuses se trouvent décrites par ce type, la remise en question de certains éléments particuliers équivaudrait à une contestation de toute l'Église.

Ce type d'expérience religieuse est un de ceux qui s'éloignent le plus des caractéristiques d'intégration et d'autonomie dont nous avons parlé à propos de la dimension *orientation de l'expérience religieuse*. En effet, l'individu prend assez peu conscience de son expérience. Une telle prise de conscience ne lui apparaît d'ailleurs pas comme une valeur importante [3]. Cette expérience se trouve donc moins centrée sur l'autonomie que sur la dépendance autoritaire ou dogmatique de l'Église. Cette dépendance s'exprime souvent ainsi : « Les prêtres ne nous disent pas assez clairement ce qu'il faut croire et ce qu'il faut faire ; après tout ce sont eux qui savent ce qu'il faut faire ou croire sur le plan religieux. » L'attribut « traditionnel », que nous appliquons à ce type d'adhésion, définit uniquement un mode de conformité à un système social : il rend compte du peu de place que l'individu accorde à la prise de conscience de son expérience, ainsi que de l'absence de remise en question de ses conduites religieuses à partir d'expériences personnelles. Ce type est donc celui qui implique le moins de changement du champ psychologique de la part de l'individu concerné. Le seul changement qui s'opère est celui qui prend origine dans le cadre institutionnel de l'Église.

Seul, ce que suggère l'Église peut alors être introduit dans l'expérience religieuse caractérisée par cette forme d'adhésion traditionnelle. Mais en général, l'élément le plus privilégié est l'acceptation des pratiques cultuelles et d'une série de normes morales spécifiques [4]. La foi comme telle, les

2. Voir « Type 2. L'Église valorisée en tant qu'institution », chap. II, p. 60.

3. Cette prise de conscience de l'expérience constitue une forme d'authenticité que nous décrivons plus loin (chap. VII).

4. Voir « Type 3. Morale autoritaire et spécifique », chap. IV, p. 110.

croyances en Dieu, le contact personnel avec ce Dieu prennent une place relativement moins importante. Il arrive aussi que certains sous-systèmes d'autorité soient privilégiés et qu'en leur nom on mette plutôt l'accent sur d'autres dimensions de l'expérience religieuse. C'est parfois le cas du militant d'action catholique qui s'appuie fortement, non pas sur l'autorité de l'Église considérée dans son ensemble, mais sur certaines écoles particulières de théologie qui, par exemple, mettent plus d'emphase sur l'action que sur les pratiques cultuelles. De façon assez générale, on peut dire que le simple fait de s'orienter par rapport à un sous-système plutôt que par rapport au système global d'autorité religieuse implique déjà une plus grande ouverture au changement et une meilleure prise de conscience de l'expérience religieuse que le type d'adhésion traditionnelle [5]. Disons que l'adhésion dogmatique à un sous-système particulier d'autorité à l'intérieur de l'Église, dans la mesure où cette adhésion constitue déjà un changement par rapport aux expériences antérieures, est l'indice d'une orientation vers une plus grande autonomie.

Il est difficile de définir l'attitude caractéristique de ce premier type en termes d'intensité car, théoriquement, cette expérience peut être ou ne pas être intense. On peut caractériser l'intensité de l'expérience de ce premier type en disant que, sur ce point comme sur les autres, l'adhérent acceptera les directives données par l'Église : son expérience sera d'autant plus intense que l'Église l'exigera de ses membres [6]. Dans le cas où une telle intensité est exigée, une diminution de cette dernière signifie que la personne se rapproche des types 8 et 9 que nous définirons.

L'expérience de l'informateur suivant semble correspondre à ce premier type d'expérience. Voici les principaux passages

5. Cette affirmation suppose que, lors de son premier contact avec l'Église, la personne a d'abord fait l'expérience du système général et global d'autorité.

6. Nous nous retrouvons toujours devant la même difficulté qui est de ne pas pouvoir définir sociologiquement quelles sont précisément les normes suggérées ou imposées par l'Église. De notre point de vue, il est évident que l'expérience personnelle peut varier à cause du jeu de facteurs purement idiosyncrasiques.

de son témoignage qui reflètent plus directement sa conception de l'expérience religieuse.

— Je vous ai posé des questions dans toutes sortes de domaines ; si je repartais autrement et que je vous posais une question aussi générale que celle-ci : quand on prononce le mot *religion,* à quoi cela vous fait-il penser ?

— D'abord, c'est mon devoir de chrétien... ce que je dois faire selon les principes qui m'ont été enseignés. Surtout avec la Congrégation mariale, je pense que ça approfondit un peu plus ma religion, ça vous fait mieux comprendre ça. Par exemple la messe, tous les devoirs comme la charité, le prochain... la religion fait partie de notre vie, que ce soit la messe du dimanche ou quelque chose comme ça... Si je fais une action, je vais penser si c'est conforme... comme la charité, c'est quelque chose que je dois mettre en pratique tous les jours, c'est seulement dans les petits détails qu'on s'en rend compte des fois.

— Si vous repensez à l'ensemble de votre vie religieuse, est-ce que vous avez l'impression que ça s'est passé à peu près toujours de la même façon ou s'il y a eu des périodes qui ont été différentes ?

— Je pense qu'il y a eu une certaine amélioration depuis que je suis entré au collège jusqu'à aujourd'hui, parce qu'avant, quand on est chez nous, on dirait qu'on vit pour la messe du dimanche, quelques prières le matin et le soir, à part de ça, il n'y a pas grand-chose... tandis qu'ici, jusqu'en Rhétorique, on est obligé d'aller à la messe tous les matins, les soirs la prière, tout ça. Maintenant c'est plus libre, pour les grands toujours, mais on continue à le faire. On dirait que je suis plus convaincu, je comprends un peu plus, toujours, par réflexion... À la Congrégation on nous donne des réflexions, des pensées, alors on réfléchit là-dessus...

— La Congrégation vous a aidé à travailler dans ce sens-là ?

— Je pense que ça m'a beaucoup aidé. Ma mère aussi m'a donné l'exemple là-dessus. Elle va à la messe assez souvent, elle dit son chapelet, ses prières le matin et le soir...

— Alors vous vous dites : quand je repense à cela, je me dis que ma mère m'a probablement influencé dans ce sens-là ?

— Oui justement.

— Est-ce que vous avez déjà eu l'occasion de discuter de religion, par exemple avec votre mère, ou si c'est plutôt par ses exemples... ?

— Je n'ai pas discuté avec elle, j'ai plutôt parlé de ça comme ça... avec elle.

— La Congrégation mariale dont vous me parliez tantôt, de quelle façon êtes-vous venu à y entrer ?

— C'est mon directeur spirituel qui m'a invité, parce qu'il voyait que j'avais un peu les dispositions je suppose... Il faut avoir un certain esprit religieux, une certaine disponibilité à vouloir toujours monter dans la religion, à comprendre notre religion. Quelqu'un qui ne va jamais à la messe le matin, ou qui laisse sa religion de côté, c'est certain qu'il ne pourra pas entrer là-dedans parce que les exigences ne le permettront pas, c'est pour ça d'ailleurs qu'il n'y en a pas beaucoup qui y entrent. C'est assez dur, c'est pas tout le monde qui peut commencer ça tous les jours. Il faut essayer de monter tout de même. Il y a seulement une réunion par semaine, le reste, c'est à nous de le faire ; si le gars ne le fait pas, il va sortir, ça ne sert à rien.

— De quelle façon êtes-vous venu à penser à la prêtrise ? Était-ce une idée que vous aviez avant de commencer votre cours classique ?

— Non, je ne pense pas que je l'avais avant de commencer. En Syntaxe, Méthode... j'ai pensé à autre chose, mais je revenais toujours à celle-là.

— Avec qui surtout avez-vous eu l'occasion de discuter de ce choix ?

— Avec mon directeur spirituel.

— Lui, qu'est-ce qu'il en dit ?

— Il est d'accord.

— Comment êtes-vous venu à choisir ce directeur spirituel ?

— Lorsque l'autre est parti. Je le connaissais un peu celui-là parce qu'il était le contraire... et je ne l'ai pas choisi pour une raison particulière... il m'avait plu.

— Dans l'ensemble, de quelle façon voyez-vous vos contacts avec lui maintenant ?

— Quand je le rencontre, on discute ; il essaie de me diriger un peu dans la bonne voie, on discute de problèmes...

— Est-ce qu'il vous est arrivé assez souvent d'avoir à discuter avec lui de choses personnelles, intimes ?

— Oui assez souvent... Il comprenait bien. Il essayait de trouver des solutions, il m'encourageait dans la voie que je considérais la meilleure.

— Est-ce que vous avez l'impression qu'il vous connaît assez bien ?

— Je pense qu'il me connaît assez actuellement. Je le vois par les conseils qu'il peut me donner, parce qu'il m'a suivi assez souvent ici au collège, dans tout ce que je faisais.

— Quelle sorte de contacts avez-vous avec le directeur de la Congrégation ? Est-ce que vous parlez surtout de la Congrégation ou plutôt de vous ?

— Pas de moi personnellement. C'est moi qui dirige les réunions et on essaie de trouver des points pour parler pendant la réunion même, et essayer d'approfondir notre religion ensemble... des points pour le collège même, pour essayer d'améliorer la religion au collège, parce que le directeur s'occupe de la Congrégation mais il laisse au directeur spirituel le soin de parler avec chacun.

— Est-ce que ça vous arrive de penser par exemple à quelle sorte de prêtre vous allez faire, ce que vous aimeriez faire comme prêtre ?

— Un prêtre dans une paroisse pauvre par exemple, des choses comme ça... mais ça, ce n'est pas nous qui décidons.

— Pour vous, le prêtre idéal, c'est quoi ?

— Celui qui peut mieux aider les autres par son exemple, pour commencer, avec une vie presque parfaite, qui peut donner l'exemple par sa personne même, qui peut venir aider les autres directement...

[À propos de ses confrères.] Il y en a qui diffèrent pas mal de mon opinion parce que des fois ils sont fatigués de la religion. Ils font une crise de la religion... ou bien ils n'en veulent plus... ça c'est chacun en particulier. Mais je m'en rends compte parce qu'il y en a qui vont seulement à la messe le dimanche, on ne les voit jamais faire une pratique religieuse... même leur comportement extérieur...

— Est-ce que vous avez l'impression d'avoir déjà passé une semblable crise de la religion ? ...de la même façon que vos confrères de classe ?

— Non, je ne crois pas que ça soit pareil... non, je nai pas connu de crise religieuse.

— À part la Congrégation, avez-vous déjà fait partie d'autres mouvements d'action catholique ?

— Oui, de la J. E. C. J'étais en Versification je pense. De l'Adoration nocturne aussi. La J. E. C., je n'ai pas aimé ça du tout, ce n'était pas bien organisé, ça ne me disait pas grand-chose. Je ne suis pas resté longtemps là-dedans. On avait seulement une réunion par semaine, on parlait de toutes sortes de choses plus ou moins importantes, on n'avait rien à faire. La J. E. C., je pense bien que c'est plus que ça... Peut-être que ça dépend aussi des gars qui étaient là-dedans, qui étaient là rien que pour voir ce qui se passait peut-être... Et l'aumônier, il ne s'occupait pas de nous, je pense.

— Et comment êtes-vous entré à l'Adoration nocturne ?

— Quand la J. E. C. est tombée, le directeur spirituel a fondé ça pour ceux qui voulaient. On se réunissait une fois par semaine, on discutait des prières ensemble. C'était un peu mieux, mais pas comme la Congrégation... c'est à nous-mêmes de faire ça... On a des actions à faire tous les jours, ça nous fait avancer. Peut-être qu'avec les autres, ça nous aurait fait avancer si on était resté une couple d'années, mais ça été bien plus vite avec la Congrégation mariale.

— Tantôt, je vous posais une question bien générale sur le mot *religion.* Si je vous posais la même question sur le mot *Église,* avec un *É* majuscule ?

— C'est elle qui dirige les catholiques... les chrétiens, elle qui donne les directives à suivre exactement, qui dit quoi faire... Elle nous donne les lois.

— Qu'est-ce que vous pensez de l'enseignement religieux qui se donne ici au collège ? Dans l'ensemble ?

— Trop didactique. Pas assez de pratique, trop de théorie, on a les bases, mais en fait... L'an passé, les deux premiers mois, je commençais à aimer ça, mais on a changé de professeur. Celui-là, je l'aimais parce qu'il mettait du vivant là-dedans, il donnait des conseils pratiques plus que les autres qui donnent la doctrine, et puis... je sais que c'est dur d'enseigner ça, mais...

— Tantôt, je vous posais une question générale sur la religion. Si on revenait à des choses plus précises, comme l'image que vous vous faites de Dieu ?

— Je le vois surtout comme un père, celui qui nous dirige, qui nous aide, quelqu'un qui est avec moi, un ami, celui à qui on se confie... plutôt qu'un tyran ou quelque chose comme ça qui veut seulement nous punir.

— Et quelle image vous faites-vous du Christ ?

— Lui, c'est un véritable ami, c'est lui qui est toujours à côté de nous, on en a moins peur que du père, c'est par lui qu'on passe pour demander quelque chose au père... Très souvent, je passe aussi par la Sainte Vierge.

— Et si on pense plus en termes de pratique, par exemple la messe, qu'est-ce qu'elle représente pour vous ?

— C'est une vie en fait. Toute notre vie doit être basée là-dessus. C'est le centre de la vie, c'est le centre de tout. C'est là, il me semble, qu'on peut prendre le plus de force, plus de confiance en soi-même... On peut baser toute notre vie là-dessus, toutes nos actions peuvent suivre la messe parce que ça c'est le sacrifice par excellence, on peut s'offrir par la messe, on offre toute notre journée qui continue avec la messe.

— Et la confession ?

— Avant ça, je trouvais que c'était seulement une manière de se débarrasser de nos péchés, mais à présent je commence à penser que ça peut nous aider à nous donner des grâces. Ce n'est pas une affaire seulement négative mais plutôt positive. À propos de la confession, j'ai connu une grande évolution parce qu'avant ça, j'allais à la confesse une fois par mois et, à présent, j'y vais plus régulièrement. J'en ai discuté avec mon directeur spirituel, et avec la Congrégation... On était obligé d'y aller... bien... on n'était pas obligé d'y aller mais on nous demandait d'y aller plus souvent. Et je pense que c'est une bonne chose. Ça me délivre, on dirait. Ça nous ôte un poids... c'est difficile à exprimer...

— Et la morale, est-ce que, pour vous, la morale fait partie de la religion ou si c'est quelque chose qui n'en fait pas tellement partie ?

— La morale, du point de vue théologique ou philosophique ?... Peut-être que les deux viennent à se compléter, la morale philosophique c'est surtout dans le domaine naturel, la morale théologique c'est surtout dans le domaine chrétien... La morale philosophique, tout homme devrait avoir ça. C'est elle qui dit ce que les hommes doivent faire... ne pas tuer, respecter le bien commun... la grande différence entre les deux, peut-être, c'est que dans la morale théologique on voit plus la charité. Je n'ai pas étudié ça, mais...

— Si, du jour au lendemain, il n'y avait plus d'Église, est-ce qu'il y a encore des choses que vous considéreriez comme faisant partie du religieux ?

— Avec les principes que j'ai actuellement, je pense bien que je continuerais à suivre les principes qu'on m'a donnés. Même si je n'en avais pas, après avoir étudié la philosophie, je pense bien que j'aurais quand même eu la morale philosophique.

— Vous parlez de vos études en philosophie, avez-vous l'impression que ces études ont influencé votre vie religieuse ?

— Je pense que oui. C'est la morale, la théodicée qui m'a fait découvrir Dieu, on dirait qu'on est plus certain qu'il y a un Dieu qui existe... parce qu'avec le peu qu'on a appris à la petite école, Dieu existe, ça finit là ; ils ne nous montrent pas si Dieu existe vraiment, on ne peut pas être certain que Dieu existe, il faut la foi. Mais avec la théodicée, il faut arriver à Dieu. C'est pour ça que ça peut m'avoir influencé un peu.

— Vous m'avez dit que vous entreriez au grand séminaire. Mais si un jour vous avez des amis qui ont des enfants, est-ce qu'il y a des choses du point de vue religieux sur lesquelles vous mettriez plus l'accent pour l'éducation de leurs enfants ?

— La pratique religieuse, pour qu'ils ne pensent pas que la religion c'est seulement la messe le dimanche. Parce que c'est là qu'est le gros problème actuellement, on va à la messe le dimanche, c'est fini...

— Pour vous, qu'est-ce qu'un vrai chrétien à l'heure actuelle ?

— Celui qui pratique surtout la charité. Il y en a qui, le dimanche, vont à la messe, mais à part ça, qu'est-ce qu'ils font ? Il faudrait mettre en pratique tout ce que l'Évangile veut dire, comme la charité... Comme je vous disais tout à l'heure, je pense que c'est ça qui manque le plus, on n'a qu'à regarder les conflits qui existent actuellement dans le monde : si la charité existait, ça ça n'existerait pas. Il y aurait peut-être moins de misère. Les hommes se tiendraient ensemble. C'est ça qui importe le plus dans la doctrine... être charitable pour tous, avant tout...

— Dans l'ensemble, ce que l'Église attend de vous, est-ce que vous avez l'impression que c'est assez clair ou que c'est plutôt confus ?

— Ça doit être de faire mon devoir de chrétien, mon devoir d'état actuellement. Peut-être que s'il y avait plus d'encycliques, on serait plus éclairé, c'est là-dedans qu'on nous donne tous les conseils... à propos surtout de la doctrine sociale... c'est ça qu'on ne connaît pas assez, qu'on ne met pas assez en pratique.

— Pour vous, la religion a-t-elle déjà été une source d'anxiété, d'énervement ou d'insécurité ?

— Non... Je ne pense pas.

— Dans l'ensemble, quelle place diriez-vous que la religion tient par rapport au reste de votre vie ?

— La première, actuellement, avec la vocation que j'ai choisie.

— J'ai l'impression que vous vous dites : il *faut* absolument que ça soit la première... ?

— Oui... pour moi, mais ça devrait être quand même la première pour tout le monde.

TYPE 2. L'ADHÉSION AUTONOME À L'ÉGLISE. — Ce second type implique lui aussi l'adhésion à l'ensemble de ce que l'Église propose à ses membres : un système de croyances, de pratiques cultuelles et de normes morales. Cette adhésion est dite autonome parce que ce système est intériorisé et intégré aux expériences personnelles. En un sens, dans cette expérience religieuse, on adhère à cet ensemble de valeurs et de normes avant d'adhérer à l'Église. Évidemment l'Église fait partie des valeurs acceptées, mais elle est valorisée en tant qu'elle appartient à l'univers symbolisant une réalité divine, supra-humaine, et non principalement en tant qu'elle constitue une source d'autorité extérieure à soi-même [7]. En définitive, l'acceptation des croyances et des pratiques est réalisée parce qu'elle est fondamentalement en continuité, en accord, avec les diverses expériences religieuses et, de façon plus générale, avec l'ensemble des expériences personnelles.

D'une part, ce type d'adhérent accepte le système proposé par l'Église. Mais du fait de son autonomie, il remet plus facilement en question certains éléments qui lui sont proposés [8]. À long terme, il peut évoluer vers d'autres types. Selon ses expériences personnelles et sa propre évolution, ou bien il visera

7. Pour les individus appartenant à ce type, l'Église comme cadre de conduites ne tient pas une place importante. Ceci est en continuité avec l'orientation générale que nous avons déjà constatée.

8. Il y a donc, au minimum, une possibilité de sélection parmi les divers éléments de l'expérience religieuse. Cela suppose l'existence, chez l'individu de ce type, d'un champ psychologique différencié, *i. e.* où les différents éléments de l'expérience, quoique reliés, sont distincts, de sorte que la mise en question d'un de ces éléments n'entraîne pas l'anéantissement de tous les autres. En termes de la théorie de Rogers, on pourrait parler d'ouverture à l'expérience, ce qui implique l'existence d'un certain degré de congruence et de cohérence dans le champ psychologique du sujet.

à sélectionner ou à privilégier certains éléments tout en demeurant dans le cadre de l'Église (types 3, 4, 5, 6 et 7), ou bien il tendra à laisser les rangs de l'Église. Ce choix existentiel, à ce moment-là, s'imposera à lui comme un moyen ou une condition d'authenticité (type 10).

D'autre part, comme ce type d'adhérent valorise davantage les expériences qui sont source de congruence ou de cohérence, il en arrive presque inévitablement à privilégier ce que nous avons appelé la morale générale. Il acceptera difficilement — et seulement temporairement — que ses conduites religieuses soient dissociées de l'ensemble de ses préoccupations. L'attitude typique s'exprime de la façon suivante : « Ma religion doit influencer toute ma vie » ou « il ne me sert à rien d'aller à la messe si cette participation ne change en rien ce que je suis une fois sorti de l'Église ».

Cette orientation explique encore que ce type d'adhérent se rapproche souvent du type 10 qui, tout en rejetant les cadres de l'Église et parfois même toute référence à une réalité divine, valorise les expériences sacrées, c'est-à-dire les expériences dans lesquelles s'expriment des préoccupations ultimes et le sentiment d'être en présence de « quelque chose » qui dépasse sa propre personne.

L'intensité de l'expérience religieuse du type 2 sera assez imprévisible. Elle ne descendra pas, en général, en dessous d'un certain palier, puisqu'il y a adhésion à l'Église, mais elle variera suivant le secteur, parce que cette adhésion est autonome. À long terme, cette intensité sera encore plus imprévisible puisque l'individu pourra évaluer de façon autonome toute son expérience religieuse et se diriger à partir de là, vers le rejet ou l'adhésion sélective.

L'informateur dont nous présentons ici le témoignage s'oriente vers un type d'expérience autonome. Tout en acceptant la plupart des prescriptions de l'Église catholique, il cherche à demeurer lui-même le centre d'évaluation et le centre de décision de son expérience.

— Le mot *religion* ... ça me ... fait penser à une mentalité de vie, je vois le côté religion surtout comme une manière de vivre. Sans religion je crois qu'on ne pourrait pas vivre, ce serait presque impossible. Il faut mettre la religion « de son côté » toute sa vie parce que sans ça, ça deviendrait impossible. D'ailleurs ça a été prouvé et ça va l'être pour toujours, il faut s'occuper de religion. Est-ce que vous entendez religion catholique... aller à la messe et tout ça ? Surtout religion dans le sens général du mot, pratiquer la religion... ?

— Pour vous, dans tout cela, qu'est-ce qui est le plus important ?

— C'est surtout la manière de comprendre la religion, c'est personnel, si on croit qu'on fait bien... si on croit qu'on est dans la bonne voie... Je n'aime pas tellement les principes d'avant : « il faut que tu fasses ta prière le soir », tout ça, mais on y pense soi-même, on la fait et on n'a pas besoin des idées des autres... je ne sais pas... j'ai de la misère à m'exprimer parce que c'est très difficile à dire... il faut avoir des conseils d'un prêtre, d'un prêtre-conseil qui va nous aider à comprendre, mais, il faut qu'il sente vraiment qu'il fait bien. S'il a ce sentiment, s'il croit qu'il est dans son plein droit, je crois qu'il ne peut pas faire erreur.

— Si vous repensez à votre vie religieuse à vous, avez-vous l'impression que cela a toujours été à peu près pareil ?

— Ça a presque toujours été pareil, parce que mes parents sont très très religieux, c'est surtout ça, je crois que ça s'adapte avec la vie des parents. On est habitué dans un milieu, mon père nous a toujours fait pratiquer notre religion assez bien et il nous a inculqué des principes religieux qu'il avait et que nous gardons... Mais on développe des principes personnels par la suite. Même souvent, on pense qu'on a raison et que lui n'a pas raison. Des fois on pense avoir trouver des idées qui sont bonnes et on aime les discuter : après ça, on sait si elles sont bonnes ou non, on en discute avec d'autres, il faut en discuter, c'est là le côté personnel. Il faut aller voir un prêtre et lui dire : « moi je crois que ça devrait être de même » et lui il apporte ses idées, il les réfute s'il n'est pas d'accord, tandis que si on dit à un gars : « c'est de même, bien, c'est correct », on lui apporte une autre idée et il la prend comme ça, sans essayer de la comprendre, il va pratiquer comme un mouton de Panurge. [...] À partir de la 10e année, on a commencé à avoir des discussions à l'école, justement sur ça, et dans notre classe, on était assez favorisé pour ça, tandis que j'ai eu souvent l'occasion de discuter avec des élèves d'autres écoles et ils disaient : « Nous autres, le professeur arrive et nous dit que demain il y a un examen. Si on n'a pas tant de notes en religion, on ne passe pas, on a un copiage, alors il faut que je me force. » Tandis que dans ma classe, nos professeurs ont très très bien compris et je trouve que c'est une très bonne idée de permettre aux élèves d'enlever le côté notes de classe et de donner le vrai sens de la religion, faire des discussions. J'ai bien aimé ça à partir de 10e année. En 11e année, on a eu moins l'occasion parce que c'était pas le même professeur, ni en 12e année, mais j'ai bien aimé ma 10e année. Souvent il faisait venir l'aumônier de l'école et on avait souvent l'occasion comme ici d'aller dans son bureau pour discuter. On parlait de n'importe quoi...

— Quel souvenir avez-vous gardé des discussions que vous avez eues avec cet aumônier ?

— C'est surtout là que j'ai eu cette idée d'avoir des discussions, c'est lui qui nous avait dit ça, ça m'a toujours frappé ; il disait que si quelqu'un n'avait pas d'idées... s'il n'avait jamais d'objection, ça ne ferait jamais un bon gars. Il disait : « ça ne fera pas quelqu'un qui va comprendre sa religion ». Il faut se dire : « ça, je ne comprends pas ça, je trouve que ça n'a pas de sens », aller le voir et essayer de se faire expliquer. Après ça on le comprend mieux, vu qu'on a déjà été contre... Il nous disait : « S'il y en a qui veulent discuter, écrivez-moi une note, dites-moi à quelle heure vous êtes libre et je vais aller vous chercher dans la classe. Venez discuter avec moi sur n'importe quoi, du côté familial, du côté sexuel, n'importe quoi. » Il aimait bien ça discuter. Et moi aussi. Au début, ça ne me tentait pas. Je ne le connaissais pas et j'étais un peu craintif, je me disais que c'est peut-être pour « niaiser », juste pour parler. Mais en fin de compte, les autres gars m'en ont parlé. Il est venu dans la classe et il a parlé avec les élèves. Mais moi, comme je vous ai dit, je n'ai pas eu tellement de choses contre la religion, il m'est tellement peu arrivé souvent d'avoir des idées contre, d'avoir réellement des gros problèmes avec la religion, je ne pouvais pas tellement en discuter avec eux, avoir des rencontres avec eux fréquemment... Notre aumônier choisissait surtout ceux qui avaient beaucoup de difficultés avec la religion, qui avaient le plus d'objections : il s'occupait plus de ceux-là. [...]

[À propos de son idéal religieux.] Il faut avoir une très bonne connaissance de la religion, l'avoir étudiée parce qu'il y en a chez qui c'est peut-être inné, ceux qui ne sont jamais allés à l'école, c'est peut-être de parents à parents... mais ce n'est pas surtout de ce côté-là, c'est surtout avoir eu une formation, connaître la religion. Il faut l'avoir comme matière de classe parce qu'il faut savoir ce que c'est, il faut l'apprendre, peut-être pas par cœur mais il faut tout de même avoir des bases, savoir tel commandement, et ensuite le côté pratique, savoir choisir, pas aller à l'excès, peut-être pas faire mot à mot ce qui est écrit. C'est peut-être une erreur de ma part mais il ne faut pas suivre mot à mot, savoir comprendre en gros ce que ça veut dire, essayer de l'appliquer à sa vie ; si tout le monde vit différemment, il faut adapter sa religion... à sa vie. [...] Quelqu'un qui représente mon idéal ? Peut-être mon père... c'est peut-être pas l'idéal parfait mais disons que ça se rapproche un peu, c'est un très bon exemple de ça, ça définit un peu ce que je veux dire. Je crois qu'il voit la religion de la même manière que moi, c'est là que j'ai pris un peu de mes idées. Les rares fois qu'on a eu l'occasion d'en parler, tout ce qu'il me disait c'était de comprendre ma religion, de l'adapter à ma vie, de suivre les conseils des prêtres, tout ça. Avec mes amis, c'est un sujet qui n'est pas tellement discuté. On dirait que ça leur fait peur d'en parler, même à moi. On aime mieux ne pas en parler. C'est tellement personnel. Moi, ça ne me fait rien d'en parler, franchement ça ne me dérangerait pas, mais il y en a qui aiment mieux ne pas en parler, pour ne pas se faire connaître ou...

— ... et le mot *Église* ?

— Moi ça me fait penser surtout à la formation de l'Église, un pape, des évêques, un schéma. Ça me fait penser à tout ce que j'ai appris à l'école : purgatoire, enfer, ciel.

— Vous, à l'heure actuelle, comme membre de l'Église, de quelle façon vous voyez-vous ?

— Un assez bon pratiquant, je ne suis pas tellement exigeant... Vous voulez dire aller souvent à la messe et tout ça ?

— Oui... enfin...

— Je suis assez bon pratiquant, je ne dirais pas à la perfection mais...

— Avez-vous déjà été membre de l'Action catholique ?

— Peut-être pas de l'Action catholique directement, mais j'ai eu souvent l'occasion de faire partie d'activités comme la Saint-Vincent-de-Paul, surtout quand j'étais plus jeune. Là j'ai un petit peu moins le temps de m'en occuper, mais quand vient le temps de la Guignolée... Je me suis occupé d'affaires de même...

— Si on revient à ce dont on a parlé au début, votre famille, votre occupation, est-ce que vous avez l'impression que la religion intervient comme telle dans ces différents domaines ?

— Oui, dans tout. Du côté familial, ça intervient beaucoup parce que c'est là qu'on apprend notre religion réellement ; du côté social, c'est là qu'on apprend à vivre avec les autres... c'est grâce à la religion si on les comprend... essayer de les aider avec la religion, ça intervient dans tout ça...

— Et quelle image vous faites-vous de Dieu ?

— Premièrement, une image... ça revient aux images quand on était jeune. Disons que je me fais une image de Dieu comme une force, c'est une pensée, c'est un être qui n'existe pas matériellement, il existe seulement dans la pensée mais on dirait que c'est un genre de force, c'est lui qui soutient nos pensées... c'est très difficile à expliquer... On le pense mais on dirait qu'on n'est pas capable de l'exprimer clairement.

— Et le Christ ?

— Là on pense plutôt du côté matériel. Il est venu sur la terre, ç'a été un homme, on le comprend mieux parce qu'il s'est fait chair, il s'est fait comprendre des hommes, il s'est exprimé dans nos mots, c'est lui qui nous a apporté l'idéal, les vérités, et il les a donnés aux apôtres, transcrits presque mot à mot disons... on se fait une idée plus matérielle du Christ.

[À propos de l'âme.] Ce sont les choses auxquelles on pense, mais c'est difficile, c'est comme pour Dieu... l'âme c'est surtout le côté... c'est le concept... la pensée qui fait comprendre... c'est comme la conscience, j'attribuerais la même faculté à la conscience et à l'être, c'est ce qui nous dicte de faire telle chose ou pas.

— Et la grâce ?

— La grâce, c'est comme un soulagement qu'on a, c'est comme le bonheur, c'est de se sentir content après ce qu'on a fait, être soulagé...

— Et maintenant si on pense en termes d'action, de pratique, de quelle façon voyez-vous la messe par exemple ?

— C'est un côté personnel... souvent je vais à la messe et souvent je n'y pense même pas, j'y vais par habitude, il ne faudrait pas. La messe c'est quelque chose de concret, quelque chose qui a été vécu, une reproduction de ce qui s'est fait à la Cène, c'est très difficile à expliquer... ça devient une routine on dirait, il ne faudrait pas. Le monde, on dirait qu'il prend ça comme une routine, on dirait qu'on est presque obligé de faire pareil... mais souvent on essaye... mais c'est surtout l'effort qu'on apporte qui compte.

— Si, du jour au lendemain, il n'y avait plus d'Église, est-ce qu'il y a encore des choses que vous considéreriez comme étant du domaine religieux ?

— Ah ! oui... je l'ai dit au commencement, c'est ça la religion, ce n'est pas tellement une chose d'Église, de mots, mais c'est quelque chose de personnel, c'est quelque chose qui existe quand même on ne le voudrait pas, un athée ça n'existe pas, c'est impossible, il faut qu'il pense à quelque chose, à un idéal, ça existe toujours. Donc ça ne se peut pas que la religion tombe, il faut avoir une idée, n'importe laquelle, qu'elle soit bonne ou mauvaise, du mauvais côté ou du bon côté, il va en avoir une : ça va s'appeler religion quand même.

— Si vous étiez libre de changer n'importe quoi dans l'Église, que changeriez-vous ?

— Je ne suis pas tellement bien placé pour le dire, peut-être que ça n'aurait pas de sens, mais si vous voulez avoir des idées, je vais essayer d'y penser... je changerais surtout le côté enseignement, l'un des gros points, j'enlèverais tout le côté notes, enseignement, et j'appuyerais le côté discussions : faire parler les élèves, essayer de les comprendre, les faire discuter, les amener à discuter, les mettre dans des situations pour qu'ils puissent parler. Pas dire tu vas avoir telle note, demain tu vas avoir une récitation...

[À propos de son orientation professionnelle.] Ça aurait peut-être éclairci un côté, mais je ne vois pas en quoi ça aurait pu apporter des changements parce que le côté religion n'a pas tellement affaire avec le côté... orientation immédiate, oui pour l'orientation générale de la vie, mais sur une telle chose, je ne crois pas que ça puisse apporter tellement de changements, quelque chose de bien précis, comme l'option qu'on choisit, je ne crois pas que ça puisse influencer surtout du côté orientation professionnelle.

— Dans l'ensemble, quelle place diriez-vous que la religion tient par rapport à votre vie ?

— Je l'ai dit au tout début quand vous m'avez demandé ce que je pensais de la religion. J'ai dit que c'était primordial, c'est ce qui comprend toute la vie, il faut la mettre en tête de tout, tandis qu'il y a d'autres choses qui viennent après par ordre d'importance. La vie sociale c'est encore la religion, la vie familiale c'est encore la religion, ça se rapporte à tout, tout, tout.

— Pour vous, la religion a-t-elle déjà été une source d'anxiété, d'insécurité ou d'énervement ?

— Non, pas pour moi.

TYPES 3 À 7 INCLUSIVEMENT. L'ADHÉSION SÉLECTIVE À L'ÉGLISE. — Les types suivants d'expérience religieuse ont ceci en commun que, d'une part, ils s'accomplissent dans le cadre institutionnel de l'Église mais que, d'autre part, chacun favorise l'un ou l'autre des divers éléments du contenu religieux proposés par celle-ci [9]. Dans le type précédent, on acceptait l'ensemble de ces éléments, même si, en définitive, la religion était définie comme une relation individuelle entre l'homme et Dieu. Dans ces types-ci, l'orientation vers l'individualisme s'exprime plus ouvertement encore, en ce sens que chacun en vient à sélectionner ou à favoriser l'un ou l'autre des divers éléments de l'expérience religieuse.

Nous avons déjà mentionné à propos du premier type qu'un tel processus de sélection peut être motivé par une adhésion autoritaire ou dogmatique à un sous-système religieux investi d'une forte autorité mais que, dans notre milieu tout au moins, un tel processus implique habituellement une certaine autonomie personnelle. Cette sélection facilite l'expression de

9. C'est donc surtout la dimension « secteurs de vie religieuse » qui va distinguer les types les uns des autres. L'adhésion sélective peut cependant se faire à divers niveaux d'intensité et d'autonomie, comme nous le verrons plus loin.

l'autonomie puisqu'elle permet à l'adhérent de choisir plus facilement les conduites religieuses qui sont en accord avec ses expériences religieuses profondes et avec ses autres expériences personnelles.

En termes d'évolution des expériences religieuses, il nous faut encore ici, tenir compte des exigences de l'Église à l'égard de ses adhérents. Si l'Église, telle que la connaît expérientiellement telle ou telle personne concernée, accepte que ses membres poursuivent cette expérience religieuse sélective, celle-ci peut se faire dans ses cadres, tout en étant orientée vers l'expression de l'autonomie et de l'authenticité. Si, par ailleurs, l'Église n'accepte pas cette attitude sélective, deux voies sont possibles. L'opposition de la part de l'Église entraînera soit un abandon graduel de celle-ci comme cadre de l'expérience religieuse, soit une diminution d'intérêt et d'intensité à l'égard de l'expérience religieuse (type 9), soit la recherche d'un nouveau cadre dans lequel s'exprimeraient les « préoccupations » qui motivent son appartenance actuelle à l'Église.

D'autre part, le refus par l'Église de l'attitude sélective peut amener ses membres à se conformer à certaines directives de façon superficielle et à accepter alors des conduites religieuses qui ne sont pas en accord avec l'ensemble de leurs expériences ni avec l'image qu'ils se font de leur idéal religieux. Ce type est complexe et il devient difficile d'en prédire l'évolution, la dynamique. Celle-ci est fonction, d'une part, de l'évolution de la personne en termes d'authenticité, d'autonomie et, d'autre part, de la position de l'Église à l'égard de cette attitude sélective [10]. N'oublions pas, non plus, qu'aux yeux de celui

10. Il y aurait d'ailleurs une recherche importante à entreprendre sur la position de l'Église à cet égard : jusqu'à quel point accepte-t-elle dans ses rangs ou reconnaît-elle comme membres en règle des individus qui adoptent une telle attitude ? Une réponse adéquate à cette question fondamentale nécessite plusieurs distinctions entre les divers éléments du contenu religieux. Ainsi, pourrait-on vérifier l'hypothèse voulant qu'elle accepte plus facilement cette attitude sélective dans le domaine de la morale que dans le domaine des croyances. Mais, du point de vue psychologique, choisir au niveau des implications morales de ses valeurs religieuses, ou choisir au niveau des divers dogmes religieux, demeure fondamentalement le même processus.

qui appartient à ce type, les secteurs non privilégiés apparaissent souvent comme manquant d'authenticité. Voici les principaux types d'attitudes sélectives face à l'expérience religieuse :

a) Type 3. Le croyant. — Le type d'expérience religieuse que nous décrivons sous ce titre est essentiellement centré sur *la connaissance de Dieu et de l'univers supra-humain.* L'existence de Dieu, la foi en Dieu ou au Christ et la communication possible entre l'homme et Dieu constituent l'axe principal de cette expérience. Quand la personne préférant ce type d'expérience a quelques notions de philosophie, elle pose habituellement le problème sous ce dernier angle. Quelles que soient les conclusions de cette réflexion, le résultat est presque toujours d'amener la personne à une plus grande prise de conscience de ses propres expériences religieuses et de celles proposées par les divers agents de socialisation religieuse (prêtres, parents, etc.). Dans cette perspective, toute conduite religieuse qui ne procède pas d'une conscience de l'existence de Dieu ne peut être que superficielle et manque de cohérence. Dans notre milieu, cette réflexion sur Dieu ou ce sentiment de communication avec Lui se fait presque toujours au nom de la responsabilité individuelle d'en arriver à une solution valable.

b) Type 4. L'engagement individuel. — Ce type d'expérience est centré beaucoup plus sur l'*action* que sur la réflexion ou la foi. Évidemment la foi demeure implicite, mais l'engagement et la prise en charge personnelle de certaines responsabilités demeurent les seules expressions valables et authentiques de cette foi : par exemple, être compétent et honnête à son travail ou vouloir remplir son rôle de citoyen le mieux possible sont deux attitudes qui, dans cette perspective, prennent une signification religieuse. Ce type d'expérience religieuse suppose que toutes les conduites peuvent, doivent même, devenir religieuses parce qu'elles sont motivées, orientées par la foi en Dieu. Il ne s'agit pas d'aboutir à des normes concrètes d'action à partir des données de la foi ; au contraire, ce type d'expérience implique une nette différenciation entre le domaine de la foi et celui des différents rôles que la personne a à remplir. Mais cette différenciation s'accompagne d'une relation étroite entre ces deux domaines, relation qui pourrait s'exprimer comme ceci : « Les seules expériences valables par lesquelles je puisse exprimer ma foi sont celles d'un engagement sur le plan de mes rôles humains. » Le lecteur aura reconnu ici que ce type d'expérience favorise ce que nous avons déjà défini comme étant une morale générale.

c) Type 5. Le militant. — Ce type ne se distingue du précédent que par le genre d'engagement qu'il choisit : un engagement dans le cadre d'organisations ou d'associations. Cette différence se révèle tout de même essentielle, à cause des conséquences qu'elle entraîne. Une de celles-ci est évidemment l'accentuation de l'importance accordée à l'orientation *collective* de l'expérience religieuse. Une autre, qui en est le corollaire, est de placer l'individu dans un cadre social qui lui fournit ou lui suggère un ensemble de normes ou de valeurs auquel il doit s'identifier d'une façon ou de l'autre.

Il arrive fréquemment qu'il exprime, à propos de ses expériences religieuses, des attitudes plus cohérentes et mieux structurées. Cette cohérence peut être le fait d'une intériorisation du système de normes et de valeurs proposé par l'association ou bien n'être que le reflet de sa conformité tout extérieure aux normes de cette association qui, elles, sont cohérentes et structurées [11]. Si l'adhésion n'est pas autonome ou, en d'autres termes, si les valeurs ne sont pas intériorisées par l'individu, il arrivera que cette expérience religieuse soit une source d'incongruence : en effet, la conscience qu'il aura de son expérience religieuse calquée sur les modèles que lui fournit l'association où il milite, pourra ne pas recouvrir toute sa véritable expérience. Ce serait le cas, par exemple, de celui qui fait partie d'un mouvement d'action catholique parce qu'il préfère avant tout l'engagement comme forme d'expression religieuse, mais qui accorde une place relativement moins importante aux pratiques cultuelles : il peut fort bien arriver, et c'est souvent le cas, que ce mouvement d'action catholique ne reconnaisse pas comme valable l'attitude sélective à l'égard des divers éléments

11. Il s'agit donc ici d'un problème d'autonomie face aux valeurs.

possibles de l'expérience religieuse et qu'il suppose que ses membres valorisent également les pratiques cultuelles.

L'informateur suivant se caractérise par l'accent qu'il place sur l'engagement social et politique : qu'il pense à la profession médicale, au syndicalisme ou à l'engagement politique, il fait référence aux valeurs religieuses, ou à la position de l'Église. Comme on le verra dans son témoignage, la forme d'engagement qu'il favorise ne le pousse en rien à militer à l'intérieur des mouvements religieux traditionnels : il tend plutôt vers un engagement social et politique.

— De quelle façon êtes-vous venu à vous occuper de politique ?

— Mon père d'abord a toujours préconisé, depuis 12 ans, la fondation d'un nouveau parti, c'est un chef ouvrier. J'ai pas mal été mêlé au point de vue social, le téléphone sonnait, c'était des gars en chômage, des troubles de famille, que mon père avait à régler. Il était chef ouvrier sans l'être vraiment. Contrairement à certains gars comme X, Y, qui sont payés, des gars qui font leur cours pour organiser le syndicalisme, mon père, lui, n'était pas payé ; il travaille encore à la cause, ça fait que lui il était libre de dire ce qu'il pensait. Nous avons été élevés là-dedans nous autres. Là, avec le Nouveau Parti, j'ai commencé à m'intéresser à ça, à me documenter, et puis j'ai rencontré X à l'Université de Montréal. On s'est mis à discuter du Nouveau Parti. J'ai participé à un club politique au collège, alors il y a eu cinquante-six querelles, les gars qui étaient dans mon club étaient obligés de défendre nos idées. À ce point de vue, au collège on est pas mal libres. La liberté de parole : les discussions ont surtout porté là-dessus depuis les Fêtes jusqu'à la fin de l'année.

J'ai les meilleurs des parents. Au point de vue liberté, comme vous voyez, j'ai la liberté totale, j'en use modérément, je suis bien, pas de troubles, pas de chicane. Ce n'est pas ce qu'il y a de mieux. La majorité de mes confrères, ils gagnent, ils travaillent tout l'été, ils se font un compte de banque, puis, rendus aux Fêtes, ils n'ont plus un cent. Moi je fais le contraire, je n'ai pas de compte, je vis quasiment en société avec les miens, je pratique le socialisme dans ma famille : le jour où je leur donne ma paye, ils me donnent de l'argent, si j'ai besoin d'argent, ils m'en donnent, si j'ai besoin d'un morceau de linge, ils me le donnent, ils ne me refusent jamais rien. Ça fait qu'eux autres savent où mon argent va, puis, moi, je suis content, j'ai de l'argent à l'année longue, j'ai pas de troubles, c'est à peu près ce qu'il y a de mieux. Je ne fais pas de cachotteries, quand je dis que je vais quelque part, j'y vais. Si en revenant de travailler, j'arrête à la taverne prendre une bière, je dis que je me suis arrêté là, et non que j'ai été à l'église. Ils savent où je vais.

Mon père a été bien marqué par la crise économique de 1930. Ses tendances anticapitalistes à l'extrême le démontrent. Au point de vue religieux, là, je l'approuve aussi, c'est la non-révolution de certains curés de campagne et de ville qui a trahi l'ouvrier à certaines occasions en se laissant acheter par Duplessis au provincial, chose que le Cardinal Léger leur a reprochée... Même si j'ai beaucoup de respect pour ceux qui portent la soutane, en étant fils d'ouvrier, c'est très dur d'avoir du respect pour les déclarations faites lors de la grève d'Asbestos par un curé d'Asbestos, ou bien par certains curés de campagne qui ont fait une campagne pour le Crédit social qui favorisait l'entreprise privée à l'extrême et qui, par le fait même, lutte contre l'ouvrier. Dans l'ensemble, je ne suis pas anticlérical, loin de là, mais contre certains curés qui par leurs déclarations... me portent atteinte. Cependant, j'ai le plus grand respect du monde pour les professeurs du collège, les vicaires des paroisses, qui, eux, n'ont aucun mot à dire dans leur enseignement. Cependant, je m'oppose à certains curés.

— À quoi vous fait penser le mot *religion* ?

— Religion... au point de vue religion, je ne crois pas que la religion catholique soit la seule bonne. Je crois en la diversité des religions. Mais il doit y avoir une religion, pas l'athéisme. Seulement à regarder les agissements de certains Canadiens français en campagne électorale, et puis l'agissement du protestant à côté, on voit très bien que le protestant a un agissement cent fois meilleur que le Canadien français qui vend son vote... Je ne crois pas à l'axiome qui va se discuter lors du Concile : « Hors de l'Église, pas de salut ! » [...] ...la retraite a eu pour but de nous amener, de nous montrer que la religion n'était pas une affaire de sensibilité, mais de nous montrer pourquoi on fait tel acte, le pourquoi de chaque chose, puis, le pourquoi demande réflexion, c'est ça qui m'a amené... pourquoi je fais ceci, pourquoi je fais cela, et non plus je fais ça parce que j'aime ça...

[À propos du directeur de conscience.] Les rencontres avec lui n'étaient pas en tant que rencontres entre un prêtre et un élève, ou entre un préfet de discipline et un élève, mais entre deux amis, deux hommes en face d'un problème, surtout depuis Belles-Lettres, Rhétorique. Ça s'est concrétisé après ça. Ce n'est pas comme certains qui vont voir leur directeur, puis ça devient un monologue, où seul le directeur de conscience parle, et l'autre répond par un non ou un oui, ou d'autres cas où le gars voit son directeur, il parle du beau temps, de la pluie, des parties de hockey. Ce n'est pas réellement le directeur de conscience qu'il va voir, mais une rencontre, ou comme quand j'étais plus jeune, un échange de livres entre le directeur et le dirigé... Pour moi, c'est vraiment plus que ça, c'était... je crois que c'est pour ça que je l'ai gardé, que je le garderai toujours. Parce que, à part mes parents, c'est lui qui peut me comprendre le mieux, c'est le directeur. Un professeur ne pourrait pas connaître tous mes agissements, mes tics, ne connaîtrait pas le fond de ma pensée... j'ai beau lui dire que j'aime sa matière, puis, que dans le fond je ne l'aime pas [...]

— À l'heure actuelle, que représente pour vous l'idéal au point de vue religieux ?

— Au point de vue religieux, on peut entendre la manière de pratiquer la religion en fait. Mais au point de vue religion, une adaptation de la religion catholique au XXe siècle, avec les nouveaux rites, qui s'effectue tranquillement, dans les églises ; il faudrait tendre à une adaptation non pas au point de vue rites, comme c'est le cas présentement, mais au point de vue éducation, car certaines prédications datent... certains prédicateurs se servent encore des prédications de saint Augustin, qui remontent à Adam ou Ève. L'homme a évolué tellement vite depuis cinquante ans qu'il faut que la religion évolue elle aussi tout en gardant le fond de la doctrine.

— Si vous repensez à votre situation, que l'Église soit du XXe siècle voudrait dire quoi pour vous ?

— On peut laisser les mêmes rites, la prière, mais on devrait inculquer aux jeunes non plus une prière de paroles, seulement des mots, comme c'est le cas à l'école primaire et même secondaire. Le gars qui fait son cours scientifique général a le devoir de se mettre en contact avec un prêtre. Mais il n'y a qu'un prêtre, un aumônier dans l'école pour cinq cents élèves, contrairement à nous autres au collège où, pour cinq cents élèves, vous avez une trentaine de prêtres, où le gars est libre et peut pratiquer une religion qui n'est pas superficielle, chercher à la comprendre. C'est ça que j'entends par une religion du XXe siècle, non plus une religion de paroles, de mots, mais une religion qui vient du fond du cœur. [...]

Un idéal religieux... Un que j'admire, même s'il n'était pas de la religion catholique, c'était Ghandi. On pourrait dire l'idéal religieux sans pratiquer le jeûne comme Ghandi le pratiquait. Mais je crois que Grandi devrait être canonisé. Ça va venir d'ici peut-être cinquante ou soixante ans...

— Vous arrive-t-il de penser au moment où vous aurez vingt-cinq, trente ou trente-cinq ans et de vous demander quel genre de religion vous aurez ou encore ce que vous en penserez à ce moment-là ?

— Franchement, je crois que mes idées peuvent évoluer d'ici ce temps-là. Au point de vue études, au point de vue pays, au point de vue mariage, au point de vue avenir, oui, mais un avenir au point de vue religieux, là, je n'y ai même pas songé. Le plus grand désir, c'est d'élever mes enfants dans un esprit de religion... Je voudrais les amener à une religion de l'esprit et non pas du cœur, ce n'est pas quelque chose qui entre dans nos sens, faire la religion. Et vers l'âge de treize ou quatorze ans, une bonne éducation sexuelle, parce que chez la majorité des jeunes Canadiens, ça manque, surtout ceux qui sont au secondaire, ils apprennent ça de gauche et de droite, et n'ont pas une étude échelonnée sur un an ou deux et bien préparée. [...]

Dans la religion, la morale doit tenir une place aussi importante que la réflexion, la méditation. Un gars qui médite, qui revoit sa journée, qui repasse ses actes, pense à des questions de morale. La morale doit occuper une place importante parce qu'un gars sans morale va devenir... va manquer quelque chose dans sa vie. L'instrument de la morale est la conscience. Un gars qui n'a pas de conscience, c'est comme un « char » sans *steering* : il va aller tout croche.

[À propos de Dieu.] L'image la plus grande tant au point de vue médical que moral est l'esprit créateur. Il faut admettre un Dieu, un esprit créateur. La présence de l'homme sur terre s'explique, ne peut s'expliquer sans la présence d'un Dieu. Mais la création s'est-elle effectuée en sept jours ? Là on peut se chicaner longtemps... Y a-t-il eu phénomène d'évolution, l'homme vient-il du singe ? Là encore, il faut admettre la présence d'un Dieu qui a donné une âme à l'homme. Un Dieu rédempteur... Le seul doute que je peux avoir, c'est les miracles, ça, franchement, c'est un point de religion dont je doute... Je vais le gober, je vais l'avaler, mais c'est dur. Surtout au point où on est rendu en médecine, surtout qu'on attribue des miracles à tel petit saint du fond d'une campagne, qui a fondé tel ordre religieux, ça c'est dur. [...]

Pour croire à l'enfer, il faut y croire... mais de là à croire à son existence... Il faut croire au ciel, puis, toutes les religions ont leur ciel, il faut admettre... mais de là à admettre l'enfer... On est obligé d'y croire, j'y crois, mais dans la grande bonté de Dieu, sa miséricorde, je ressens que l'enfer, peut-être y en a-t-il un, peut-être n'y en a-t-il pas... je doute... pas un doute à tout casser ; il est permis de douter. [...]

Au point de vue sensibilité, la messe ne me dit rien... mais au point de vue pensée, en pensant, je suis obligé d'admettre que la messe est un grand sacrifice, mais je ne peux pas concevoir qu'un gars de philosophie aille encore à la messe, puis qu'il aime ça. C'est beau, avec sa sensibilité... La prière, c'est la même attitude que pour la messe, c'est la même chose. Une prière, des mots, des mots, des moulins à prières comme il y en a aux Indes, au Pakistan. Dès que les cloches sonnent, les prières commencent à se réciter toutes seules. Je n'y crois pas. Des prières enseignées par l'Église, oui, des prières comme certaines invocations, c'est bon ; mais je préconise la prière personnelle.

— Et si, du jour au lendemain, l'Église catholique disparaissait, est-ce qu'il y a des choses que vous considéreriez encore comme du domaine religieux ?

— Il faudrait revenir à la Bible, et puis, il faudrait abolir la messe, s'il n'y avait plus d'Église catholique ; mais ça prendrait de la réflexion, de la méditation, de la prière personnelle. Ce serait là le chemin, le bonheur pour plus tard : en fait, il faut admettre le libre arbitre, non pas apprêté à toutes les sauces comme le faisait Luther...

— Avez-vous déjà fait partie d'associations religieuses au collège ?

— Je considère ça... c'est peut-être très bon... je considère ça comme... se pavaner devant tout le monde... Non. Au cours primaire, on était forcé d'être dans les croisés, dans les enfants de chœur. J'ai été enfant de chœur, je me suis fait mettre dehors. Cependant, au collège, en Versification, il m'a pris une idée soudaine, ça me tentait d'aller servir la messe le matin, j'ai demandé, puis j'ai servi la messe pendant trois ans. Ça, c'est différent, c'est quelque chose de pensé, de senti. C'est tout ça qui fait pencher la balance, une religion sentie puis une religion pensée. J'ai fait partie des scouts, je me suis occupé un peu de la Saint-Vincent-de-Paul, au collège, mais pas d'organisations strictement religieuses, comme la Ligue du Sacré-Cœur. Ça fait des mémoires à tout casser, ça réussit à faire fermer les hôtels le dimanche, ce qui est absurde. Ils auraient pu réussir, même s'ils avaient eu à monter sur le dos d'amis, à faire fermer des tavernes de six heures à huit heures le soir, pour permettre aux vrais ivrognes de souper chez eux. Mais que le dimanche, le monde sorte un peu, prenne une bouteille de bière... Un gars qui sort le moindrement, il va dans une taverne, surtout le vendredi soir, il va y laisser sa paye, tandis que si la taverne fermait de six à huit heures... ça va enlever des clients, ça va enlever des votes au parti au pouvoir pour faire passer ça, mais ça va être quelque chose de bien pensé, ça ne sera pas quelque chose d'absurde comme fermer les hôtels le dimanche. Le monde va dans les *blind pigs* où il en achète « un char puis une barge ». Ils mettent ça dans leur « char » puis ils partent sur les plages... ça, c'est mon idée. Les questions de pavanage, de *show*...

— Avez-vous déjà eu l'occasion de faire partie de la J. E. C. ?

— Pas au collège. J'ai connu... je favorise la J. E. C. La J. O. C. aussi. J'ai été en contact avec ça. Dans mon club politique, j'ai rencontré certains membres de la J. O. C. Je favorise ça, ou le cercle Lacordaire pour ceux à qui c'est nécessaire, mais non pas un enrôlement, comme c'est le cas pour certains, surtout dans les campagnes ; un jeune qui est rendu à dix-huit, dix-neuf ans, le curé lui fait prendre un bouton de Lacordaire pour l'empêcher de commencer à boire, mais lui, dès qu'il a une chance de « virer une bonne brosse », il devient pire que s'il avait commencé à prendre une bonne bière avec son père, là, il n'y a rien de mal... Mais ce que je n'admets pas, dans la province de Québec, c'est la trop grande place occupée par les ligues du Sacré-Cœur... je ne dis pas, s'ils s'en tenaient au Sacré-Cœur tout simplement, aux cérémonies religieuses, mais de là à se mêler d'action paroissiale, des campagnes à tout casser, qui n'avancent à rien bien souvent, les luttes qu'ils font sont souvent menées par des hommes qui, sans vouloir mentionner leurs intérêts personnels, essaient de faire valoir leurs idées, se montrer, se pavaner... Surtout la campagne qu'ils ont fait dans le bout de Québec, du lac Saint-Jean, pour le Crédit social, c'est inconcevable. Le Crédit social, c'est pas social, le mot social dans ça, n'est pas associable au social que vous pensez en sociologie ou au social qu'on va penser dans le Nouveau Parti ou au social dont le Parti communiste parle, même si... J'ai parlé avec certaines gens qui ont voté Crédit social. Lorsqu'on parle d'extrême-droite, de centre, de modéré et d'extrême-gauche, on parle dans le vide. Il faut admettre, au point de vue d'une étude raffinée, que l'extrême-droite, à cause de ses principes, est là, que l'extrême-gauche est là, mais de là à dire que le Crédit social est à droite alors que le mot social par le fait même parle de gauche, puis que certaines ligues du Sacré-Cœur ont fait des campagnes à tout casser, de là à battre des hommes comme Lamontagne, la grande tête du Parti libéral, s'il y a un gars représentatif, c'est bien Lamontagne, de là à battre... moi, je ne suis pas capable de concevoir ça...

— Vous est-il arrivé, depuis deux, trois ans, de lire dans le domaine religieux ?

— Je me suis intéressé un bout de temps à la question de l'Afrique, des livres sur les problèmes religieux en relation avec des problèmes sociaux. Des livres sur les prêtres-ouvriers en France aussi...

[À propos de son orientation future.] Si j'étais porté vers la prêtrise, c'était une question de sensibilité... d'après moi, devenir petit curé, encabané, je ne sais pas, partir, avec des activités sociales... d'ailleurs, c'est un peu ce qui a fait pencher la balance au point de vue médecine. Parce que je ne me voyais pas devenir prêtre. Disons qu'avec toutes les possibilités que j'avais au point de vue social... faire du ministère... de là à dire qu'au point de vue spirituel le prêtre peut faire autant que le médecin... mais au point de vue physique, moral, le rôle du médecin a fait pencher la balance. Au point de vue argent, je favorise l'étatisation de la médecine, je préconise les idées sociales, le socialisme... Du moment que j'aurai de l'argent pour vivre, et faire vivre ma famille, une petite place d'été, pas un château, une place où se reposer, une semaine ou deux par année c'est tout ce que je demande. Je crois que la peur de l'étatisation de la médecine a fait diminuer sensiblement le nombre de demandes à l'Université de Montréal. On en a discuté, et puis, voilà deux ou trois ans, quand la Saskatchewan a parlé d'étatisation, certains types qui avaient pensé s'en aller en médecine pour faire un coup d'éclat, un coup d'argent, qui pratiquent la médecine un an ou deux, qui se lancent dans les produits pharmaceutiques, ces types-là ont eu une peur. Risquer d'être étatisé, le salaire et tout... par un programme d'assurance-santé, comme ce fut le cas pour la province...

— De quelle façon êtes-vous venu à penser à la médecine ?

— C'est dur, par exemple... j'ai hésité pas mal longtemps... étant très très bon en sciences, j'ai hésité entre le génie et la médecine. C'est surtout une question... je veux dire... une révolte en face de certaines gens qui s'opposent à l'étatisation. Au point de vue humanitaire... parce que j'ai calculé qu'en fils d'ouvrier, le plus de bien à faire pour l'ouvrier, ce n'était pas du côté ingénieur, mais du côté médecine. C'est pas mal ma grande idée.

d) Type 6. L'expérience liturgique. — L'expérience centrée sur les exercices du culte officiel de l'Église ne constitue pas un type rencontré fréquemment dans le milieu que nous avons étudié. Le caractère obligatoire de la pratique dominicale, l'aspect routinier et impersonnel de plusieurs exercices religieux ont dévalorisé ce type d'expérience qui paraît souvent manquer d'authenticité. Nous incluons tout de même ce type ici pour deux raisons. D'une part, il arrive de rencontrer des informateurs qui valorisent ce type d'expérience, soit à cause de la dimension ecclésiale des exercices cultuels, soit à cause de la forme d'expression qui est employée dans ces exercices : la prière à haute voix, les gestes corporels, etc. D'autre part, même si elle tend à ne pas être privilégiée au niveau de *l'image du moi religieux,* elle est fortement valorisée au niveau *du moi idéal.* Cette expérience religieuse centrée sur la liturgie apparaît donc comme un type qui se rencontre à l'état latent dans le milieu étudiant. Cependant, il ne faut pas oublier que ceux qui valorisent les pratiques cultuelles y voient souvent l'occasion d'un culte privé ou individuel.

e) Type 7. Type mixte. — Nous incluons ce type mixte dans notre typologie surtout pour rappeler que l'attitude sélective ne conduit pas nécessairement à ne choisir qu'un seul des éléments proposés par l'Église, mais qu'il est possible d'en choisir plusieurs. Dans ce type, l'essentiel vient de ce que la personne n'accepte pas ou n'intériorise pas l'ensemble des éléments proposés par l'Église. À la rigueur, une personne pourrait accepter la somme de ces éléments, sans accepter parallèlement la structuration d'ensemble qu'en propose l'Église.

TYPE 8. L'EXPÉRIENCE DE FAIBLE INTENSITÉ. — Certaines expériences religieuses se caractérisent avant tout par leur faible intensité. À la limite, chacun des types précédents peut se présenter avec plus ou moins d'intensité. Dans le type décrit ici, il devient extrêmement difficile d'indiquer quels éléments sont préférés ou quelle orientation est adoptée. Les informateurs se rattachant à ce type se définissent comme étant religieux, mais ils sont peu intéressés et peu informés, prennent peu conscience de leurs expériences et, en somme, ils les valorisent peu. La distinction entre le sacré et le religieux devient indispensable car, pour eux, les conduites religieuses qui sont en rapport avec leur croyance en Dieu n'apparaissent pas comme des expériences sacrées : ils n'ont en aucune façon, au cours de ces expériences, le « sentiment d'être pris par quelque chose d'ultime ». Ce qui différencie ce type-ci du suivant est uniquement la référence à la croyance en Dieu et l'acceptation d'un certain nombre de conduites qui, dans le milieu, ont habituellement une signification religieuse. La faible intensité de l'expérience elle-même fait qu'il est difficile de savoir jusqu'à quel point ces significations sont effectivement partagées par la personne concernée.

Type 9. Le rejet pratique de l'expérience religieuse. — Le rejet pratique de l'Église et de toute expérience religieuse signifie l'abandon progressif des pratiques cultuelles, en particulier de la messe dominicale et des diverses croyances proposées par l'Église [12]. Ce rejet est d'ordinaire progressif et n'implique pas de prise de conscience particulière. La personne tend simplement à accorder de moins en moins de valeur aux expériences religieuses et, pour autant qu'elle continue encore à se définir comme religieuse, à réduire l'intensité de ces expériences. Considéré statistiquement, ce type se rapproche du précédent (l'expérience religieuse de faible intensité). Mais ici, la faible intensité prend une nouvelle signification du fait qu'elle indique une *évolution* et aussi la *direction* de cette évolution. L'attitude fondamentale du type 8 pourrait se traduire par : « Je n'ai jamais été très religieux », alors que celle du

12. Les deux types qui suivent décrivent le processus du rejet de l'Église. Cette expérience d'abandon de l'Église constitue une étape importante pour tout jeune homme canadien-français de 18 ou 20 ans ; éduqué dans un milieu où le fait d'être catholique pratiquant est la seule norme acceptée ou acceptable, une nouvelle expérience religieuse ne saurait que marquer fortement son évolution. Nous distinguerons ici le rejet de l'Église qui s'opère au niveau *idéologique* (type 10) de celui qui s'opère à un simple niveau *pratique* (type 9).

type 9 se traduirait par : « Je me sens de moins en moins religieux ». Pour un certain nombre de personnes, l'abandon de la pratique dominicale est le premier pas vers ce type de rejet de l'expérience religieuse ; mais pour plusieurs autres, le rejet de l'expérience religieuse comme telle précède souvent l'abandon de la pratique. Quand le milieu favorise ou permet l'abandon de la pratique (par exemple quand le jeune se sent plus libre par rapport au milieu familial et au milieu scolaire clérical), cet abandon de la pratique rend tout simplement plus cohérente son attitude à l'égard de la religion.

L'informateur suivant nous semble bien exprimer ce rejet pratique de l'expérience religieuse avec toute la complexité que cette position implique. Ce qu'il rejette, c'est, avant tout, la religion institutionnalisée, organisée, qu'on lui a toujours présentée. Sans rejeter toutefois l'ensemble de cette religion, il ne favorise que ce qui correspond à sa propre position et tend ainsi vers une sélection très individuelle d'expériences religieuses. En un sens, il tend donc vers le type 2 (autonomie de l'expérience religieuse) et vers le type 10*a* (rejet conscient de toute expérience religieuse). Le rejet pratique de l'expérience religieuse institutionnalisée se situe très probablement, pour cet informateur, dans un processus d'évolution qui n'est pas terminé. D'ailleurs, cet informateur se demande lui-même s'il ne sera pas un jour amené à adopter une position beaucoup plus traditionnelle à l'égard de la religion.

— Moi je trouve que la religion ce n'est pas assez concrétisé. Au collège, ils nous disaient : « il faut que tu aies la foi ». Que tu aies la foi !... c'est à peine si on sait ce que c'est la foi. Moi je crois en Dieu, c'est bien logique, mais en Dieu. J'aime à faire ma religion à moi, et ceux qui veulent la faire plus extérieurement que d'autres, qu'ils la fassent, moi c'est plutôt en dedans que je fais ça. Je vais à la messe le dimanche ; il y a bien des fois que je n'irais pas, parce que qu'est-ce que ça peut donner d'aller à la messe quand cela ne me tente pas ? Il me semble que j'irais lorsque cela me tenterait mais si je n'y vais pas, il va y avoir une grosse chicane. Ici, la messe est obligatoire le dimanche... Et puis, l'état de grâce... on peut toujours rester en état de grâce sans aller à la messe le dimanche. On est obligé d'aller à la messe et il faut croire à ça, même si c'est un mystère. Il faut que tu aies la foi... c'est beau mais des fois, comme disait Pascal... Lui, il avait un esprit géomètre ; les machines à compter, c'est lui qui a inventé ça... Je crois qu'il a un peu raison mais tout de même, comme disait notre préfet de religion, il faut avoir la foi, disons qu'il faut avoir la foi. Il faudrait que ça soit plus concrétisé, qu'on soit capable au moins de le comprendre. Il nous a raconté une chose justement sur ce point-là. Il disait que c'était un saint ou je ne sais pas trop qui, dans le genre du Frère André ; il disait qu'il faisait des miracles, qu'il faisait beaucoup de miracles et puis, je ne sais pas si c'est l'Archevêque, en tout cas il lui avait dit de ne pas en faire sans sa permission. Alors le même saint, il se promenait dans la rue, il passait justement à côté d'un « plan »... dans la construction, puis il y a un homme qui tombe du 5e étage, alors lui, il fait le miracle ; rendu à peu près au 3e étage, il arrête le gars dans les airs, et puis il va voir l'Archevêque pour lui demander s'il pouvait faire le miracle. Aïe, écoutez, qu'est-ce que vous pensez de cela vous ? [Rires.] Quand c'est rendu à des choses comme ça, on a beau aimer Dieu et puis croire en notre religion... Un gars est pris entre trois étages et puis il faut que l'autre aille demander la permission, ça c'est un peu « niaiseux ». Pour le Préfet, c'est bien vrai, il avait l'air de croire cela bien dur, en tout cas, disons que c'est vrai... Moi je n'y crois pas à cette affaire-là, enfin toutes sortes de choses comme ça. Quand il nous parlait de la religion, mettons dans le mariage et ces choses-là, bien, c'est des choses qu'on pouvait comprendre, on acceptait tout ce qu'il disait, on voyait que cela avait du bon sens ou non parce qu'on le vivait, mais rendu dans les choses comme je viens de vous mentionner, ces affaires-là, on les rejettait, on laissait parler. Tandis qu'à propos de la limitation des naissances, de la continence, puis enfin tout, on voit que cela a du bon sens, et, je ne sais pas, un exemple : si la femme est malade, bien il faut avoir la maîtrise dans ça justement, la maîtrise de soi-même, ça ce sont des choses que même s'il ne nous les avait pas dites on aurait été capable de les voir par nous autres mêmes, mais quand on exagère pas mal, on accepte moins.

— Dans l'ensemble, pour vous, quand on prononce le mot *religion*, à quoi cela vous fait-il penser ?

— Bien, cela me fait penser... tout de suite, quand vous dites le mot religion, moi je pense à ma religion à moi, qu'est-ce que c'est pour moi la religion, puis qu'est-ce que j'entends. C'est la religion que je fais, puis je crois qu'elle est assez bonne, à comparer avec bien des amis qui se tiennent avec moi, pas des amis mais disons des *chums*, la religion pour eux... d'abord ils n'en font pas du tout, moi j'en fais, plus intérieurement qu'extérieurement, mais tout de même...

— À quoi pensez-vous quand vous dites « plus intérieurement » ?

— Je ne sais pas moi, commencer à faire des discours aux amis, dire il faut que tu fasses telle affaire si tu veux être catholique... ou bien aller à la messe et aller communier rien que pour montrer aux gens que je vais communier, comme il y en a qui vont communier pour montrer à maman qu'ils vont communier c'est tout. Moi je vais communier quand je veux y aller, puis intérieurement une petite prière ici et là cela ne fait pas de tort ; on est obligé de se mettre à genoux et puis le gros signe de croix... Intérieurement quoi... en dedans, ce qui fait à ma pensée, c'est ça que j'entends par intérieurement [...] À la petite école, on est porté à croire même si on ne comprend pas, tandis qu'au niveau de dix-sept et dix-huit ans, dix-neuf et vingt ans même, on est porté à croire si on peut se dire que ça c'est vrai ; si cela a du bon sens, je vais y croire. Et puis moi, je ne le sais pas, peut-être qu'il y a une autre période passé trente ans, où on a plus d'expérience, je ne sais pas si dans ce temps-là... on revient au premier stage, mais à mon niveau, dix-neuf ans, la religion, je suis porté à en laisser pas mal sur ce qu'on m'a déjà enseigné, mais tout de même je garde l'essentiel... Je vais laisser des choses comme celles que j'ai mentionnées tantôt, des choses que je ne suis pas capable de comprendre clairement. Je ne laisserai pas peut-être totalement, mais j'y penserai moins souvent qu'à une autre qui est plus compréhensible.

— Et à l'heure actuelle, si vous pensez à la religion idéale, que signifie-t-elle ?

— La religion idéale pour moi, ça serait : « fais ta religion et laisse faire celle des autres », cela serait mieux je crois. Le principal, l'essentiel... c'est d'en faire une au moins, de ne pas toutes les laisser. Dire qu'il n'y en a pas une de bonne, ça, ce n'est pas vrai, mais prendre celle qu'on accepte le plus, et même en prendre une qu'on n'est pas porté à accepter, mais essayer de la comprendre... puis ça, faire ça pour nous-mêmes, pas pour faire plaisir à nos parents. Comme moi, un dimanche, si j'ai eu un « party » le samedi soir, je reviens à cinq heures du matin, cela ne me tente pas tellement d'aller à la messe de dix heures et demie. Je dirai que je n'irai pas, puis je vais y aller le lundi ou le mercredi. Ça serait de même la religion pour moi. Dire qu'on est obligé de faire ça, tout de suite, je dédaigne ça ; si je peux le faire quand je le veux, à ma volonté, on dirait que je suis porté à le faire...

— Il faut que vous sentiez que cela vient de vous ?

— Justement, parce que des ordres, des commandements, d'abord, tout le monde c'est pareil, cela blesse toujours un peu et on n'est pas toujours content de le faire, tandis que lorsque cela vient de nous, on dirait que c'est meilleur, et cela a plus de mérite, du moins c'est mon opinion sur la religion.

— Est-ce qu'il vous arrive d'avoir à l'esprit le nom d'une personne qui, pour vous, représente justement cet idéal ?

— Bien... je ne peux pas vous dire oui, parce que moi, je la fais plutôt intérieurement, alors je ne peux pas savoir s'il y a un autre type qui la fait intérieurement plutôt qu'extérieurement, mais il doit y en avoir sûrement. Si on regarde un saint c'est visible quoi... qu'est-ce qu'il a fait dans sa vie, puis qu'est-ce que je vais faire sur ce plan-là, je ne pense pas qu'on fasse la même chose, la même religion, parce qu'un saint c'est plutôt porté à prier... dix heures par jour pratiquement, puis je ne sais pas, un saint, ça paraît toujours plus qu'un laïc quand on voit quelqu'un. Ça peut-être un laïc aussi un saint, surtout quand on arrive, mettons comme au collège, on voit un frère avec une soutane, on est plus porté à dire : lui, il est bien plus catholique que moi, alors on ne peut pas se fier sur un modèle comme ça. Pour dire ce qu'il fait, il aurait fallu que je rentre chez les frères. [...] Mais, d'année en année, on vieillit, on s'aperçoit que cela a du bon sens, cela se tient. Il y a des choses qui sont bonnes pour les uns et pas bonnes pour d'autres. C'est surtout rendu au niveau de la 10e, 11e, on commence à voir plus clair... Avant, durant les récitations, même si pour nous autres c'était noir il fallait marquer blanc pour avoir nos notes : dans un examen c'est toujours comme ça, il faut répondre à peu près ce que le professeur pense si on veut avoir de bons résultats, mais est-ce au juste ce qu'on pense ce qu'on écrit comme notre récitation ? pas tout le temps. Des fois, j'aurais eu le goût de dire : « Telle chose cela ne se tient pas et cela n'a pas de bon sens et puis... » Mais dire ça dans un examen puis obtenir des faibles notes, cela m'est déjà arrivé une fois et puis je n'ai jamais recommencé. J'ai répondu ce qu'ils attendaient, c'est toujours mieux de même. [...]

[À propos de ses parents.] Ils me disaient, je ne sais pas, par exemple : « Va à la messe, tu en as besoin autant que tout le monde et puis va communier, le bon Dieu va t'aider, et puis le bon Dieu t'a tout donné, ta santé, tu as de l'argent, tu as des bons parents, tu as ci et ça, tu peux aller le remercier. » Je me disais, je suis fait de même... parce que cela s'est fait comme ça, mais ce n'est pas le bon Dieu qui m'a fait comme ça. D'un autre côté, c'est peut-être vrai, mais ce n'est peut-être pas vrai non plus. Dans ce temps-là, cela me porte à réfléchir, je me demandais ce qu'ils voulaient dire au juste... enfin, mes parents sont bien religieux, ils sont bien catholiques quoi... mais ma sœur et mon frère, ils sont à peu près comme moi. Peut-être qu'eux aussi ils nous disent ça parce que c'est leur devoir de nous le dire, mais est-ce qu'ils nous disent ce qu'ils pensent réellement ? Je serais porté à le croire. À sept heures, tous les soirs, c'est le chapelet ici. Et moi, je pense que j'ai une religion. Si jamais il m'arrive de ne plus en avoir, cela ne dépendrait pas de mes parents. Sur ce point de vue, ils m'ont pas mal donné toutes les lumières que je pouvais avoir. [...]

— Jusqu'ici nous avons parlé surtout du présent et du passé. Vous arrive-t-il de penser au moment où vous aurez fini d'étudier et où vous aurez commencé à travailler ? De penser à la religion que vous aurez ? De songer à ce que vous penserez alors de la religion ?

— Sur le plan religieux, je me dis que probablement, à cet âge-là, je serai rendu comme mon père, peut-être un peu moins, mais je serai plus catholique parce qu'à trente ans je serai probablement marié, je serai obligé d'éduquer mes enfants à tous les points de vue, surtout à celui-là, de leur enseigner ce qu'il faut dans l'ensemble. Et à force de leur enseigner ça, probablement que je vais devenir par le fait même plus fervent. Tant qu'à l'avenir, j'y pense pratiquement à tous les jours. Je me demande bien qu'est-ce que je vais être à trente ans ; si je suis ingénieur, je me dis que cela va être comme ça, marié probablement. Je vais avoir des enfants, je vais essayer d'avoir du luxe un peu, je ne sais pas, je vais avoir du bonheur. [...]

— Quand vous aurez des enfants, est-ce que vous mettrez l'accent sur certaines qualités plus que sur d'autres, au point de vue religieux ?

— Oui... oui, parce que, après tout, quand on se marie, d'abord c'est pour en arriver à la procréation des enfants ; mais ces enfants-là, il faut les élever après tout. Moi, sur ce plan, on m'a tout donné, j'ai pris ce que j'ai voulu prendre. Alors je trouve que c'est pratiquement un devoir pour moi que de copier le modèle de mes parents une fois que j'aurai des enfants, puis eux, à leur tour, ils prendront ce qu'ils voudront, dans l'espoir qu'ils prennent du moins l'essentiel. Moi, d'abord, ma religion va sûrement changer rendu à trente ans... je ne sais pas à quel point de vue, mais... Je dis ça en ce sens que, quand j'étais jeune, j'avais une religion ; rendu à cet âge-ci j'en ai une autre ; probablement qu'à trente ans je vais en avoir une autre. Alors, quand j'aurai des enfants, j'essaierai de leur donner tout ce que je peux autant à ce point de vue-là qu'à un autre point de vue. Je ne le négligerai certainement pas.

— Pour vous, qu'est-ce que le prêtre idéal ?

— Le prêtre idéal, pour moi, cela serait un laïc, un laïc comme les autres laïcs, comme vous et moi, et puis qui mènerait la vie d'un homme normal. J'entends, comme laïc, ne pas être obligé de s'enfermer entre quatre murs et lire un bréviaire et puis aller à la messe, etc.

[À propos de ses amis.] Cela dépend du sujet qu'on discute. Si on parle de la foi, supposons, bien, qu'est-ce que, au juste, la foi ? Si moi je l'entends de telle manière cela ne veut pas dire que c'est la bonne manière, alors je ne suis pas pour inculquer mon idée à ces gens-là, arriver et dire que c'est comme ça que cela marche, ou des choses comme ça ! Je ne peux pas les conseiller autant qu'un frère le pourrait parce que, lui, il a étudié là-dessus. Il a plus de connaissances. Nous autres, si on arrive sur un sujet... Je sais bien que si vous demandiez : qu'est-ce que la foi ? La foi... la foi... qu'est-ce que c'est au juste ? je ne le sais pas. Il faut croire, c'est comme en mathématique, une action ; on est obligé de croire que c'est comme ça, que deux plus deux, cela fait quatre. Pourquoi ? Bien... je ne sais pas ! Au point de vue religion cela est moins matériel, on ne peut pas la manier à notre guise. C'est pour ça que la foi on ne sait pas toujours au juste ce que c'est.

Type 10. Le rejet conscient de l'Église ou de l'expérience religieuse. — Le terme « conscient » signifie principalement que le rejet devient une expérience prenant place dans le champ psychologique de façon plus marquée que dans le cas précédent. Dans ce type d'expérience, on sait beaucoup mieux ce qu'on rejette et ce qu'on continue d'accepter. Il peut y avoir évidemment beaucoup d'incohérence et d'incongruence dans ce rejet, d'autant plus qu'il constitue presque inévitablement pour le jeune homme canadien-français une période importante de transition et donc de tension. Mais le fait de se trouver plongé dans une telle période de transition rend tout de même l'expérience religieuse plus saillante dans le champ psychologique. Nous distinguons ici deux sous-types de cette forme d'expérience à l'égard de la religion.

Type 10a. Rejet de l'Église. — D'abord ce rejet conscient peut concerner uniquement l'Église, à la fois comme symbole religieux et comme cadre institutionnel de l'expérience religieuse. En d'autres termes, certains ne considèrent pas l'expérience religieuse comme une expérience mettant en cause un « peuple de Dieu », mais ils conçoivent l'Église comme étant tellement hiérarchisée et formelle qu'elle profane en quelque sorte leur expérience religieuse. C'est cette conception que décrit au chapitre III l'analyse de l'attitude à l'égard de l'Église. Ces deux attitudes conduisent facilement au rejet de l'Église sans que pour cela soient abandonnées toutes les croyances religieuses proposées par l'Église, ni toute forme privée de culte [13]. Ces expériences religieuses privées ne se prêtent habituellement pas à la régularité que l'on retrouve chez le catholique pratiquant mais, du point de vue de celui qui les choisit, elles prennent souvent une plus grande valeur d'autonomie et d'authenticité.

L'informateur suivant nous semble se rattacher à ce type 10*a*. Fondamentalement, ce qu'il rejette, c'est l'Église et toute

13. Ce culte privé peut même parfois avoir lieu dans le cadre de l'Église, par exemple, par l'assistance occasionnelle à la messe.

expérience religieuse institutionnalisée. Dans son témoignage, il affirme à quelques reprises ne pas avoir la foi, mais il se réfère alors à une définition formelle, institutionnalisée de la foi : de lui-même, il fait référence à la « grâce de Claudel », « au Créateur dans son extrême sagesse » et « ceux qui symbolisent pour lui l'idéal religieux sont les Pères Trappistes et l'abbé Pierre ».

— Vous disiez qu'il vous arrivait de discuter avec vos copains, de quoi par exemple ?

— La religion, c'est un gros problème, on en discute assez souvent... cela vient souvent sur le sujet... la plupart ne sont pas pratiquants... Il y a plusieurs frictions qui ont lieu et ça discute ferme... on discute de la religion, ou d'auteurs quelconques [...] Pour moi, j'ai bien approfondi les lectures que j'ai faites, le romantisme, le symbolisme, des auteurs comme Céline, Camus, et cela a bien changé ma conception de la Vérité avec un grand *V*... C'est à partir de toutes ces réflexions aussi que j'ai décidé de prendre la médecine l'an prochain. Je veux faire ma petite part.

— Avez-vous eu l'occasion de discuter avec quelqu'un de votre idée de vous orienter vers la médecine ?

— Je n'ose pas trop en parler, surtout pas aux professeurs... on les laisse tomber. J'en ai parlé, il y en a qui m'ont dit des histoires pour me décourager. Je ne suis pas superficiel. Peut-être que je le suis en réalité, pour prendre la médecine... je ne suis sûrement pas un génie... ils ont commencé à me décourager, fais pas ça et ci et ça... Les prêtres, je ne sais ce qu'ils voyaient là-dedans, ils se posaient des questions : qu'ils s'en posent des questions ! J'ai décidé de prendre la médecine quand même ! Ils n'ont absolument rien vu... ils ont vu seulement le côté argent, ils ont dit, tu vas perdre de l'argent si tu vas en médecine... deux minutes après ils me traitent d'esprit superficiel. [...]

Ah ! oui, avec mes copains, on discute beaucoup... on parle souvent de nos futures professions... Les gars m'encouragent fortement sur ça. Je ne leur ai jamais dit le point de vue humanitaire que je voulais élever, j'ai toujours une certaine... une certaine gêne à dire ça. Les gars diraient, ah ! une bouillie pour les chats et tout ça... mais la plupart m'encouragent sérieusement à prendre la médecine, la plupart me disent : « prends ça, tu as quelque chose à faire là-dedans ». Je vois que les gens sont tellement embarrassés, tellement mélangés qu'ils ne savent plus trop où ils vont, et ils souffrent de toutes les manières... ils sont pris dans un certain pétrin... Si j'étais capable de faire ma petite part, de leur donner un peu plus de vie, dans les deux sens du mot, aussi bien vie intérieure que vie physique, parce que les deux se complètent, aussi bien du côté corporel que spirituel... Je vais essayer de faire une petite part de bien. [...] J'ai été dans la Congrégation mariale en tant qu'aspirant, je suis allé deux ou trois fois voir comment cela se passait... Je ne sais pas si ce sont des mystiques qui sont là-dedans ; on arrivait, il y avait des prières, il y en avait un paquet, après ça, il y avait une conférence de l'aumônier plus ou moins banale... c'était tout le temps sur des thèmes religieux, des thèmes religieux qui, pour nous, étaient sans importance, des petits points qui ne veulent rien dire pour moi... des points de « tiraillage ». De la religion, je vais être le premier à en discuter, et avec plaisir à part ça ! Mais quand il s'agit de questions secondaires, cela m'apparaît « plat ». Je n'ai pas l'esprit assez... Pour moi, je n'étais pas assez chrétien à ce moment-là. [...] La définition officielle du chrétien, et la définition réelle, c'est deux choses... elles sont pas mal différentes à mon sens... Le chrétien officiel pour moi, c'est celui qui va à la messe le dimanche, qui ne mange pas de viande le vendredi, qui fait des signes de croix, qui se dit catholique, qui porte des manières de chrétien officiel ou qui montre sa foi à tout le monde. Et il y a l'autre chrétien, un vrai chrétien celui-là... lui aussi fait ça, mais cela ne paraît pas, on ne le voit pas... le gars qui a vraiment une flamme en dedans de lui, qui fait vraiment vivre son Évangile, le vrai Évangile que le Christ a prêché, aime ton frère comme toi-même, et ne te venge pas... c'est un vrai chrétien. Il ne dirait pas : « bon, bien, je te fais la charité, je te donne $2.00 », non, non, pas ça... C'est un homme comme moi... par exemple. L'Église catholique a dit... j'en ai parlé souvent avec les prêtres... Si je donne $2.00 parce que c'est un homme comme moi, qui a du trouble, il n'a rien à manger le pauvre gars, si je donne $2.00 parce que c'est un homme, pas parce que Dieu est bon, et parce que je veux l'éternité ou quelque chose du genre, parce qu'il va y avoir une certaine récompense éternelle et tout ça... ah ! bien, c'est minime comme ça... Tandis que si tu le fais pour Dieu, là l'éternité est à toi... bien, écoutez, écoutez... c'est là que je veux... Dieu... Dieu c'est beau, mais l'homme, lui, qui a faim, qui a soif, je te donne $2.00, prends-le parce que tu es un homme et tu as faim, pas parce que Dieu est bon. [...]

Mes parents ? Je dirais que ma mère, c'est la femme que j'aime le plus au monde... je la trouve toujours très dévouée, toujours à travailler, mon père est journalier. Il a déjà lancé un petit commerce, mais ça n'a pas marché. Maintenant il est journalier, c'est tout ce qu'il a pu trouver, et ma mère a travaillé pour payer mes cours, pour nous faire vivre, pour réussir à joindre les deux bouts... Maintenant ma mère je la considère comme un esprit éveillé jusqu'à un certain point... Mais lorsqu'on tombe dans le domaine religieux, bien là cela ne marche plus, on ne s'accorde plus... Avec mon père, je n'ai jamais jasé pour dire... c'est un homme qui a assez de sa petite besogne, sans trop parler... il travaille très bien, il a fait un tas de jobs dans sa vie. Mais au point de vue religieux, c'est bien difficile de communiquer avec eux. Ils n'acceptent rien d'autre que ce que le cardinal ou un curé ont affirmé être bon. Et ils ne veulent rien entendre. Ils n'en parlent pas à la maison pour être tranquilles.

Le mot religion... cela me fait penser à un maudit paquet de troubles que j'ai eus. [Rires.] J'ai bien eu du trouble avec ça. Ils ont même voulu me jeter à la porte du collège si je ne me convertissais pas... Se convertir... je suis allé communier deux premiers vendredis du mois, je ne me suis pas présenté à la table durant un mois... bon, parfait, c'était seulement un choix, je voulais continuer mon cours, le seul moyen c'était de passer comme ça, ce n'était pas par lâcheté, pour dire bon qu'est-ce qu'ils vont penser de moi, ce n'était pas du tout pour ça. Je voulais continuer mon cours à tout prix, le seul moyen pour moi de le continuer c'était ça... à moins de tout lâcher, de tout briser, et que plus rien ne marche. En brisant tout, je me serais fait mettre à la porte aux cours de religion, et mes parents m'auraient laissé tomber... là je n'aurais pu rien faire... On allait à la messe au collège et ils connaissent ceux qui vont communier et ceux qui n'y vont pas. Moi, je n'y allais jamais. Le directeur spirituel m'a fait demander dans sa chambre... [Ici il s'exprime à voix basse.] Je lui ai dit : « Moi je ne crois pas et eux autres non plus ou presque pas », bon, alors, tranquillement, pour ne pas faire un passage trop brusque, je suis allé communier pour sauver la face, même si c'est un peu lâche... j'étais déjà allé le voir une couple de fois, mais je n'avais jamais affirmé catégoriquement mes points de vue à ce sujet-là, il ne savait pas trop, il pensait que j'avais la crise de la foi. Depuis la Syntaxe qu'il nous raconte cette histoire-là, il pensait que j'étais encore là-dedans ! « Bien oui mon père j'ai encore ma crise de foi, ah ! je pratique encore, j'essaie toujours d'arranger ça un peu... » Il a cru m'avoir converti. Il m'a donné des « grands » conseils, la méditation, la prière, etc. Le lendemain je suis allé le voir, je lui ai dit : « Mon père, je pense que je vais pouvoir, je ne suis pas encore décidé, c'est dur. » C'est assez facile dans ce sens-là mentir. Le soir je vais y penser et un petit mensonge le lendemain matin... c'est le seul moyen de m'en sortir... ce n'est pas la lâcheté du tout, au contraire je l'affirme hautement : « je ne suis pas catholique ». C'est tout, je ne veux pas le crier sur les toits, mais... c'est normal, je pense... c'est un paquet de troubles pour moi la religion. Je ne pratique pas. Un paquet de troubles, de problèmes, je n'ai pas pu les résoudre au point de vue religieux, ils ne m'ont jamais apporté une réponse satisfaisante, toujours des compromis. C'est arrivé à un paradoxe à la fin, ou une contradiction... ou presque une contradiction. Ils essayaient de me prouver des choses sur lesquelles il fallait dire oui. Alors quoi, il faut que tu dises oui, prouve-moi-le pas ! [...] On me répète : « il faut que tu aies la foi... il faut être capable de dire oui... il faut l'admettre ». Je n'ai pas été capable de l'admettre encore... peut-être ça viendra... sans doute...

C'est la foi qui est la base de ça... c'est pour ça que je trouve un peu ridicule, les livres de philosophie qu'on nous enseigne, on ne prouve pas ça par neuf... au contraire... il faut aller intuitivement au contact des choses. Si je ne me déclare pas d'accord avec certaines affirmations, c'est à ce moment-là qu'ils nous amènent des preuves soi-disant philosophiques. Cela ne marche plus... Je pense à la paix par exemple, la guerre, la non-guerre... l'Église a toujours été pour la paix en théorie, ce n'est pas toujours en pratique... c'est un tas de guerre bon... mais disons officiellement contre la guerre, pour l'amour, et essayer de sauver les hommes, de faire du bien aux hommes... Peut-être qu'ils n'ont pas le bon moyen, je ne sais pas, peut-être qu'ils l'ont, en tout cas ils essaient de sauver les hommes et moi, bien, cela me va complètement. Mais ce qui ne « colle » pas avec moi, c'est lorsqu'ils arrivent avec des dogmes, la liturgie, le culte, et tout ça. Quand quelqu'un y croit, c'est personnel, c'est individuel. Ce n'est pas une pratique religieuse extérieure. Ce qu'on me présente, c'est exclusivement extérieur, formalisé, un culte complètement formaliste... il me semble que la raison doit suivre le cœur dans le domaine religieux. Ce n'est peut-être pas ça en fait, c'est peut-être le contraire, le cœur doit suivre la raison, mais si on suit la raison on n'est plus vraiment catholique...

— À quoi vous pensez quand on prononce le mot *Église* avec un *É* majuscule ?

— Je pense à une hiérarchie... le pape, un cardinal, les évêques habillés en rouge qui gouvernent le monde, et qui ont une influence énorme sur le monde entier... un organisme officiel... le point de vue religieux dans le sens que je le conçois, je pense que l'Église avec *É* majuscule, je ne le réalise pas complètement... cela propage des idées plus ou moins bonnes... elles sont souvent bonnes mais, pour moi, c'est une grosse chose bien arrangée... évidemment pas à la base... il ne s'agit pas de faire de l'argent même s'ils en font un peu... je ne crois pas que le premier objectif de l'Église c'est de faire de l'argent, il y en a de bonne foi là-dedans... mais c'est avant tout un organisme bien hiérarchisé... qui a été créé bien différent... même si l'évolution se met là-dedans c'est encore comme ça aujourd'hui, le vicaire n'a pas le même bénéfice que le curé, le chanoine n'a pas la même chose que l'évêque... ça continue toujours comme ça...

— Vous disiez tantôt que vous aviez déjà pensé à faire un prêtre. Pensez-vous que vous auriez fait un bon prêtre ?

— Bien... je pense que oui... oui... si j'avais la foi je pourrais. [Rires.] Je n'ai pas la foi... sans être prétentieux je pense que je pourrais faire un bon prêtre si j'avais la foi...

— À quel moment avez-vous pris conscience que vous n'aviez pas la foi ?

— Cela doit dater d'il y a à peu près trois ans ou trois ans et demi... vers Belles-Lettres, Versification, Belles-Lettres. Là j'ai pris conscience que je n'avais pas la foi... que je ne l'avais jamais eue. [...]

[À propos du Concile œcuménique.] Comme toujours l'Église vient après coup... enfin se réforme après coup... elle sent qu'elle a un besoin immense d'une réforme en ce temps-ci... à cause des développements de la science, et des recherches aussi bien philosophiques, scientifiques qui se font. Elle sent qu'il y a un besoin de réforme dans l'Église, il reste encore des choses qu'il faut éliminer. Je pense qu'elles vont être éliminées au prochain Concile... comme toujours elle vient après coup, après que le coup est porté. Ça fait soixante-quinze ans que ce Concile œcuménique aurait dû avoir lieu. [...]

Ce que je changerais dans l'Église ? D'abord éliminer toute la hiérarchie c'est presque impossible, il faut des dirigeants, mais essayer au moins de faire une ligne de démarcation moins nette du clergé... les différentes fonctions, essayer de les favoriser un peu plus, qu'elles soient chrétiennes ou non... je ne sais pas pourquoi le Christ choisissait mieux Pierre ou bien un autre... après tout... Essayer de mettre au rancart toutes les vieilles histoires depuis que l'Église est Église. Elles sont entrées dans l'Église à cause de certaines pressions extérieures, dues à l'époque du Moyen Âge par exemple, ou à n'importe quelle époque... Certaines pressions qui ont été faites, certaines choses qui sont faites dans l'Église, certaines réformes à ce moment-là et qui devraient être complètement abolies aujourd'hui... Au point de vue abolition, certaines minauderies, par exemple la messe du dimanche, le péché mortel, l'obligation et tout ça... Les réformes que je suggérerais ne seraient pas acceptables pour l'Église catholique... Par exemple, la messe du dimanche devient très très facilement un moyen de paraître catholique... c'est un moyen facile de se faire des amis, de se glisser dans un milieu... un moyen qui est trop facile pour moi. Alors que la religion du cœur est complètement oubliée... Une négligence extérieure, formaliste... c'est ça ma principale objection... et dire en plus que le culte qu'on rend à Dieu il faut le rendre chacun pour soi, l'affaire de déformaliser le culte... non, cela ne marche pas, parce qu'ils disent que tous les hommes sont semblables. Dans un sens oui, mais la manière de rendre le culte, c'est particulier... c'est ce que je pense... la notion de péché s'est rattachée à ça...

— Vous avez mentionné plus tôt une visite chez les Pères d'Oka...

— Je suis allé passer une semaine chez les Pères d'Oka cette année. J'avais vu quelque part qu'on pouvait y passer quelques jours de vacances. Je suis allé me reposer. Une vie intense ! Ils vivent vraiment les gars, une vie bien remplie, très chargée à part ça... de prières surtout. C'est tellement beau, chez les Trappistes, tout est tellement beau. Les chants grégoriens c'est formidable d'entendre ça, le soir surtout, le soleil se couche et puis les chants... La beauté, c'est quelque chose pour moi, les offices religieux ne sont pas du tout comme ceux que je connais... je me suis dit tout à coup c'est ça la religion, oui c'est ça... J'ai repensé à mon affaire, il faut redescendre en moi, quand je redescends je suis tout mêlé... mais quand même ! Pour moi, justement, l'idéal, c'est d'être à la fois trappiste et l'abbé Pierre.

— Dans l'ensemble de votre vie, à l'heure actuelle, quelle place prennent les préoccupations religieuses comme ces choses dont on parle ?

— Au point de vue discussion c'est bien important, au point de vue individuel, au point de vue pratique, je veux dire... au point de vue réflexion, pour moi, disons que l'affaire est classée... je classe ça temporairement... je n'ai plus de préoccupation dans ce sens-là... je veux dire par là que... que je ne pratique pas, et c'est fini... Je pense, par exemple, à la grâce, à Claudel... si c'est possible... ce n'est pas définitif... On vous enseigne que c'est presque définitif, mais... avec la grâce de Dieu comme on nous dit... la grâce de Dieu...

— Pour vous, la religion a-t-elle déjà été une source d'anxiété, d'insécurité ou d'énervement ?

— Ah ! oui... oui... la notion de péché étant reliée à tout ici... tout ce que je faisais, je faisais un péché, j'étais en train de développer un complexe de culpabilité avec ça... je crois que cela m'a fait perdre la foi... je me suis aperçu que j'étais en train de développer un complexe de culpabilité, et c'était rendu assez loin... tout ce que je me disais c'était que j'étais en état de péché mortel et que j'étais damné pour la vie éternelle. J'étais rendu à ce point-là, alors je me suis dit : Non, non, cela ne marche pas, ce n'est pas vrai, il y a probablement une différence... Cela ne se peut pas que ça soit des péchés comme ça partout... Faire l'amour avec une fille, c'est péché ? Bien non, cela ne se peut pas, c'est trop naturel... mon corps le demande, c'est nécessaire. Il y a une marge entre se vautrer là-dedans, faire seulement ça, l'amour... et puis le faire lorsqu'on sent le besoin, le besoin réel, physique, quand on le fait... cela ne peut être péché... le Créateur, dans son extrême sagesse, n'a pas mis des appétits aussi forts pour que cela soit péché...

Type 10b. Le rejet de toute expérience religieuse. — Il arrive par ailleurs que ce ne soit pas uniquement l'Église qui soit rejetée, mais toute référence à l'univers religieux. C'est le cas de ceux qui ont le sentiment d'avoir perdu la foi ou de ne l'avoir jamais eue. Pour des jeunes qui ont été socialisés à l'intérieur d'un système religieux, ce type apparaît habituellement au terme d'une évolution plus ou moins longue. Au cours de cette période de transformation, ils peuvent d'ailleurs se rapprocher de l'un ou l'autre des types décrits plus haut.

Parmi ceux qui rejettent consciemment toute expérience religieuse, il est un cas qui mérite une attention particulière parce que presque tous les jeunes gens qui ont fait des études classiques ont eu, un jour ou l'autre, à se définir face à cette position : il s'agit de l'expérience religieuse uniquement rationnelle. Il n'y a pas, en ce cas, prise de conscience des problèmes fondamentaux qui sont à la base de la religion, mais plutôt rejet de ces problèmes fondamentaux ou absence d'un aveu de faiblesse devant ceux-ci, à partir d'une réflexion philosophique ou théologique. Il s'agit de l'expérience basée sur une réflexion rationnelle à rebours, c'est-à-dire sur une démarche rationnelle, non existentielle, qui ne correspond pas à une représentation adéquate des expériences vécues. Le rejet de ce type d'expérience se fonde souvent sur son caractère non existentiel : ce qu'on rejette n'est pas fondamentalement l'attitude rationnelle elle-même. L'acceptation de ce type d'expérience, par contre, se fonde parfois sur une soumission autoritaire à l'égard de ceux qui proposent cette démarche au nom de l'Église. Comme la personnalité autoritaire se caractérise précisément par cette incongruence entre le vécu et sa représentation dans le champ de la conscience, cet individu connaîtra dans d'autres secteurs de sa vie le même type d'incongruence.

Nous avons parlé d'une évolution de l'expérience religieuse. Mais peut-on véritablement parler du *terme* de celle-ci pour des jeunes gens de dix-huit ou vingt ans [14] ? Cette évolution pourra se poursuivre selon des orientations très diversifiées, en fonction des expériences ultérieures de chacun et du degré d'ouverture à ces expériences. Parvenu à ce dixième type, nous pouvons dire qu'une personne à fonctionnement optimal pourra se réorienter vers l'un ou l'autre des divers types, si cette décision existentielle est cohérente avec l'image qu'elle se fait d'elle-même à ce moment-là ; mais elle pourra tout aussi bien prendre la décision de ne pas modifier sa position. Une personne dont le fonctionnement n'est pas optimal, par ailleurs, ne pourra pas effectuer le rejet de l'univers religieux avec une aussi complète autonomie ; elle pourra même adopter à l'égard de

14. Ceci ne s'applique évidemment pas aux seuls informateurs se rapprochant de ce dixième type.

cet univers une attitude tout aussi rigide et autoritaire que celle manifestée par le pratiquant du premier type. Ce dixième type, on le voit aisément, constitue pour nous un type résiduel à multiples dimensions qu'il y aurait avantage à explorer plus systématiquement [15].

L'informateur suivant représente bien ce dernier type d'expérience religieuse : son témoignage est explicite sur ce point. Son rejet de toute expérience religieuse s'est également exprimé, au cours de l'interview, par le fait que, de lui-même, il orientait constamment la conversation vers des sujets non religieux comme le développement de la science et son goût pour les disciplines scientifiques, la politique, le système d'éducation, etc.

— La religion, ça m'horripile... à cent pour cent. Je considère que la religion c'est absolument inutile, que l'homme, s'il était bien éduqué, n'aurait absolument pas besoin de religion. Je considère qu'un ouvrier par exemple, religieux, qui travaille dur, qui a beaucoup de misère, qui gagne à peine assez d'argent pour faire vivre sa famille, si on lui prouvait que la religion n'a aucun bon sens, il n'aurait plus de raison de vivre, peut-être, parce que c'est une raison pour lui de vivre. Il pourrait se suicider facilement. À ce moment-là, ça prendrait une adaptation. La religion disons que ça a été bon parce que ça a donné à l'homme la chance de pouvoir s'agripper à quelque chose, mais à quelque chose qui est facile. À ce moment-là, disons qu'il faut non seulement une éducation supérieure mais même un quotient intellectuel supérieur pour vraiment pouvoir agir à part des autres, de cette manière-là, parce que c'est très difficile pour certains. Pour d'autres ça ne représente aucun problème. Je n'ai jamais eu tellement de sentiments religieux et enfin, je considère que la religion c'est absolument inutile, et que tôt ou tard ça va disparaître. Ça été inventé par l'homme, ça va disparaître, question de quelques siècles peut-être, parce qu'on ne peut pas changer un peuple, ça prend une adaptation de génération en génération. [...]

— Vous disiez tantôt : moi, je n'ai jamais eu tellement de sentiment religieux, quel contact avez-vous eu...

— Je vais être d'une manière ou d'une autre religieux, mais disons que de par mon caractère je n'ai jamais adhéré à la chose, je n'ai aucun souvenir d'avoir adhéré fermement à quoi que ce soit de religieux. J'ai déjà pensé à la chose, je vais remonter loin, à l'âge de dix ans,

15. La dimension restreinte de notre échantillon et le cadre de cette étude ne nous permettent cependant pas cette exploration.

je me souviens... je me demandais si c'était pas une grande farce. Le sujet n'étant pas tellement important pour moi, j'ai laissé tomber. Tant que je peux remonter, je n'ai jamais eu de grande conviction quelconque. En tout cas, je ne pense pas... j'essaie de remonter... non... je ne pense pas. Je crois qu'il n'y a pas de neurones qui ont été affectés en ce sens-là. Je suis bien content, parce que j'en ai seulement dix milliards, il faut que je m'en serve [...].

— Et de quelle façon avait été prise la décision de vous envoyer dans un collège religieux ?

— Mon père, de par sa nature, voulait m'envoyer dans un collège classique, ma mère aussi, parce qu'elle a eu une grande part dans la décision, alors, en collèges classiques, qu'est-ce qu'il y a à Montréal ? Il n'y a pas de collège neutre. S'il y avait eu des collèges neutres, tout ce que j'ai fait à quatorze ans, je l'aurais fait à onze ans. Le bac français, ça prend douze ans ; au bout de douze ans, ils en savent plus que nous au bout de quinze ans. Quand je sais qu'on a perdu trois ans pour des récits bibliques à la petite école, des stupidités du genre, deux heures de cours par semaine pendant sept ans, je trouve que c'est une perte de temps fantastique. La religion, c'est à soi de l'acquérir par soi-même, si quelqu'un n'en veut pas, ça finit là. J'ai perdu trois ans. J'ai calculé et c'est un minimum, et ça c'est si je ne compte qu'une heure par jour à la petite école. En fait, des fois, ça durait d'une heure et demie à deux heures, en tout, par jour. Je trouve que c'est une perte de temps. Ces trois années-là auraient pu être mises à profit pour perfectionner le cours de la petite école, à ce moment-là les élèves sont beaucoup plus prêts pour arriver en Éléments latins, et puis, ils pourraient commencer tout de suite des mathématiques beaucoup plus avancées.

— Pendant tout le temps du primaire et du secondaire, de quelle façon réagissiez-vous à l'enseignement religieux ?

— J'ai appris par cœur ce qu'on m'a enseigné, j'ai gobé certains enfantillages sans leur attacher tellement d'importance et puis, Éléments, Syntaxe, je ne m'en souviens plus tellement, j'ai eu pour professeur... qui donc ? Je ne sais pas... on nous a raconté une série de balivernes et puis, Méthode ? Le professeur m'a pris en grippe dès le premier jour, alors forcément, je l'ai pris en grippe après... En Versif., quel c... ai-je eu cette année-là ? Je ne sais pas... Belles-Lettres... je n'ai pas suivi le cours, c'était trop endormant. Rhétorique : je n'ai pas suivi les cours non plus, enfin, je pense que j'ai suivi en classe quatre ou cinq fois, peut-être plus, peut-être, je ne sais pas... Cette année, j'ai fait beaucoup de mathématiques pendant les cours de religion, ce qui ne m'a pas aidé du tout, j'ai fait de la littérature aussi. [...] Pour revenir à la religion cette année, je n'ai pas fait grand-chose... Une quantité de cours où je n'étais pas là, je faisais un travail quelconque, au premier semestre, il ne me connaissait pas, alors, on a eu une dissertation à faire, j'ai fait ça en une heure ou deux, quatre pages, j'ai eu, je pense 68 %.

[À propos de ses parents.] Mon père a des positions périmées. Ma mère considère que la religion c'est fait pour être vécu, si on veut ou si on ne veut pas. Alors, j'ai entière liberté de ce côté-là. Elle considère que si une personne a décidé de ne pas faire de religion, c'est bien simple, elle n'en aura pas, et que le mieux à faire c'est peut-être d'espérer qu'elle en aura une... j'espère qu'elle n'espère pas, parce qu'elle espère pour des prunes. Mon père, je n'ai pas discuté avec lui à ce sujet-là. Je connais ses vues moyennes : au Québec, tout est pour le mieux dans le meilleur des mondes... et puis... vraiment périmées... même périmées d'après les doctrines actuelles, disons, de l'Église catholique romaine... pour ceux qui les suivent. Forcément, il n'y a pas moyen de discuter non plus.

— Est-ce qu'entre vous, avec les amis dont vous parliez tantôt, ou avec les confrères de classe... vous...

— J'ai retrouvé de mes idées, et ça j'étais bien content, j'ai retrouvé de mes idées chez les autres, ou bien j'ai trouvé chez les autres des idées qui avaient beaucoup de bon sens, auxquelles je n'avais pas encore pensé. Enfin, j'ai retrouvé de mes idées, à ce moment-là, je ne fais pas fausse route. Par exemple, celui chez qui j'ai été à Saint-X : on diverge à certains points de vue, à d'autres points de vue on est absolument d'accord. Par exemple, au point de vue de l'inutilité des religions, c'est une évidence même, pour nous c'est une évidence.

— Changeons de sujet maintenant. Si je vous demandais quelle place, ou de quelle façon vous concevez une morale ou l'existence d'une morale ?

— Chaque homme a sa morale. S'il est éduqué normalement et qu'il n'a pas, disons, de difficultés monétaires dans sa vie, ou enfin, s'il est élevé de telle manière que son psychisme n'est pas affecté d'une manière ou d'une autre, il peut très bien avoir le sens, d'après la loi naturelle, de l'intégrité. Il y a des gens qui ne professent aucune religion et qui sont beaucoup plus intègres que d'autres gens. Quand je vois des gens, des avocats qui volent « à tour de bras » leurs clients, qui puisent dans la caisse électorale, qui, le dimanche, à l'église sont dans le premier banc, ça me dégoûte... Chaque homme a sa morale. En tant qu'homme, la loi naturelle lui dicte de faire telle et telle chose et, disons qu'à quinze ans ou à seize ans, il n'a pas de morale pendant un certain temps, mais il va se rendre compte que selon la loi naturelle, selon l'établissement des choses actuelles, tel et tel fait... et s'il a fait une erreur, s'il est intègre, il peut la corriger.

— Si vous repensez à votre expérience à vous, de quelle façon définiriez-vous votre morale ?

— Suivre la loi naturelle, disons. Enfin, suivre un instinct bien balancé. Un instinct animal, mais humanisé, étant donné que l'homme est un animal pur et simple. Une série de réactions physico-chimiques, physiologiques, tout ce qu'on veut, enfin tout ce qui s'ensuit. Principes mécaniques, chimiques. À ce moment-là, l'homme, il faut qu'il suive sa nature. Forcément, pour suivre sa nature, il faut qu'il vive, mais je crois que j'ai été assez chanceux pour ça. D'une manière où il peut suivre sa nature assez facilement, c'est-à-dire ne pas être trop emporté... De ce côté-là, je crois que ma mère a fait beaucoup, par exemple, pour moi, même avant qu'on me le dise, si quelqu'un a quelque chose, je n'ai pas d'affaire à le prendre, la simple loi naturelle de l'homme lui dicte de ne pas le prendre. S'il le prend, il en prend l'habitude peut-être, il commence par un œuf, il finit par un bœuf, mais si la loi naturelle est assez bien suivie, si, justement, il se dit : non, c'est pas pour moi, ça, ça finit là, c'est réglé, le problème est réglé, il n'a pas d'affaire à le prendre. À ce sujet, je renie la religion : l'Église catholique romaine, disons, à certains points de vue moraux qui découlent tout simplement de la loi naturelle, n'a rien inventé, d'autres points ont été inventés. Enfin, c'est simplement une adaptation d'un certain idéal de la loi naturelle.

Parvenu au terme de notre démarche, on pourra nous demander pourquoi nous n'avons pas tenté d'établir certaines mesures quantitatives. Il nous faut invoquer encore une fois le stade d'exploration dans lequel se situe notre recherche. Notre typologie, en somme, constitue un essai de synthèse des diverses conceptions de l'expérience religieuse ou, si l'on préfère, des divers types de cohérence vers lesquels il est possible de s'orienter. Mais il faut rappeler en même temps que cette typologie aurait dû, au fond, être rédigée au conditionnel et qu'elle présente une série d'hypothèses à vérifier au cours de recherches ultérieures. Précisons également que notre typologie formulée pour les besoins de notre propre recherche, ne prétend pas décrire l'ensemble des expériences religieuses possibles, mais que, par ailleurs, elle présente très probablement des informations utiles à l'établissement d'une typologie générale.

VII

Un type idéal d'expérience religieuse

Jusqu'ici nous avons tenté de décrire divers types d'attitudes à l'égard des secteurs de l'univers religieux : Dieu, le prêtre, la pratique, le dogme, la morale, etc. Pour chacun de ces secteurs nous avons dégagé des attitudes différentielles. Il s'agissait précisément pour nous de faire l'inventaire des types de conceptions de l'expérience religieuse, dont témoignaient nos informateurs. Nous nous sommes rendu compte que bien que l'Église propose à ses membres un ensemble de normes relativement structurées et homogènes et que la population étudiée ait été relativement homogène sur le plan sociologique nos informateurs n'entretiennent pas moins une grande diversité de conceptions et d'attitudes religieuses.

Cette analyse se basait sur deux sortes de données : sur des interviews peu structurées et sur les réponses à un questionnaire. Dans les deux cas, diverses tendances se sont manifestées. Au cours de l'analyse du matériel d'interview qui différait grandement de celle des réponses au questionnaire, nous n'avons nullement tenté de quantifier les résultats. De toutes les tendances dégagées, nous ne savions donc pas lesquelles étaient partagées par la plupart de nos informateurs. L'analyse des réponses au questionnaire permettait cependant ce genre de quantification : même en utilisant des statistiques très simples, comme nous l'avons fait, il était possible de connaître, pour chaque question, ou pour chaque thème inventorié, les principales tendances qui se dégageaient des résultats [1].

L'objectif de ce chapitre, rappelons-le, est d'indiquer l'un des principaux choix existentiels qui s'imposent à chacun au niveau global de son expérience religieuse. Cette démarche, qui est la nôtre, suppose que, d'une façon ou d'une autre et plus ou moins confusément, chacun doit se situer par rapport à un certain modèle que lui présente son milieu. Ce modèle tient à la fois d'un type idéal, au sens webérien, puisqu'il rassemble en un tout cohérent des éléments plus ou moins épars que l'on ne retrouve pas comme tels dans la réalité ; et du type modal, au sens que donnent à ce concept certains anthropologues puisque, à partir de l'analyse empirique, nous faisons l'hypothèse que, de tous les types idéaux qu'il serait possible de formuler, c'est vers celui-ci que s'oriente le plus grand nombre d'informateurs. C'est pour cette dernière raison que nous appellerons ce modèle *le type de référence de l'expérience religieuse des jeunes.* Ce modèle décrit la conception religieuse d'une personne qui aurait intégré en un tout cohérent les principales tendances dynamiques de l'expérience religieuse des jeunes de notre échantillon.

A. VALEURS FONDAMENTALES DE L'EXPÉRIENCE RELIGIEUSE

Nous pouvons décrire le type de référence d'expérience religieuse à partir de six valeurs fondamentales ou ultimes. Ces traits fondamentaux, croyons-nous, caractérisent et expliquent l'ensemble de l'expérience religieuse telle qu'elle est vécue et telle qu'elle s'exprime à travers les données recueillies. Nous allons les formuler brièvement pour ensuite en montrer la validité quant à la conception que chacun se fait de Dieu, de l'Église, de la morale et des pratiques cultuelles.

1. Le lecteur aura noté qu'au cours de l'analyse statistique du chapitre v nous n'avons pas toujours insisté sur les tendances modales. Nous avons mis surtout l'accent sur les réponses qui s'éloignaient sensiblement des conceptions « traditionnelles » du catholicisme.

1. Authenticité. — Un de ces traits fondamentaux se définit comme la recherche de l'authenticité. Selon cette conception, l'expérience religieuse n'a de sens et de valeur qu'à deux conditions : d'une part, la conscience et la définition de l'expérience religieuse qu'a la personne concernée doit correspondre à cette expérience, c'est-à-dire aux attitudes et aux conduites religieuses ; d'autre part, cette même expérience religieuse doit être en accord avec l'ensemble des expériences vécues par la personne. Explicitons davantage chacune de ces deux dimensions de l'authenticité.

En termes rogériens, la première peut se définir par la *congruence* entre l'expérience et la conscience de l'expérience. Ce que nous voulons dire ici, c'est que telle conduite religieuse — par exemple, l'adhésion à telle ou telle croyance — n'est valorisée que dans la mesure où elle coïncide avec l'expérience de la personne, c'est-à-dire qu'elle est l'occasion ou la manifestation de ce que nous avons appelé la congruence. Prenons par exemple la croyance en un Dieu infiniment bon. Si l'adhésion à cette croyance est congrue avec les expériences antérieures et si, au cours des expériences religieuses actuelles ou passées, la personne a le sentiment d'avoir fait l'expérience d'un Dieu bon, alors l'adhésion à cette croyance prendra ce caractère d'authenticité et sera valorisée. Si, par contre, la personne a plutôt le sentiment que, dans ses propres expériences, c'est un Dieu méchant et menaçant qu'elle a connu, l'adhésion à cette croyance en un Dieu infiniment bon apparaîtra comme une conduite inauthentique et ne sera pas valorisée. Définie de cette façon, il est probable que l'authenticité a toujours été une dimension importante de l'expérience religieuse. Ce qui caractérise toutefois l'expérience idéale que nous décrivons est que l'authenticité apparaît comme une valeur fondamentale et prédominante, sans laquelle l'expérience religieuse perd tout son caractère sacré et extraordinaire.

La seconde dimension de l'authenticité se ramène, en termes rogériens, à un phénomène de *cohérence*. L'expérience religieuse ne sera valorisée qu'à la condition d'être la source d'une plus grande cohérence du champ psychologique. Si telle expérience religieuse apparaît incohérente avec une autre expérience religieuse, si, par exemple, la participation à la messe et la croyance en Dieu ne se présentent pas comme étant deux expériences en continuité et formant un ensemble cohérent, la personne aura tendance à nier toute valeur sacrée à ces expériences. Seules, donc, les conduites religieuses qui sont la source d'un sentiment de cohérence seront valorisées et reconnues comme sacrées. Ce phénomène de cohérence, comme celui de congruence, constitue en fait une dimension inhérente à toute expérience humaine ; mais retenons ici que cette forme d'authenticité est perçue et définie comme une condition *sine qua non* de l'expérience religieuse idéale. Nous verrons plus loin comment l'authenticité marque les divers éléments de la vie religieuse : croyances, pratiques, etc.

2. AUTONOMIE. — Un autre trait fondamental de l'expérience religieuse idéale est la valorisation de l'autonomie de la personne. Nous avons déjà défini l'autonomie au chapitre premier. Rappelons rapidement qu'une personne autonome est celle qui a en elle-même les critères lui permettant soit de s'évaluer elle-même, soit d'évaluer les personnes ou les institutions avec lesquelles elle vient en contact. Une personne, par exemple, qui aspire à changer d'attitude à l'égard d'une pratique religieuse : si elle est autonome, elle n'acceptera ou ne favorisera chez elle ce changement d'attitude que si sa propre expérience l'a conduite vers cette nouvelle orientation. En somme, elle ne changera pas par suite d'une nouvelle directive venue de l'extérieur, de l'Église, par exemple ; par contre, elle va changer ou modifier son attitude, même si les directives de l'Église ne changent pas, dès que sa propre expérience l'aura amenée à mettre en cause son attitude antérieure, d'une façon ou de l'autre.

L'autonomie n'implique pas, en soi, le rejet de toute adhésion à une institution religieuse comme l'Église, mais elle implique un mode particulier d'appartenance à cette Église. Et ce mode suppose que les normes et les valeurs suggérées par l'Église à ses membres ne sont acceptées et valorisées qu'à la condition d'être intériorisées et de devenir ainsi partie intégrante de l'image que la personne se fait d'elle-même et de son moi idéal. Le type de référence de l'expérience religieuse qui se dégage de nos données implique donc le rejet d'une adhésion dogmatique à une Église, adhésion qui supposerait, en définitive, des critères d'évaluation appartenant à l'Église plutôt qu'à telle ou telle personne [2].

En fait, l'autonomie apparaît comme une autre forme de l'authenticité. Mais peu importe ici ce problème de définition conceptuelle. Retenons simplement que, tout autant que l'authenticité, l'autonomie est un trait fondamental de l'expérience religieuse de référence.

3. Religion individuelle et non pas collective. — L'autonomie, nous venons de le rappeler, n'implique pas nécessairement le rejet de toute participation à une Église ou à toute autre institution religieuse. Pourtant, l'ensemble de nos données indique clairement que l'expérience religieuse de référence se caractérise par l'individualisme. Ce modèle de référence laisse peu de place aux expériences collectives, même si, en général, ces expériences se font dans le cadre de l'Église. La notion même d'Église, les croyances ou les pratiques suggérées par celle-ci, le Christ, le prêtre, sont autant d'éléments religieux qui ne sont pas totalement rejetés, mais qui ne symbolisent plus une participation à un mouvement collectif.

La messe nous en fournit un bon exemple : elle est acceptée comme une pratique ayant idéalement beaucoup de valeur ; mais sa valeur tient surtout à ce qu'elle permet des moments de réflexion, ou un dialogue privé avec Dieu ; rarement est-elle conçue comme la représentation symbolique d'une communication entre une collectivité et un Dieu. En résumé, disons que dans l'expérience religieuse idéale que nous

2. Le terme « dogmatique » est ici employé au sens que Rokeach lui donne. L'attitude à l'égard d'un élément donné, par exemple le contrôle des naissances, est dogmatique dans la mesure où ce qui sert de fondement à cette attitude est avant tout la directive émanant d'une autorité (voir Milton Rokeach, *The Open and Closed Mind*).

décrivons, l'Église n'est pas rejetée, mais que la notion d'Église (comme expression d'une collectivité) est ignorée. En ce sens, l'expérience religieuse est avant tout une expérience privée et individuelle, même quand elle a lieu en bonne partie dans les cadres traditionnels de l'Église.

4. Communication. — Un autre trait fondamental du modèle de référence de l'expérience religieuse réside dans la tendance à définir cette expérience comme une communication avec Dieu. La notion de dialogue revient souvent à l'esprit de l'informateur qui tente de décrire sa conception de la religion : être religieux, consiste alors à entrer en communication avec son Dieu. L'essentiel de l'expérience religieuse n'est pas seulement de se sentir en présence d'un Être supérieur, supra-humain, mais d'avoir le sentiment d'être en communication avec cet Être supérieur. En ce sens, on peut dire que le sentiment de communication avec Dieu accompagne la plupart des expériences religieuses les plus valorisées.

Dans le champ psychologique, le dialogue avec Dieu tient une place beaucoup plus importante que l'admiration d'un Dieu tout-puissant. Ce trait se retrouve également, par exemple, dans la conception qu'on se fait du prêtre idéal. Celui-ci est moins le représentant symbolique d'un Dieu, qu'une personne hautement idéalisée, dont la qualité principale est, justement, de pouvoir communiquer avec soi. Ce prêtre idéal, on l'a vu, est celui qui « comprend », celui qui n'est pas étranger à l'univers des jeunes, celui qui est « humain », celui à qui on peut se confier, etc. Il tire davantage son autorité de sa capacité de compréhension que de sa participation symbolique à une divinité transcendante. Or, parmi tous les symboles religieux dont s'alimente l'expérience religieuse de référence, le prêtre est probablement le plus puissant. Il est donc extrêmement important de constater que, dans la mesure où le prêtre est défini — plus ou moins confusément — comme symbole religieux, c'est de sa capacité de communiquer, plus que de sa participation à un Dieu tout-puissant, qu'il tient cette valeur de symbolisation.

5. Relation personnelle. — Un dernier trait du modèle de référence de l'expérience religieuse se définit non seulement comme l'expérience d'une communication mais, plus spécifiquement, comme l'expérience d'une communication ou d'une relation personnelle. Ceci signifie d'abord qu'on conçoit Dieu lui-même comme une personne — ce qui était déjà implicite dans le paragraphe précédent — mais aussi que toute la personne est mise en cause lors de l'expérience religieuse. Il ne s'agit pas d'une expérience segmentaire, n'engageant que certains aspects de la personnalité et certains moments de la vie. L'expérience religieuse doit être une expérience personnelle, en ce sens qu'elle est totale et recouvre l'ensemble de l'expérience humaine.

Cette personnalisation du rapport Dieu-homme ne constitue pas, évidemment, un trait isolé de l'expérience religieuse, mais est, au contraire, intimement liée aux autres caractéristiques que nous avons déjà décrites. Ce trait fondamental influence plusieurs attitudes religieuses particulières, comme, par exemple, l'attitude vis-à-vis de la messe ou vis-à-vis de la morale générale. En relation avec cette personnalisation des rapports entre l'homme et Dieu, il faut noter également une certaine ambivalence : l'expérience de Dieu délaisse parfois la communication personnelle pour s'orienter plutôt vers une relation objective et impersonnelle. Dieu n'est plus, en ce cas, une personne avec qui on a un contact personnel, mais un *objet* qui est étudié, analysé ; il devient, en somme, l'objet d'un processus strictement rationnel. Il est significatif que cette attitude rationnelle ne se retrouve pas dans tous les secteurs de l'expérience religieuse, mais avant tout dans l'expérience de Dieu lui-même [3].

6. L'intensité de l'expérience religieuse. — Les cinq traits que nous venons d'indiquer définissent l'orientation générale de l'expérience religieuse. Sur le plan de l'intensité, ce modèle de référence indique que dans son expérience quotidien-

3. Voir « Type 1. La messe, expérience rationnelle », chap. III, p. 89.

ne, l'individu ne se définit pas comme étant très religieux, bien qu'idéalement il y tende ; l'expérience religieuse intense constitue un idéal à atteindre, quel que soit son niveau actuel de religiosité. Telle est la tendance qui se manifeste clairement à partir des item du questionnaire portant sur le sentiment général de religiosité.

Comme nous avons dégagé ce modèle de l'expérience religieuse à partir des données déjà présentées au cours de l'analyse, il n'est pas nécessaire de démontrer comment chaque élément de l'expérience religieuse est relié à ce type de référence. Contentons-nous ici de quelques exemples.

B. QUELQUES APPLICATIONS

1. Dieu. — C'est à l'égard de Dieu lui-même que se manifeste le plus clairement l'ambivalence dont nous venons de parler entre l'attitude affective et l'attitude rationnelle : tantôt, Dieu est vu comme un objet que l'on tente d'analyser à l'aide d'une démarche rationnelle, tantôt, comme celui avec qui on tente d'entrer personnellement en dialogue. Cette dernière tendance est cependant la plus importante, en ce sens qu'elle influence un plus grand nombre d'expériences religieuses. Par exemple, une pratique cultuelle comme la messe n'est pas du tout envisagée sous l'aspect rationnel, mais avant tout comme une forme de dialogue avec Dieu [4] ; les dogmes relatifs à la messe sont moins importants, même sur le plan de la religion idéale [5]. Or, c'est surtout par la réflexion sur les dogmes que l'attitude rationnelle peut devenir importante.

Par ailleurs, il semble évident que l'expérience religieuse à l'égard de Dieu est avant tout une expérience individuelle et personnelle. Dieu est conçu comme une personne avec qui on peut communiquer (voir item 4). Ce dialogue personnel est un élément essentiel de la religion (item 42). La messe est d'abord l'occasion d'un tel dialogue (item 14) et

4. Voir item 14 du questionnaire.
5. Voir item 41 du questionnaire.

une proportion assez forte d'informateurs (surtout si on considère la position officielle de l'Église sur ce point) préféreraient se confesser directement à Dieu (item 21). Enfin, cette communication entre l'homme et Dieu est aussi personnelle en ce sens qu'elle engage les principaux secteurs d'activité de la personne (item 32). Par ailleurs, on a le sentiment de ne pas beaucoup connaître le Christ affectivement, bien qu'il faudrait le faire idéalement ; c'est là un autre indice du fait que l'intensité de l'expérience religieuse n'est pas proportionnelle à l'idéal qu'on se pose. Le Christ, cependant, est souvent perçu comme celui dont on peut se faire plus facilement une représentation et comme celui qu'il est plus facile de prendre comme modèle concret [6]. Accepter qu'idéalement on devrait connaître le Christ davantage exprime fort probablement l'idée qu'on devrait avoir avec Dieu une communication encore plus personnelle.

Dans l'ensemble, les données recueillies au sujet de Dieu ou du Christ sont donc cohérentes par rapport au modèle de référence que nous avons formulé. À l'item 6, on voit que ceux qui associent l'Église et l'expérience religieuse sont proportionnellement aussi nombreux que ceux qui ne font pas l'association [7].

2. L'Église. — La plupart des item portant sur l'une ou l'autre dimension de la vie ecclésiale mettant en lumière les traits fondamentaux dégagés précédemment. Ainsi le culte individuel est souvent préféré au culte collectif (item 15 et 36). On a déjà vu cette tendance apparaître, même dans le cas de la confession (item 21). Les définitions dogmatiques que l'Église propose à ses membres sont relativement peu importantes (item 19). En tant qu'institution, l'Église est peu valorisée et apparaît comme une dimension profane de l'expérience religieuse [8]. Le fait que son fondateur, le Christ, soit

6. Voir l'analyse d'interviews.

7. Que 38,5 % des informateurs rejettent cet item 6 : « Je crois que ma vie religieuse n'aurait pas de sens hors de l'Église », demeure un bon indice du rejet de l'expérience ecclésiale.

8. Voir l'analyse des entrevues portant sur le prêtre.

peu ou mal connu prend ici une nouvelle signification : le Christ est davantage défini comme l'incarnation d'un Dieu que comme le fondateur d'une Église. Le prêtre, également, est valorisé non pas tant parce qu'il est ministre d'une Église, mais plutôt parce qu'on le définit symboliquement comme l'expression d'un Dieu avec qui on a des contacts individuels et personnels. On a vu, d'ailleurs, que l'Église apparaît souvent comme une institution qui éloigne le prêtre du laïc et l'empêche de comprendre celui-ci. Bref, encore une fois, nos données coïncident généralement avec notre définition du type de référence de l'expérience religieuse.

3. Les pratiques cultuelles. — Le culte est un élément de toute religion organisée et, en ce sens, constitue une dimension de la vie ecclésiale. C'est probablement à cause de cette dimension que la pratique est considérée par beaucoup d'informateurs comme un aspect secondaire de la religion. Dans l'ensemble, on ne rejette pas globalement la pratique religieuse, mais on n'y voit guère une expérience collective (item 15 et 36). Par ailleurs, les pratiques — et en particulier la messe dominicale — apparaissent comme des expériences d'où sont exclues en bonne partie l'autonomie et l'authenticité : la messe n'est pas en continuité avec l'ensemble des expériences vécues et constitue une source d'inauthenticité, alors qu'elle est pourtant fortement valorisée sur le plan de la religion idéale (item 38). La volonté de transformer la pratique cultuelle en une expérience authentique et autonome se traduit par l'importance accordée aux motivations personnelles de cette pratique.

4. Morale. — La morale apparaît souvent comme une recherche d'authenticité : adhérer à certaines croyances ou pratiquer certains cultes n'ont alors aucune valeur, à moins que ces expériences n'influencent la vie de tous les jours et ne soient donc intégrées à l'ensemble de la vie personnelle (item 2, 32, 38, 27, etc.). Ainsi, refuse-t-on facilement à l'Église le droit de définir des règles morales de façon trop spécifique et trop rigide, comme, par exemple, dans le domaine de la sexualité (item 3), parce qu'alors elle empêche l'autonomie personnelle.

Parmi nos informateurs, tous ne s'orientent pas nécessairement vers la réalisation du modèle que nous venons de dégager. Nous pouvons cependant supposer qu'une assez forte proportion d'entre eux tendent à faire coïncider leurs expériences religieuses avec ce type de référence et que ce modèle de référence influence même ceux qui s'en éloignent. Par exemple, il est possible de concevoir l'expérience religieuse comme essentiellement collective tout en accordant la même prépondérance à l'authenticité et à l'autonomie.

Deuxième partie

L'EXPÉRIENCE RELIGIEUSE ET LE PROCESSUS D'ACTUALISATION

La première partie de notre analyse portait sur la conception de l'expérience religieuse. Plus exactement nous avons dégagé un certain nombre de types d'expériences religieuses et ceci à plusieurs niveaux d'analyse. En considérant d'abord chacun des principaux éléments de la vie religieuse (croyances, rites, etc.) nous avons indiqué la diversité des attitudes et des orientations possibles. Nous avons ensuite montré comment ces divers éléments s'intégraient les uns dans les autres de manière à former un certain nombre de modèles ou de types d'expériences religieuses. Enfin, nous avons tenté de formuler ce qui apparaît comme un modèle plus général d'expérience religieuse à partir de six dimensions de l'expérience : l'authenticité de l'autonomie, la responsabilité individuelle plutôt que collective, la communication, la personnalisation et, enfin, l'intensité de l'expérience. Ce modèle général n'est pas nécessairement celui qui correspond à l'expérience même de chacun, mais représente un type d'expérience vis-à-vis duquel chacun, semble-t-il, doit se situer.

Cette seconde partie portera d'abord sur la relation entre les jeunes de notre échantillon et les divers *groupes* de référence religieuse : le clergé, les enseignants, les parents et les amis. Nous élargirons ensuite notre perspective pour vérifier la relation entre le processus d'actualisation de soi et l'ensemble de l'expérience religieuse. Aussi bien l'analyse de la relation avec les divers groupes de référence que la définition opératoire de l'actualisation de soi s'inspirent directement de la théorie exposée dans la première section de l'introduction. En ce sens, cette seconde partie reprend donc explicitement la problématique que nous y avons exposée.

La décision que nous avons prise de faire porter toute la première partie de l'analyse sur une simple typologie de l'expérience religieuse a pour conséquence de diviser notre recherche en deux grandes parties dont les liens n'apparaîtront peut-être pas évidents au premier abord. S'il nous a semblé indispensable de décrire et d'analyser longuement les divers types d'expériences religieuses, c'est d'abord que nous ne pouvions pas nous appuyer sur des analyses indépendantes de la nôtre pour poser, au point de départ, un certain nombre de possibilités existentielles qui s'offraient aux jeunes du milieu que nous étudiions : la sociologie du catholicisme et de ses diverses institutions ne nous fournit pas, à l'heure actuelle, des données suffisamment précises pour que l'analyse puisse se limiter aux seules dimensions de psychologie individuelle. Par ailleurs, il n'était pas de notre ressort d'entreprendre une telle analyse sociologique, qui aurait impliqué une armature théorique et méthodologique toute différente de la nôtre. La seule façon de contourner cette difficulté, était de reconstituer, à partir des expériences vécues par les personnes elles-mêmes, l'univers des types d'expériences qui se retrouvaient dans le milieu des jeunes étudiants. En ce sens, cette première partie présente des éléments pouvant ultérieurement servir à une sociologie du catholicisme. En même temps, elle reconstitue, bien que partiellement, le contexte socio-culturel à l'intérieur duquel chacun vit son expérience individuelle. Sans cette analyse typologique des expériences religieuses, notre travail, croyons-nous, serait artificiellement isolé de tout ce contexte social que chacun doit, à sa manière, intégrer à son expérience personnelle.

Comme, par ailleurs, notre analyse — particulièrement au moment de la formulation des typologies plus générales — utilisait le cadre conceptuel de la théorie de l'actualisation de soi, cette première partie présentait en même temps une analyse de l'image du moi au sens plein de la psychologie du *self*. Ceci était d'ailleurs inévitable puisque les instruments utilisés pour la cueillette des données s'inspiraient également des méthodes de la psychologie du *self*, l'interview non directive et le questionnaire du type *Q-Sort*.

Enfin, la première partie présentait en quelque sorte le *contenu* de l'expérience religieuse, alors que cette seconde partie s'attache surtout aux *processus* eux-mêmes de l'actualisation de soi. La théorie de l'actualisation de soi, en elle-même, met en effet l'accent sur un certain nombre de processus comme la cohérence interne, la congruence, l'autonomie, sans référence au contenu des expériences. Rogers, par exemple, explique à la fois les facteurs et les conséquences de l'incongruence, mais sans s'attacher aux événements ou aux situations qui sont à tel moment donné, pour telle personne, les principales sources d'incongruence. Cette perspective se comprend chez le thérapeute. Mais celui qui veut cerner l'expérience humaine, quelle qu'elle soit, dans une perspective psychosociologique ne peut ignorer ce contenu. C'est d'ailleurs, comme nous le montrerons, un contenu qui donne lui-même un sens aux processus. Ainsi la première partie indique — mais il s'agit bien d'*indications* seulement — ce par rapport à quoi sont vécues des expériences d'autonomie, d'incongruence, etc. Ces divers processus ne se retrouvent pas à « vide » dans l'expérience religieuse : ce n'est pas par rapport à n'importe quoi que les jeunes de notre échantillon seront incohérents ou auront le sentiment de n'être pas compris par le clergé ou les parents, ce sera surtout par rapport aux divers choix existentiels, par rapport aux différents types d'expériences que nous avons dégagés dans la première partie de notre travail. Même si dans l'analyse qui suit on ne trouve pas une intégration systématique du *contenu* et du *processus* de l'expérience religieuse, il ne faudra pas oublier que cette expérience implique l'un et l'autre. En ce sens les deux parties de notre analyse se complètent.

Trois chapitres seront consacrés aux expériences religieuses impliquant des contacts avec divers groupes de référence ou divers « autres significatifs ». Au premier chapitre, nous décrirons simplement comment ces groupes de référence sont représentés dans le champ de conscience. Au chapitre II, nous nous demanderons si les relations avec certains groupes de référence importants s'incrivent ou non dans un processus d'actualisation. Au chapitre III, enfin, nous analyserons ces mêmes groupes de référence mais, cette fois, pour faire ressortir les traits particuliers à chacun et montrer leurs fonctions différentielles par rapport à l'actualisation. Un dernier chapitre (chap. IV) nous permettra une vérification empirique de la relation existant entre le processus d'actualisation et l'expérience religieuse. Au cours de cette dernière démarche, nous utiliserons des instruments de recherche et des mesures auxquels nous n'aurons pas eu recours jusqu'alors. Cette vérification statistique porte donc sur des données indépendantes.

I

Les groupes de référence et l'image de soi

Un inventaire des divers groupes de référence ou des divers « autres significatifs », selon l'expression de G. H. Mead, indiquerait sans doute une grande diversité des influences religieuses : les directeurs spirituels, les aumôniers, les enseignants, les prêtres de la paroisse, les aumôniers d'associations, etc. Parfois on se réfère aussi de façon plus générale aux prêtres, à l'Église ou à « son » collège. Il y a également les parents : la mère, le père, parfois un frère, une sœur, un beau-frère, etc. Il y a aussi les divers autres groupes religieux : les Témoins de Jéhovah, les « non-pratiquants », etc. Parfois ces « autres » sont les membres d'une classe sociale ou d'un milieu professionnel donné. Dresser un tel inventaire ne servirait cependant pas notre objectif. Nous nous proposons plutôt de montrer la grande diversité des modes de représentation des divers groupes de référence religieuse : il s'agit ici de formuler empiriquement les catégories qui nous semblent rendre compte de cette diversité.

A. L'AUTRE, EN GÉNÉRAL

Certains se réfèrent aux autres en parlant des gens *en général,* de l'entourage, du « monde », des gens d'aujourd'hui ou de la majorité (sans préciser les proportions statistiques).

Il s'agit d'un « autre » vague, incluant des gens connus et inconnus, d'un « autre» tellement inclusif, par ailleurs, que souvent l'informateur s'y trouve lui-même inclus. Cette façon de se représenter les autres, en général, est très fréquente.

> Les gens sont passifs... il y a encore de bons chrétiens, on ne peut pas dire qu'il n'y en a plus, mais je crois qu'en général, le monde n'a pas le temps de penser à cela, ils ont trop d'activités... (N° 33)
>
> Une chose que je trouve assez frappante, c'est que presque tous les gens pensent en termes d'argent, surtout la masse ouvrière, le week-end surtout, le dieu week-end qui mène tout... (N° 14)
>
> Quand on va à la messe, le dimanche, les gens autour de moi, je sens qu'ils ne comprennent rien... et quand je me pose la question : qu'est-ce que tu comprends là-dedans ?... Peut-être que leur foi, c'est une foi intuitive, ça c'est sûr, disons une foi de charbonnier, mais dans le fond nous ne sommes pas mieux qu'eux. (N° 30)

La même tendance se retrouve quand on parle des « prêtres en général », des frères, des « gars », etc.

> Je crois que les frères, il y a un problème de communauté là-dedans, parce que les frères, ils sont strictement dévoués à l'éducation... A l'occasion ils peuvent donner un bon conseil, ou... au point de vue religieux, il y en a quelques-uns parmi ces frères qui sont vraiment des bons frères. (N° 1)
>
> Les gars, je pense, ils sont d'accord pour améliorer la religion, améliorer leur vie religieuse, mais je ne sais pas si on met en pratique cet idéal-là, si on fait quelque chose pour l'améliorer, moi compris. (N° 21)

B. LES SOUS-GROUPES

Parfois, en se référant aux autres, les informateurs font ressortir l'existence de plusieurs sous-groupes. Très souvent, l'un d'entre eux s'identifie à l'un de ces sous-groupes, mais il arrive aussi que l'énumération de ceux-ci serve à indiquer que plusieurs attitudes existent et qu'elles sont toutes valables. Ainsi, dans les citations qui suivent, l'informateur n° 5 s'identifie-t-il certainement à « ceux qui posent des points d'interrogation » ; l'informateur nº 18, par contre, ne prend pas position.

> J'en connais dans ma classe qui ne pratiquent pas. Ils ne le disent pas ouvertement, mais ils ne pratiquent pas ; pour moi, la religion, ça ne les intéresse pas. Il y en a d'autres pour qui c'est toujours la même rengaine qui recommence, le vieux système... On fait bien des choses parce qu'on est obligé de les faire. Il y en a quelques-uns qui s'intéressent vraiment au problème, qui se posent vraiment des points d'interrogation, qui disent, bon, là-dedans, il y a quelque chose, on va essayer de le trouver... (Nº 5)

> Les gens que je côtoie, les amis, enfin, je pourrais les dire religieux, pieux, enfin... ce sont des gens assez appliqués à la religion... Il y en a qui vont à l'adoration nocturne, par exemple. Ils sont convaincus de leur affaire. C'est pas une question de routine pour eux, ça j'en suis convaincu. Il y en a qui mettent peut-être plus l'accent sur la charité, il y en a qui font partie des organisations de liturgie, il y en a qui s'efforcent de faire partie d'organisations pour aider les autres. (Nº 18)

C. *L'AUTRE, MESURE STATISTIQUE*

Certains se réfèrent aux autres en termes statistiques, les divisent sous forme de proportions et de pourcentages, s'en remettent à des sondages d'opinion, à des enquêtes, pour structurer l'image qu'ils ont de la religion des autres. Cette façon de voir les autres, de se référer à eux, se rapproche de la catégorie B. Ici, la représentation est basée sur une classification statistique plus ou moins rigoureuse. Les exemples en sont nombreux.

> Je dirais que 60 % des gens pratiquent le dimanche... (Nº 2)

> Contrairement à ce qui fut rapporté par *le Quartier latin*, pour le collège Saint-Laurent, que 78 % des élèves se disaient non-pratiquants, non, ça je ne pourrais pas dire cela. Dans ma classe, sur 56 élèves au début de l'année, au maximum, il pouvait y avoir un ou deux non-pratiquants, ce qui représente à peu près 2 %.

D. *L'AUTRE GÉNÉRATION*

Il y a encore ceux qui se réfèrent aux autres en termes de « génération » ou en termes d'un groupe d'âge différent du leur. Il s'agit parfois de la génération des parents ou des « vieux », parfois des « gens de plus de trente ans ». Dans tous les cas, ces groupes d'âge s'opposent à « nous, les jeunes ». L'expression marque habituellement un sentiment plus ou moins profond de brisure entre « eux » et « nous ».

> Eux autres, ils ont été influencés quand ils étaient jeunes. On dirait qu'ils cherchent encore à conserver la manière d'agir qu'ils avaient étant jeunes. Eux autres, ils sont à cheval sur les principes. Je ne sais pas si nous autres, rendus au XXe siècle, on est plus large... mais on voit ça sous un autre angle. (N° 20)
>
> Souvent, ils [les vieux de trente ans] auront des idées mais ils n'osent pas les exprimer, ils ont appris à être sages, ils savent qu'il y a des choses qu'on peut se permettre de penser, mais pas d'exprimer. Alors, si vous leur en parlez ils vont vous en parler, mais si vous ne leur en parlez pas ; ils n'en parlent pas. Ils sont tombés un peu dans la routine. (N° 34)

Par ailleurs, l'autre génération est parfois celle des plus jeunes que soi. Pour l'informateur de 18-20 ans, le groupe d'âge de 15 ans et moins appartient souvent à un autre monde.

> ... seulement d'après leur façon d'agir, on voit que c'est différent. Souvent ça les laisse indifférents, surtout à l'âge de 15-16 ans, ça les laisse très indifférents. Et ensuite, arrivés à l'âge de 20 ans, soit qu'on prenne le bon bord, soit qu'on prenne le mauvais... (N° 28)

Ce groupe de référence, celui des plus jeunes, celui qu'on définit souvent comme appartenant à l'âge de l'enfance, est très important, même si les informateurs ne le mentionnent pas très souvent. C'est que, la plupart du temps, on s'y réfère pour parler de soi-même et de ses expériences religieuses antérieures. Jusqu'à un certain point, l'« autre » plus jeune que soi, c'est celui que l'on a déjà été soi-même. Il semble que, chez nos jeunes informateurs, le décalage est si considérable par rapport à ce qu'ils ont le sentiment d'avoir été au cours de leur jeune âge que le « moi religieux d'hier » devient souvent *quelqu'un d'autre.*

E. L'AUTRE QUE JE SERAI

Des informateurs se réfèrent aux autres symbolisant ce qu'ils seront peut-être : étudiants d'une université, membres de professions libérales. Il s'agit de groupes de référence « anticipatoires », par rapport auxquels ils se définissent déjà. C'est une façon de sélectionner, parmi les autres, ceux qui représentent actuellement ce qu'ils seront plus tard, qui vivent actuellement la situation dans laquelle ils s'engageront éventuellement.

Contrairement à la catégorie précédente (l'autre génération), il s'agit ici d'un « autre » avec lequel l'informateur se sent déjà en communication. Il arrive souvent qu'il ne soit pas d'accord avec les conduites religieuses de ces autres (*v.g.* n° 20), ou qu'il avoue simplement ne pas les comprendre (*v.g.* n° 33). Mais s'il y a désaccord, il n'y a pas de sentiment de brisure ou de discontinuité entre *moi et l'autre.* D'ailleurs, c'est ce qui permet à l'informateur n° 26 de prévoir la possibilité d'être influencé par ce groupe de référence :

> ... parce qu'il y a bien des professionnels qui pratiquent mal leur religion ; assister à la messe le dimanche, c'est tout ce qu'ils font ; c'est ça qui me frappe : des types comme ça qui sont l'élite, qui ont des connaissances supérieures, on ne peut pas dire que ce sont des méchants types, mais on ne les voit pas ailleurs, ils vont à la messe le plus tard possible... (N° 33)
>
> Je ne sais pas si c'est vrai, mais j'ai entendu dire qu'un bon nombre d'étudiants à l'Université ne sont pas croyants. Supposons que je devienne l'ami de l'un d'eux, je ne pense pas que ça m'influence... (N° 20)
>
> Il y a beaucoup d'étudiants en psychologie par exemple...
>
> Il y en a beaucoup qui perdent la foi. C'est parfaitement normal à cause du domaine humain qu'ils touchent, le spirituel a plus ou moins à faire quand on explique tout scientifiquement, ou enfin, presque tout... Je veux essayer

> de garder la foi. Je veux bien la garder. Mais je veux essayer d'être sincère. Si, à un moment donné, je vois que la religion ne me rapporte rien, que je ne peux continuer à la pratiquer, je vais m'arrêter, ça va se faire progressivement. (N° 26)

F. L'AUTRE COMME CATÉGORIE SOCIALE

Il y a encore la référence aux autres, considérés comme catégorie sociale. Ainsi, un informateur décrit la différence entre la mentalité de Montréal et celle des petites villes de province, un deuxième considère la classe sociale, etc. Devant ces deux exemples, l'informateur se trouve en présence, non plus d'individus, mais de structures sociales ou d'institutions.

> Mais c'est un milieu beaucoup plus froid au collège X. Au collège Y, on avait souvent des exercices religieux au collège même... Il me semble que lorsque les gars y assistaient, ils y prenaient une part plus active. Ça leur répugnait moins. Au salut du Saint-Sacrement, par exemple, c'est rare que j'y assistais à l'église paroissiale, mais au collège, j'y allais parce que ça ne me répugnait pas. (N° 22)
>
> Rencontrer des gens qui ont des opinions différentes ? — je ne dirais pas que j'en rencontre beaucoup, mais... très peu dans notre petite ville. Lorsqu'on voyage un peu, on a l'occasion d'en connaître. On s'aperçoit qu'on rencontre beaucoup plus de gens qui expriment leurs opinions dans les grands centres que dans les petites villes. (N° 34)

On l'a déjà vu, l'Église constitue également un autre que l'on définit très souvent comme institution. Il arrive aussi que l'on oppose la mentalité « moderne » à la mentalité « traditionnelle » de l'autre génération.

G. L'AUTRE AYANT UN SYSTÈME DIFFÉRENT DE VALEURS[1]

Enfin, une catégorie très largement utilisée est celle de l'autre qui a un système de valeurs différent du sien ; c'est

1. Cette expression veut traduire la notion de *disbelief* de Rokeach (voir Milton Rokeach, *The Open and Closed Mind*).

ce que Rokeach appelle le système de *disbelief*. Selon cet auteur, tout système de croyance d'une personne comprend deux régions du champ psychologique : toutes les croyances que cette personne identifie aux siennes propres et tout ce qui, selon elle, s'oppose à ses propres croyances.

C'est cette dernière région qu'il définit comme le système du *disbelief*. L'attitude à l'égard de tout ce qui appartient à ce système révèle le degré de dogmatisme de la personne : la personne dogmatique considérera, par exemple, que celui qui ne partage pas ses attitudes religieuses n'a absolument aucune valeur et ne peut rien avoir en commun avec elle. La personne non dogmatique, par contre, sera plus portée à considérer les similitudes qui peuvent exister entre elle-même et celui qui ne partage pas ses croyances. En un sens, toutes les catégories pourraient être réduites à cette dimension, puisqu'en définitive, on l'a déjà dit, chaque « autre » appartient, soit au système de croyances, soit à un système de valeurs considéré comme différent du sien propre *(disbelief)*. Ceci apparaît clairement, par exemple, dans la catégorie de l'autre génération : cette dernière est vue par les informateurs, la plupart du temps, comme ayant un système de valeurs différent du leur.

Mais si tous les autres peuvent, en dernière analyse, être considérés dans cette perspective, il arrive souvent aux informateurs de mettre eux-mêmes l'accent sur le fait que l'autre appartient à un univers religieux différent. Devant cet autre, on montrera plus ou moins d'intransigeance et on l'acceptera avec plus ou moins de réticence, selon son degré de dogmatisme ; mais il demeure que nos informateurs se situeront eux-mêmes par rapport à lui, soit en jugeant sévèrement cet autre (comme l'informateur n° 13), soit en cherchant à le comprendre (comme l'informateur n° 21), soit en niant qu'il y ait effectivement autant de différence entre l'autre et soi-même (comme l'informateur n° 27).

> Sur le plan religieux, cette année, au collège, il y avait de jolis numéros... Il y en a bien aussi dans les groupes qui disent : « ça ce n'est pas vrai », et puis, dans le fond, ils sont plus catholiques que nous autres. Je ne sais pas,

> on dirait que c'est un honneur pour ceux-là de dire que le bon Dieu ça n'est pas vrai... (N° 13)
>
> J'ai de la misère à concevoir un véritable athée, je ne sais pas si je me trompe, mais j'ai de la misère à concevoir cela. Comment se fait-il qu'il puisse exister un athée, peut-être un antithéiste, mais un athée, je ne vois pas comment on peut concevoir cela. (N° 21)
>
> Oui, parce que les incroyants, c'est des frousses de directeur spirituel ou d'autres. J'admets qu'il peut y en avoir. En fait, le problème, c'est qu'ils ne veulent pas s'engager. Ils peuvent avoir des comportements d'incroyants ; mais dans le fond, ils sont croyants, mais ils ne sont pas engagés. (N° 27)

Ces sept catégories, qui constituent les divers groupes de référence religieuse, décrivent autant de façons de se représenter les *autres.* Ajoutons que le même individu n'a pas qu'une seule représentation des autres. L'informateur n° 33, par exemple, se réfère : aux gens de l'entourage en général, aux membres du clergé qu'il a connus, aux « gars qui sont pires que lui », au noviciat où il a vécu quelques années, aux membres des professions libérales et de l'élite, dont il sera plus tard, aux anciens de son collège, aux gens de la paroisse, aux Témoins de Jéhovah, aux catholiques non pratiquants de l'université. On retrouve là les « autres », du passé, du présent et du futur. Dans son évolution personnelle, voilà autant de pôles qui lui permettent de se définir. Dans son cas, ses références sont très diversifiées : c'est déjà une façon particulière de se représenter les autres, de se situer par rapport à eux.

Il s'agissait dans ce court chapitre d'isoler ces façons de se représenter les autres, de se référer à eux et, éventuellement, de se situer par rapport à eux. Dans les deux autres chapitres, nous verrons comment les informateurs se représentent, non plus les *autres* comme tels, mais leurs *relations avec ces autres.* Cette analyse différera de celle-ci sur un autre point : elle utilisera les principales catégories propres à la théorie rogérienne, se situant ainsi à un niveau supérieur d'abstraction.

II

Le processus d'actualisation et les groupes de référence religieuse

L'objectif de ce chapitre est de répondre à la première des deux questions que nous avons déjà formulées : les expériences religieuses impliquant des contacts avec les divers groupes de référence ou les divers « autres significatifs » sont-elles ou non une source d'actualisation ?

A. CADRE THÉORIQUE D'ANALYSE

Nous allons ici nous référer très étroitement à la théorie rogérienne des relations interpersonnelles. Dans le cadre de cette théorie, plusieurs recherches ont démontré qu'au moins sur une longue période, une relation est d'autant plus satisfaisante qu'elle s'inscrit dans un processus d'actualisation de la personne. Pour une personne qui tend déjà vers une actualisation de plus en plus poussée de ses potentialités, une relation sera d'autant plus satisfaisante qu'elle lui permettra l'autonomie, la congruence et la cohérence dans ses expériences. De même, une relation au cours de laquelle une personne a le sentiment d'être comprise par l'autre sera toujours pour elle une plus grande source de satisfaction.

Par ailleurs, une personne qui, à un moment donné de sa vie, se situe au pôle opposé à celui de l'actualisation tendra à accorder moins d'importance à ce sentiment d'être comprise par l'autre. Cette personne se sent plus à l'aise dans une situation où elle reçoit de l'extérieur ses critères de valorisation, où l'autre tend moins à comprendre son propre cadre interne de référence qu'à lui fournir des jugements autoritaires à son égard. Autrement dit, elle se sent satisfaite de se trouver en contact avec une personne ou une institution qu'elle définit comme une autorité extérieure à elle-même et à qui elle manifeste une soumission par conformisme.

De plus, ce type de personne ayant, au cours de ses expériences antérieures, appris en quelque sorte à être moins cohérente et moins congrue, aura moins tendance à exiger que ses relations avec les divers groupes de référence religieuse soient une source de cohérence et de congruence. Le principal facteur de valorisation d'une expérience sera pour cette personne d'être soumise à certaines autorités religieuses, dut-elle pour cela, être moins cohérente et moins congrue. Dans la mesure où les expériences religieuses analysées ici ne sont pas orientées vers l'actualisation de la personne, les motifs de satisfaction ou d'insatisfaction par rapport à ces expériences ne seront en rien reliés aux diverses dimensions du phénomène d'actualisation. En d'autres termes, si ces expériences ne sont pas actualisantes, les motifs qui s'y rapportent ne devraient pas, en général, se rapporter à l'une ou l'autre des dix catégories que nous décrivons plus loin.

Nous aurons donc deux indices possibles de l'expérience non actualisante : *a)* soit que les motifs exprimés se rapportent à l'une ou l'autre des dimensions du processus d'actualisation et indiquent clairement que sur ce point l'informateur se situe au pôle opposé à celui de l'actualisation (*v.g.* si l'informateur se déclare insatisfait de ce qu'on ne lui fournisse pas un cadre suffisamment dogmatique, autoritaire), *b)* soit que les motifs exprimés ne se rapportent pas aux diverses dimensions de l'actualisation reflétées dans les dix catégories d'analyse. Dans ce cas, les motifs exprimés ne seront pas codifiables dans l'une ou l'autre de ces dix catégories d'analyse.

En résumant, nous pouvons alors légitimement formuler les deux propositions suivantes : 1) *Les expériences religieuses d'un informateur s'inscrivent dans un processus d'actualisation* si, d'une part, il se déclare satisfait de ses diverses expériences parce que celles-ci lui permettent d'être autonome, cohérent et congru et si, d'autre part, il se déclare insatisfait de ses expériences parce qu'elles l'empêchent d'être autonome, cohérent et congru ou parce que l'autre n'est pas lui-même autonome, cohérent ou congru ; 2) *Les expériences religieuses d'un informateur ne s'inscrivent pas dans un processus d'actualisation,* d'une part, si celui-ci se déclare satisfait des relations dans lesquelles il n'est pas lui-même autonome, cohérent ou congru ou s'il se déclare insatisfait des expériences qui exigent de lui une grande autonomie, une plus grande congruence ou une plus grande cohérence ; d'autre part, si les motifs de satisfaction ou d'insatisfaction ne présentent aucun rapport avec l'un ou l'autre des différents indices ou des différentes dimensions du processus d'actualisation. Ce sont ces dimensions que définissent les dix catégories d'analyse présentées subséquemment.

B. DONNÉES DE BASE UTILISÉES

Nous utiliserons ici les témoignages recueillis par interview et portant sur les relations entre les informateurs et les quatre groupes de référence suivants : le clergé, les parents, les amis et ceux qui donnent l'enseignement religieux [1]. Pour des motifs empiriques, nous avons restreint l'analyse à ces quatre groupes de référence parce que ce sont ceux qui apparaissent le plus souvent dans le champ psychologique des informateurs eux-mêmes et, par conséquent, ce sont les groupes pour lesquels nous avons le plus de données. De ces quatre groupes, nous avons indirectement choisi le clergé, parce qu'au moment de l'interview les divers contacts avec le clergé et l'Église furent systématiquement explorés. Les contacts se rapportant au clergé, décrits dans les interviews, sont alors plus nombreux que

1. Ces derniers peuvent être des prêtres, des religieux, des religieuses ou des laïcs.

pour les autres groupes. Ceci ne nous empêchera pas cependant de comparer les résultats des différents groupes entre eux dans le chapitre suivant.

L'analyse ne porte pas exclusivement sur des relations interpersonnelles, mais aussi sur tous les types de relations entre les informateurs et les « prêtres en général », l'Église, le collège, etc. Les matériaux analysés ici sont cependant indépendants de ceux qui nous ont servi à décrire la conception qu'on se fait de l'expérience religieuse : ce sont exclusivement les données par lesquelles l'informateur définit ou explique les relations qu'il a établies avec ces quatre groupes de référence.

C. MÉTHODE ET TECHNIQUE D'ANALYSE

La méthode utilisée est celle de l'analyse de contenu portant sur les témoignages relatifs à ces divers groupes de référence religieuse. Les catégories d'analyse se rapportent à la *relation* entre l'informateur et tel ou tel « autre significatif ». Toutefois, il ne s'agit pas ici d'une analyse d'interaction au sens strict, puisque l'observation ne porte pas sur la relation elle-même, mais sur les témoignages portant sur ces relations. Il s'agit donc effectivement d'une analyse de contenu, ce contenu étant constitué des diverses prises de conscience des expériences religieuses impliquant des contacts avec divers groupes de référence.

UNITÉ DE MESURE UTILISÉE. — Toute analyse de contenu doit évidemment définir une unité de mesure qui lui sert de critère au moment du découpage des témoignages. Ce sont les unités ainsi découpées, isolées, qui seront analysées par la suite en fonction des catégories d'analyse. Ce découpage en unités s'est effectué à partir de trois critères utilisés simultanément :

— Le groupe de référence ou la personne avec qui l'informateur a été en relation ;

— Le thème ou le contenu de la relation avec cette personne ;

— L'expression de satisfaction ou d'insatisfaction à l'égard de cette relation.

Supposons un informateur qui décrit sa relation avec un premier prêtre *A*, et ensuite avec un second prêtre *B*. Nous avons là au moins deux unités. Si, en décrivant sa relation avec *A*, l'informateur décrit des conversations se rapportant à deux thèmes différents *(a, b)*, et que la même chose se produise pour sa relation avec *B*, alors nous avons au moins quatre unités. Supposons maintenant qu'en parlant de sa relation avec *A* à propos du thème *a*, l'informateur, à deux moments différents (même s'ils sont assez rapprochés dans le temps), exprime sa satisfaction à l'égard de cette relation, et qu'à un autre moment, il exprime son insatisfaction, nous aurons, pour ce thème *a*, non plus une, mais trois unités. Si, à l'égard du thème *b*, il se déclare satisfait une fois et insatisfait une autre fois, nous aurons deux unités pour ce thème. Ce qui fait au total cinq unités se rapportant à la relation entre l'informateur et cette personne *A*. Si, maintenant, en décrivant sa relation avec ce prêtre *B*, l'informateur exprime sa satisfaction quand il a abordé avec lui le thème *a* et son insatisfaction quand il a abordé avec lui le thème *b*, nous aurons au total deux unités se rapportant à *B*. Voici alors le total des unités que nous aurions :

personne ou groupe	thèmes	satisfaction	insatisfaction	total
A	a	2	1	3
	b	1	1	2
B	a	1		1
	b		1	1
total		4	3	7

Cette procédure, qui semble laborieuse, est cependant d'application facile et tient compte du cours naturel de la conversation entre l'interviewer et l'informateur. Pour cette raison, nous croyons son utilisation valide. Quant à la fidélité de cette mesure des unités, elle satisfait les critères habituels. Un coefficient d'accord fut calculé entre deux codificateurs pour un échantillon du texte, et ce coefficient s'élevait à plus de 90 %

d'accord. Sur le plan méthodologique, la valeur de cette procédure tient beaucoup plus de sa validité que de sa fidélité. En effet, l'avantage de cette technique est de permettre un découpage des interviews en unités qui peuvent validement être codifiées selon le système des catégories utilisées.

CATÉGORIES D'ANALYSE UTILISÉES. — Les catégories utilisées pour l'analyse relèvent évidemment du cadre théorique que nous avons décrit au chapitre premier. Voici les dix catégories utilisées [2] :

1) Décision existentielle de ne pas communiquer avec l'autre. — Cette décision ou ce choix existentiel de communiquer avec l'autre est, on l'a vu, une condition préalable pour que le processus décrit dans la théorie rogérienne des relations interpersonnelles s'applique à un cas donné. Sont catégorisées ici les réponses des interviewés où ils expriment explicitement ou non la décision de ne pas communiquer avec l'autre.

Il s'agit ici d'une brisure complète, et nous catégoriserons ici les réponses qui, explicitement ou non, y réfèrent. Cette décision de ne pas communiquer s'accompagne habituellement de sentiments qui se rapportent à une ou plusieurs autres catégories ; par exemple, le sentiment de n'être pas compris (catégorie 4). Mais, quelles que soient les autres catégorisations possibles, nous avons codifié l'unité dans cette première catégorie, chaque fois qu'on y faisait référence avec précision.

> Ils ont une conception trop sublimée de la religion, trop différente de celle des laïcs.
>
> Je ne veux pas discuter avec lui, pas plus qu'avec les pères du collège. Il m'écouterait peut-être, mais ne comprendrait pas mon point de vue. Je ne vois pas ce que cela donnerait.

2) Sentiment de l'existence d'une aire de communication unissant l'autre et soi-même. — Une seconde condition pré-

2. La description de chacune d'entre elles est suivie de quelques illustrations tirées de la partie des interviews se rapportant à la relation avec le clergé.

alable à l'application du schème rogérien est qu'il existe une aire de communication reliant l'informateur et les divers groupes de références. Sont codifiées ici les réponses exprimant le sentiment qu'entre l'autre et soi-même, il n'y a rien qui soit partagé en commun, ou qu'au contraire, on participe au même univers, au même milieu, à la même mentalité, etc. [3] :

> Il m'a aidé à prendre conscience des problèmes dans mes relations interpersonnelles avec mes confrères, dans ma famille. Lui aussi me confiait ses expériences personnelles. On s'est ouvert l'un à l'autre.
>
> Les pères sont très ouverts. Je me vois très bien confiant mes problèmes à quatre ou cinq d'entre eux. On ne se sent pas inférieur devant eux. On ne sent pas que ce sont des clercs.

3) Le sentiment d'autonomie. — Sont catégorisées ici les réponses ou l'interviewé exprime le sentiment que le centre d'évaluation de ce qu'il pense, fait, ou voudrait faire, est en lui-même, qu'il exprime ce sentiment explicitement ou implicitement. En termes opératoires, ce sentiment s'exprime par des

3. Cette catégorie n'est pas toujours d'application facile, car les réponses pouvant être codifiées ici peuvent parfois l'être également dans d'autres catégories. Les cas les plus fréquents sont les deux suivants : *a*) Quand un informateur dit, par exemple, que lui et ses parents habitent deux mondes totalement différents sur le plan religieux, ce peut être, dans certains cas, une façon d'exprimer la décision qui a été prise de ne plus essayer d'entrer en communication avec eux (catégorie 1) ou une façon de dire qu'on ne peut se comprendre (catégorie 4) ; *b*) Par ailleurs, quand le sentiment exprimé est positif (*i. e.* quand l'informateur dit, par exemple, que tel ami a une façon d'aborder le problème religieux qui est identique à la sienne), il est possible parfois qu'on veuille exprimer en même temps le sentiment que cet ami peut le comprendre facilement. Quoi qu'il en soit de cette difficulté, les réponses furent codifiées dans cette catégorie uniquement quand elles portaient expressément sur cet « univers en commun » ou sur cette brisure entre l'univers de *l'autre* et le sien. Quand une réponse exprimait en même temps les sentiments pouvant être codifiés dans l'une ou l'autre des catégories suivantes, elle était codifiée plutôt dans cette autre catégorie. Ceci illustre le genre de décision que cette technique d'analyse peut impliquer, et ce sont en général des distinctions du même type qu'il nous a fallu établir en ce qui concerne les autres catégories.

« je me sens libre de décider », « ils pensent, comme moi, que la religion est une chose personnelle », « on est libre de... », etc. ; ou bien, exprimé négativement, « on est obligé d'assister à la messe, de communier », « il faut aller voir un directeur de conscience, même si on n'a rien à lui dire », etc.

> On est libre d'aller à la messe ou non ; le règlement est nouveau, mais on l'a.
> Chez nos bacheliers, la religion est trop présentée comme une matière de classe, non comme une occasion de recherche personnelle.

4) Le sentiment d'être compris. — Entrent dans cette catégorie les réponses par lesquelles l'informateur exprime le sentiment que son interlocuteur (au sens large du terme) utilise un cadre de référence qui corresponde au sien. En d'autres termes, non seulement il y a ici une aire possible de communication en commun, mais l'interlocuteur y fait référence dans sa communication avec l'informateur.

5) Le sentiment d'être accepté, valorisé. — Sont catégorisées ici toutes les réponses où l'interviewé exprime, explicitement ou non, le sentiment que l'autre lui témoigne une considération positive inconditionnelle (ou non). En termes opératoires, ce sentiment s'exprime par des : « si on ne va pas communier, on va se faire mettre à la porte », « il considère que mes problèmes sont ridicules », etc.

> J'ai discuté avec un prêtre qui a ri de ce que je lui disais : je ne crois pas en Dieu. Plutôt que de me dire tout de suite : tu as tort, il fallait me laisser le temps de m'expliquer, de discuter. C'est inutile de me dire que ce n'est pas vrai, que j'ai tort, brusquement !
> A mon collège, on m'a toléré pendant trois ans, parce que j'avais dit que je n'étais pas certain de faire un prêtre. J'ai passé au Conseil trois fois...

6) Sentiment de cohérence ou d'incohérence chez moi. — Le concept de cohérence, tel que nous l'avons défini au chapitre premier, inclut tous les types de tensions entre deux ou plusieurs représentations conscientes comme, par exemple, entre le *moi* et le *moi idéal,* entre l'*image de ce que je suis* et l'*image de ce que j'ai été,* etc. Rogers reconnaît une fonction extrêmement importante à un type particulier de désaccord, celui qui peut exister entre l'image (consciente) du *moi* et le *moi tel qu'il est manifesté ou exprimé* à travers les diverses expériences de communication. Toute personne, selon cette théorie, demeure toujours libre d'exprimer ou de ne pas exprimer son moi de façon complète ou cohérente. À partir du moment où une personne a le sentiment de faire l'expérience d'un échec, elle demeure fondamentalement capable de communiquer ou non ce sentiment aux autres ; si elle ne le fait pas, quelle qu'en soit la raison, elle aura conscience d'un décalage entre *ce qu'elle a le sentiment d'être* et *ce qu'elle communique à l'autre.* C'est ce décalage entre ces deux représentations au niveau du champ de conscience qui définit la cohérence ou l'incohérence dans la communication.

Or, dans toute communication, ce sentiment de cohérence ou d'incohérence entre la représentation de soi et ce qui en est communiqué peut évidemment apparaître par rapport à soi-même ou par rapport à l'autre : je peux avoir le sentiment, soit que je ne sois pas moi-même cohérent, soit que l'autre ne soit pas cohérent.

La sixième catégorie se rapporte uniquement au premier cas, c'est-à-dire au sentiment d'être soi-même cohérent ou incohérent. Sont donc catégorisées ici toutes les réponses où l'interviewé exprime, explicitement ou non, le sentiment d'un désaccord ou d'un décalage entre la *représentation* qu'il se fait de son expérience (de l'objet de la communication) et *l'expression* de cette expérience. En termes opératoires, c'est « le sentiment de ne pouvoir dire ce que je veux, ce que je pense réellement », à cause d'un ensemble de conditions, etc.

> Je pouvais lui dire ce que je voulais, j'étais libre de le faire, il me connaissait plus que les autres.
> Il m'a fait demander parce que je ne communiais jamais : je lui ai dit que je ne croyais pas, comme bien d'autres. Mais je suis allé communier le lendemain pour sauver la

> face, pour pouvoir continuer à étudier. Le directeur spirituel a entrepris ma conversion... Mon seul moyen d'en sortir était de lui dire que la foi, ça venait ! C'était lui mentir.

7) Sentiment de cohérence ou d'incohérence chez l'autre. — Cette septième catégorie se rapporte au deuxième cas de cohérence dans la communication : le sentiment que l'autre ne communique pas sa représentation, qu'il y a décalage entre représentation et communication chez l'autre. En un mot, c'est avoir l'impression que l'autre ment, qu'il ne pense pas ce qu'il dit, ou qu'il ne dit pas ce qu'il pense.

> ... hypocrisie : l'attitude de certains religieux varie selon qu'ils sont en public ou dans le privé.
> Il prenait un plaisir bizarre à me tirer des confidences relatives aux filles — aux expériences que j'aurais pu avoir avec elles durant les vacances. Et cela sous prétexte de me diriger...

8) Sentiment de congruence ou d'incongruence entre l'expérience et sa représentation (chez moi). — Cette catégorie se rapporte à ce que nous avons défini au chapitre premier par le concept de congruence : un état d'accord entre l'expérience d'une personne et la représentation de cette expérience dans son champ de conscience. Rogers parle ici de congruence *interne* puisqu'en soi le désaccord a lieu entre l'expérience et sa représentation et non entre la représentation d'une expérience et sa communication à une autre personne.

Par définition, on ne prend pas soi-même conscience d'une incongruence, puisque celle-ci signifie justement l'absence d'une prise de conscience de telle ou telle expérience. Cependant, l'incongruence s'accompagne habituellement de certaines attitudes qui, elles, atteignent plus facilement le champ de conscience. Ainsi la personne qui se trouve dans une telle situation ressent assez souvent un état de malaise, de gêne, de confusion ou même de déséquilibre. Ces sentiments pourront alors servir d'indice d'incongruence, pour l'observateur.

Par ailleurs, à un moment donné de sa vie, une personne peut prendre conscience de ce que certaines expériences antérieures furent mal symbolisées dans le champ de conscience *à ce moment-là.* Or, c'est là un cas qu'il est possible de rencontrer dans nos données qui portent, en bonne partie, sur des expériences religieuses passées (même s'il s'agit d'un passé souvent assez rapproché). Par contre, dans le cas où une relation avec une autre personne ou une institution est l'occasion d'expérience parfaitement symbolisée dans le champ de conscience, il est évidemment possible d'en prendre conscience. Voici un exemple : « On était obligé d'avoir un directeur spirituel au collège, j'ai toujours eu de la difficulté à m'ouvrir, par timidité. Je n'ai jamais été à l'aise avec lui. Je tournais une heure autour de mes problèmes, sans y entrer, et j'en sortais insatisfait. »

9) Sentiment de non-congruence chez l'autre. — Sont catégorisées ici les réponses par lesquelles l'interviewé exprime, explicitement ou non, qu'il a le sentiment que l'autre n'est pas lui-même doué de congruence. L'interviewé peut alors avoir pris conscience de certaines attitudes caractéristiques de l'incongruence dont on vient de parler, ou avoir plutôt le sentiment que l'autre n'est pas toujours conscient de ce qu'il est ou de ce qu'il dit.

> Ils ne font pas [les frères et les sœurs] bien des choses qu'ils devraient faire [*sous-entendu* : qu'ils prétendent faire].
> Je ne pourrais pas mettre leur honnêteté et leur sincérité en question.

10) Sentiment d'incohérence au niveau de l'institution ou du groupe. — Quand elle est en relation avec une institution ou un groupe, il est possible qu'une personne ait le sentiment de ne pas être en présence d'un tout cohérent. À l'intérieur d'une même institution, il peut, par exemple, y avoir des sous-groupes qui divergent d'opinions et qui ne proposent pas exactement les mêmes normes religieuses. Cette catégorie, importante en soi, ne s'avéra pas très utile au cours de l'analyse, soit à cause des données qui portent plus souvent sur des relations interpersonnelles ou à cause de la tendance, justement, à attribuer alors l'incohérence à certains membres du groupe ou de l'institution.

Pour donner un exemple tiré d'autres matériaux : il peut s'agir ici du sentiment d'incohérence dans l'Église, entre les proclamations de pauvreté et de dévouement sur le plan spirituel des fidèles, d'une part, et, d'autre part, l'intérêt que l'interviewé perçoit dans l'Église pour les questions financières, l'argent et les valeurs matérielles, d'où découle la conclusion, subjective, d'une contradiction, d'un désaccord, d'une incohérence.

> Il y avait insistance pour me parler de vocation chez les frères, et contradiction entre ce qu'ils me disaient [...], les frères, et ce que j'ai vu faire à l'un d'entre eux.
> Il devrait y avoir une grosse élimination chez les frères, il en est des capables parmi eux. J'ai connu un homosexuel...

Ce sont ces dix catégories qui serviront à l'analyse des unités découpées dans le texte des interviews. Plus précisément, nous considérerons les motifs de satisfaction ou d'insatisfaction à l'égard des divers contacts avec les agents de socialisation religieuse pour les codifier selon cet ensemble de catégories. Si les expériences religieuses impliquant ces divers contacts s'inscrivent dans un processus d'actualisation, nous devrions constater : *a)* que la plupart de ces unités peuvent être effectivement classifiées dans l'une ou l'autre de ces catégories et *b)* que la plupart des motifs exprimés sont eux-mêmes orientés vers une plus grande actualisation (les motifs de satisfaction étant que les contacts permettent ou favorisent l'actualisation et les motifs d'insatisfaction étant qu'ils empêchent cette actualisation).

Disons tout de suite que les neuf premières catégories peuvent être regroupées pour former des catégories plus extensives. Un de ces regroupements possibles, que nous utiliserons plus loin, s'établit comme suit :

Catégorie 1. Décision existentielle d'entrer en communication avec l'autre. Nous avons déjà défini cette catégorie.

Catégories 2-4. Cadre interne de référence. La catégorie 2 concerne l'existence ou l'absence d'une aire de communication entre l'informateur et l'autre personne (prêtre, parent, etc.). La catégorie 4, par contre, implique que non seulement cette aire en commun existe, mais que l'autre s'en sert dans sa communication avec l'informateur (comprendre quelqu'un, c'est en effet utiliser son cadre interne de référence).

Catégories 3-5. Autonomie. La catégorie 3 concerne directement le sentiment d'être autonome en face de l'autre et le sentiment que l'autre me définit comme autonome. La catégorie 5, par ailleurs, suppose qu'une personne est acceptée sans condition parce qu'elle constitue une valeur en soi. Cette acceptation sans condition, cette valorisation de l'informateur par l'autre, renforce en un sens le sentiment d'autonomie.

Catégories 6 à 9. Authenticité. La cohérence entre le champ de conscience et la communication avec l'autre (catégories 6-7) et la congruence entre l'expérience et le champ de conscience (catégories 8-9) constituent deux formes d'authenticité ou d'accord qui sont l'expression d'un processus d'actualisation. La congruence met probablement en cause des processus psychologiques plus profonds que la simple cohérence, mais il s'agit de deux catégories d'analyse que l'on peut logiquement regrouper.

D. RÉSULTATS DE L'ANALYSE DE CONTENU

Le tableau 2 indique la distribution des unités découpées dans le texte selon les quatre groupes de référence que nous analyserons ici et selon le sentiment de satisfaction ou d'insatisfaction exprimé par l'informateur. Au total, 310 unités s'offraient à la codification : 138 d'entre elles décrivaient des contacts satisfaisants avec l'un ou l'autre des groupes de référence et 172 décrivaient des contacts insatisfaisants. Ce tableau montre bien qu'au niveau statistique (et pas nécessairement au niveau individuel) la relation avec ces groupes de référence est complexe et se présente de façon différenciée. Dans l'ensemble, les informateurs se font une représentation nuancée de leur contact avec ces divers groupes de référence et ne portent pas des jugements catégoriques qui iraient toujours dans le même sens. Cette constatation se révèle vraie aussi bien pour chacun des groupes de référence que pour la distribution totale.

TABLEAU 2

Distribution des unités selon les groupes de référence et selon le sentiment de satisfaction exprimé (N = 310)

groupes de référence	contacts satisfaisants		contacts insatisfaisants		total	
	N	%	N	%	N	%
responsables de l'enseignement de la religion	21	42,0	29	58,0	50	100,0
membres du clergé	81	45,0	98	55,0	179	100,0
parents	18	37,0	31	63,0	49	100,0
amis	18	56,0	14	44,0	32	100,0
total	138	44,5	172	55,5	310	100,0

Ces résultats qui apparaissent au moment du découpage en unités ont également l'avantage d'assurer la validité de notre analyse. Nous l'avons déjà dit, cette analyse de contenu se rapporte non pas à un échantillon d'individus mais, en dernier ressort, à un échantillon d'unités ; et l'analyse des motifs se rapportant à ces unités sera d'autant plus valide et permettra une interprétation d'autant plus significative quant au processus d'actualisation, qu'elle porte à la fois sur des contacts satisfaisants et sur des contacts insatisfaisants du point de vue de nos informateurs. La variation dans le nombre d'unités se rapportant aux divers groupes de référence ne présente aucune signification particulière. Étant donné l'orientation générale de l'entrevue, il est normal, par exemple, qu'un plus grand nombre d'unités se rapporte aux divers membres du clergé.

Le tableau 3, par ailleurs, nous permet de voir comment se répartissent les unités dans les dix catégories d'analyse. Le tableau 4, pour sa part, indique comment s'établit cette répartition dans les quatre grandes catégories issues du regroupement de ces dix catégories [4]. Ce sont les données contenues dans ces divers tableaux qui nous permettront de répondre enfin à notre question fondamentale : *Les expériences religieuses analysées ici s'inscrivent-elles ou non dans un processus d'actualisation ?*

Analyse des résultats. — Disons dès maintenant que les résultats montrent clairement que la réponse à cette question est affirmative. D'abord parce que notre grille d'analyse, qui reflète et mesure les diverses dimensions du processus d'actualisation, a permis de codifier l'ensemble des 310 unités.

Si le concept d'actualisation n'avait pas pu rendre compte adéquatement des expériences décrites par nos informateurs, on doit supposer qu'au moins une proportion significative des unités n'aurait présenté aucun rapport avec l'une ou l'autre des dix catégories. Or, chacune des 310 unités a été effectivement codifiée dans ces catégories. Nous avons donc là un premier indice du phénomène d'actualisation. Si les expériences des jeunes de notre échantillon n'étaient pas orientées vers un certain processus d'actualisation, leurs motifs de satisfaction ou d'insatisfaction à l'égard des divers groupes de référence n'auraient certainement pas tous été formulés en termes de cohérence, de congruence, de « sentiment d'être compris », etc.

D'autre part, le sentiment de satisfaction ou d'insatisfaction semble être clairement relié au fait que l'expérience est définie comme étant ou n'étant pas une source d'actualisation. En d'autres termes, tous les sentiments de satisfaction sont reliés au fait que ces expériences permettent l'actualisation et tous les sentiments d'insatisfaction au fait que ces expériences empêchent l'actualisation. Pour certaines catégories, ces résultats étaient facilement prévisibles. On s'imagine mal quelqu'un se déclarer insatisfait d'un contact avec un prêtre parce qu'il le comprend bien. Mais pour d'autres catégories, et en particulier pour l'autonomie, il aurait pu arriver à un informateur, par exemple, de se déclarer satisfait de ses contacts avec un

4. Les tableaux 3 et 4 sont présentés au chapitre suivant.

prêtre qui lui laissait peu d'autonomie et envers qui il aurait pris une attitude de soumission autoritaire. Or, encore une fois, ceci ne s'est produit pour aucune des 310 unités que nous avions à codifier [5].

Dans l'ensemble donc, les expériences religieuses impliquant un contact avec l'un ou l'autre des groupes de référence religieuse tendent à s'orienter vers une plus grande actualisation. Ceci ne signifie pas qu'à ce moment-ci de leur existence, aucune expérience religieuse ne soit une source d'incohérence ou d'incongruence. Mais, du point de vue dynamique, leur réaction aux normes et aux valeurs religieuses proposées par leur milieu est motivée par une recherche (existentielle) de l'actualisation. Ou, si on préfère, la réaction à ces normes et à ces valeurs religieuses s'inscrit dans un ensemble d'expériences qui tirent leur sens et leur dynamisme justement de cette tendance à l'actualisation. En d'autres termes, quel que soit le degré d'incohérence ou d'incongruence lié aux expériences religieuses actuelles, les informateurs tentent de réagir dans le sens d'une plus grande actualisation de leur personne.

L'interprétation précédente porte sur le sens ou l'orientation de l'expérience religieuse : elle s'oriente vers le pôle de l'actualisation plutôt qu'elle ne s'en éloigne. Mais, cette conclusion doit être nuancée, car il faut bien admettre que toutes les expériences ne sont pas nécessairement actualisantes au même degré. Or, que nous révèle le contenu même de nos catégories d'analyses à cet égard ? Peut-on affirmer que certaines catégories cernent des dimensions moins profondes de l'actualisation ? Oui, parce qu'une expérience décrite en termes de l'existence ou de l'absence d'un cadre interne de référence commun implique certainement une expérience moins profonde que l'expérience spontanément décrite en termes d'autonomie

5. Ceci explique que les tableaux 3 et 4 ne font mention que de la dimension reflétée par chaque catégorie d'analyse, sans indiquer si le motif se rapporte ou non au pôle de l'actualisation. Pour tous les contacts satisfaisants, les motifs se rapportent au pôle de l'actualisation (*v.g.* « il me définit comme autonome ») et pour tous les contacts insatisfaisants les motifs se rapportent au pôle négatif (*v.g.* « il ne me permet pas d'être autonome »).

ou, encore mieux, en termes d'authenticité. De la même façon, une expérience dont on prend conscience en termes de congruence a de bonnes chances d'avoir des résonances, des significations organismiques plus profondes que celle dont on prend conscience en termes de cohérence.

Dans l'ensemble, on peut supposer que trois des quatre regroupements proposés plus haut expriment des degrés différents dans la profondeur des expériences qu'ils décrivent. Nous aurions donc dans l'ordre de profondeur : les expériences décrites en termes de cadre interne de référence (2-4), puis celles décrites en termes d'autonomie (3-5) puis, enfin, celles décrites en termes d'authenticité (6 à 9). Si cette interprétation est juste, il faut conclure qu'une grande partie des expériences de contact avec les groupes de référence se situe à un niveau assez superficiel. Ainsi, près de 60 % des motifs de satisfaction avec les membres du clergé se rapportent au cadre interne de référence et il en est de même pour les contacts insatisfaisants avec les parents (voir le tableau 4). Les contacts avec les responsables de l'enseignement religieux, pour leur part, se rapportent la plupart du temps à l'un de ces deux premiers regroupements.

Dans l'ensemble, relativement peu de motifs de satisfaction ou d'insatisfaction se rapportent à l'authenticité. Voici la proportion des motifs se rapportant à l'authenticité (catégories 6 à 9) :

groupes de référence	contacts satisfaisants	contacts insatisfaisants
responsables de l'enseignement religieux	18,4 %	17,2 %
membres du clergé	14,7 %	28,4 %
parents	34,5 %	9,6 %
amis	49,5 %	35,6 %

À part les contacts avec les amis (qui sont numériquement moins importants), les seuls autres contacts qui sont assez fréquemment décrits en termes d'authenticité sont les contacts satisfaisants avec les parents (34,5 %) et les contacts insatisfaisants avec les membres du clergé (28,4 %). Nous verrons plus loin l'intérêt que présentent ces résultats différentiels. Dans l'ensemble, nous devons cependant constater l'importance relativement moindre accordée à l'authenticité et, de façon générale, aux motifs se rapportant aux dimensions les plus profondes de l'expérience.

De cette analyse, nous pourrons donc conclure : que les expériences religieuses impliquant un contact avec l'un ou l'autre des groupes de référence se placent d'emblée dans un processus d'actualisation, mais que, par ailleurs, tous ces contacts ne constituent pas nécessairement l'occasion d'expériences très profondes.

Dans les pages qui précèdent, nous avons d'abord voulu montrer comment l'utilisation du schème rogérien peut s'appliquer à l'étude des groupes de référence. Nous allons maintenant tenter de compléter les deux conclusions précédentes auxquelles nous sommes arrivé, en explorant plus à fond les motifs spécifiques de satisfaction ou d'insatisfaction fournis par nos informateurs, face aux divers groupes de référence religieuse.

III

L'analyse différentielle des groupes de référence religieuse

Théoriquement rien ne nous permettait, au point de départ, de supposer que le processus d'actualisation ne s'effectuait pas de façon identique par rapport à tous les groupes de référence. Nous aurions pu ainsi trouver que les motifs de satisfaction ou d'insatisfaction se distribuaient de façon sensiblement semblable à l'intérieur des neuf principales catégories d'analyse. Mais tel n'est pas ce que révèlent les tableaux 3 et 4. Au contraire, cette distribution varie d'un groupe à l'autre et elle varie également selon qu'il s'agit de relations satisfaisantes ou insatisfaisantes. Comment expliquer ces résultats ? Il semble que la variation puisse être fonction de deux facteurs.

D'abord, elle peut être fonction du contenu de l'aire de communication que l'informateur a en commun avec les différents groupes de référence. Cette aire de communication n'est pas nécessairement la même, par exemple, pour le prêtre et pour l'ami. D'autre part, cette variation peut être aussi fonction de la conception qu'on se fait de ces divers groupes de référence. L'image du prêtre idéal ne coïncide pas nécessairement avec l'image des parents idéaux ou avec l'image de l'ami idéal. Dans ce chapitre, nous allons tenter d'expliquer comment le processus d'actualisation varie en fonction de ces deux facteurs.

TABLEAU 3

Distribution des catégories de l'analyse de contenu selon chaque groupe de référence et selon la satisfaction à l'égard des relations avec chacun de ces groupes (en pourcentage)

catégories	relations satisfaisantes				relations insatisfaisantes			
	ens. rel.[a] N=21	clergé N=81	parents N=18	amis N=18	ens. rel.[a] N=29	clergé N=98	parents N=31	amis N=14
1. décision existentielle de communiquer					3,4	16,3	16,0	14,3
2. aire de communication en commun	4,8	12,3	5,5	38,5	20,7	10,2	54,8	28,6
3. sentiment d'autonomie	19,2	16,0	33,0	11,0	34,5	17,4	6,4	
4. sentiment d'être compris	33,6	47,0	16,5		17,2	13,3	3,2	7,1
5. sentiment d'être valorisé, accepté de façon inconditionnelle	24,0	10,0	11,0	11,0	6,9	11,2	9,6	14,2
6. sentiment de cohérence (chez moi)		7,5	5,5	5,5	10,3	12,2		
7. sentiment d'incohérence (chez l'autre)	4,8	2,5		5,5		7,1		
8. sentiment de congruence (chez moi)			5,5			2,0	3,2	14,2
9. sentiment de congruence (chez l'autre)	14,4	5,0	22,0	27,5	6,9	7,1	6,4	21,4
10. sentiment d'incohérence au niveau de l'institution						3,1		
total	100,8	100,3	99,0	99,0	99,9	99,9	99,6	99,8

[a] Responsables de l'enseignement religieux.

TABLEAU 4

Distribution des catégories (regroupées) de l'analyse de contenu selon chaque groupe de référence et selon la satisfaction à l'égard des relations avec chacun de ces groupes (en pourcentage)

catégories regroupées	relations satisfaisantes				relations insatisfaisantes			
	ens. rel.[a]	clergé	parents	amis	ens. rel.[a]	clergé	parents	amis
1. décision existentielle de communiquer (1)					3,4	16,3	16,0	14,0
2. cadre interne de référence (2-4)	38,0	59,3	22,0	38,5	37,4	23,5	58,0	35,0
3. autonomie (3-5)	45,0	26,0	44,0	22,0	41,0	28,6	16,0	14,0
4. authenticité (6 à 9)	20,0	15,0	33,0	38,5	17,0	28,4	9,6	35,0
total	103,0	100,0	99,0	99,0	98,8	96,8	99,6	98,0

[a] Responsables de l'enseignement religieux.

Par ailleurs, il faut bien admettre une autre possibilité théorique ; le processus d'actualisation pourrait en définitive être identique par rapport à chacun des groupes de référence, et les variations constatées pourraient peut-être s'expliquer par le fait que la prise de conscience, elle, en serait différente selon qu'il s'agit du clergé, des parents ou des amis. Rien dans nos données ne nous permet de favoriser l'une ou l'autre de ces explications au niveau empirique. Mais la prise de conscience de l'expérience fait partie intégrante du processus d'actualisation : conclure que la prise de conscience de l'expérience religieuse varie d'un groupe de référence à l'autre, c'est aussi conclure que le processus d'actualisation varie également. Essayons donc brièvement de décrire et d'expliquer ces variations.

A. LES RESPONSABLES DE L'ENSEIGNEMENT RELIGIEUX

1. ENSEIGNEMENT RELIGIEUX ET DÉCISION EXISTENTIELLE. — La première constatation qui se dégage du tableau 4 est d'abord que la décision existentielle d'entrer ou non en communication avec l'autre est, ici, relativement moins importante qu'elle ne l'est pour les autres groupes de référence. L'enseignement religieux est une expérience à laquelle on ne peut se soustraire par une simple décision existentielle. Une bonne partie des motifs de satisfaction et d'insatisfaction qui font référence à cette situation ne remettent guère en cause le principe lui-même d'un enseignement religieux intégré à l'enseignement académique. Leurs critères de satisfaction ou d'insatisfaction résident plutôt dans le sentiment d'autonomie et dans le sentiment que cet enseignement tient compte de leurs propres préoccupations religieuses (*i. e.* dans le sentiment d'être compris).

2. ENSEIGNEMENT RELIGIEUX ET SENTIMENT D'ÊTRE COMPRIS. — Une première exigence des informateurs à l'égard de l'enseignement religieux est donc que celui-ci se rapporte à

leurs propres préoccupations. On le retrouve dans un très grand nombre de témoignages comme ceux-ci :

> J'aimais cela. C'était correct. C'est un point qui nous touche beaucoup à dix-huit ans [l'amour, les fréquentations, etc.]. (N° 4)
>
> On discutait des choses à la page qui pouvaient nous servir. (N° 3)
>
> Le cours était trop livresque. On nous parlait de la Bible, mais jamais on ne touchait à des choses comme les sorties... (N° 11)
>
> On s'en tenait trop aux manuels. Les cours de Bible, l'Histoire sainte, la vie des saints. C'est trop loin de nos préoccupations pratiques. C'est trop loin des vérités de foi [qui me préoccupent] ... (N° 18)
>
> Il ne lisait pas ses cours dans les livres. C'étaient des faits pris dans la vie. (N° 20)
>
> C'était intéressant, mais pas des choses vitales, c'est-à-dire proches de la vie. (N° 21)
>
> [En parlant des prédicateurs.] Leur prédication date de trop longtemps. Elle n'est pas du XXe siècle ! (N° 24)

Un grand nombre de motifs de satisfaction ou d'insatisfaction se rapportent donc au sentiment d'être compris. Selon que les informateurs ont le sentiment que l'enseignement religieux utilise ou non leur propre cadre de référence, cette expérience apparaît comme satisfaisante ou non satisfaisante.

3. ENSEIGNEMENT RELIGIEUX ET AUTONOMIE. — Ce sentiment d'être compris n'est pas le seul qui soit en cause ici. Les motifs se rapportant à l'autonomie s'expriment également de façon très explicite :

> Ils ne nous laissent pas assez à nous-mêmes... Ils ne nous font pas réfléchir ; on apprend des choses et des choses ! A la place, j'aurais aimé qu'on ait des discussions sur certains problèmes. (N° 33)
>
> Ils nous présentent des solutions qui ne nous convainquent pas vraiment ; on a l'impression qu'ils veulent plutôt nous imposer une solution. Ils ne nous laissent pas le temps de réfléchir. (N° 35)

> Avec lui [le préfet de religion], il n'était pas question d'apprendre par cœur. On discutait. C'était une question de jugement, d'intérêt personnel. (N° 4)
>
> On coulait les gars parce qu'ils ne faisaient pas de religion. Or, la religion c'est supposé être libre. (N° 19)
>
> Il [tel professeur de religion] ne lisait pas un livre, mais donnait son opinion et discutait avec nous. (N° 19)
>
> Ils nous ont inculqué le goût de la recherche. Ils ne nous imposent rien. Il fallait d'abord essayer de comprendre. (N° 21)

Une seconde exigence des informateurs à l'égard de l'enseignement religieux est donc la possibilité de participer soi-même à la communication. On n'accepte pas, dans l'ensemble, que l'enseignement religieux soit une communication à sens unique, du professeur à l'élève, sans que celui-ci ne puisse utiliser ses propres ressources, ses propres expériences. Aussi, les réponses les plus souvent formulées sont-elles que l'enseignement est livresque et qu'on ne peut discuter avec le professeur de religion. De la même façon, quand on se déclare satisfait de l'enseignement religieux, c'est très souvent parce que cet enseignement n'impose pas « qu'on apprenne par cœur ce qu'il y a dans le livre ».

Un enseignement formel et « livresque » met en cause à la fois le sentiment d'autonomie et le sentiment d'être compris. Quand le professeur s'en tient à un enseignement formel dont le contenu est définitivement formulé dans un livre ou un manuel quelconque, l'informateur ne peut participer ainsi de façon autonome à la communication. En même temps, cet enseignement empêche aussi l'établissement d'une aire de communication que professeur et élèves posséderaient en commun. Pour la plupart des informateurs, *ce que l'on trouve dans les livres* s'oppose à *ce que l'on trouve dans la vie.* Tenir compte de leur propre cadre interne de référence signifie communiquer avec eux sur le plan de *ce que l'on trouve dans la vie.* Ce vécu, comme aire principale de communication, ne s'oppose pas seulement d'ailleurs aux manuels traditionnels et formalistes. Ce vécu s'oppose également à la Bible ou aux Évangiles quand ces livres ne permettent pas de communiquer à propos des préoccupations immédiates des informateurs.

4. Expérience religieuse et authenticité. — En un certain sens, on peut conclure de ce qui précède que la seule forme d'enseignement religieux qui apparaisse comme satisfaisante est celle qui prend la forme d'une expérience vécue : expérience de communication entre professeur de religion et élèves. Dans la plupart des cas, il ne suffit pas que le professeur « parle » de sujets qui intéressent les jeunes (sujets faisant partie de leur cadre interne de référence), il faut que cette expérience prenne la forme d'une communication, que l'enseignement devienne une expérience vécue elle-même.

En ce sens, la distinction entre le processus de communication et le contenu (aire de communication) n'existe plus ici ; ce qui devient religieux, c'est l'expérience d'une communication avec quelqu'un symbolisant le religieux. Mais à partir du moment où l'enseignement religieux est défini comme une expérience de communication, l'authenticité devient également un critère de satisfaction ou d'insatisfaction.

Certains informateurs prennent conscience par eux-mêmes des liens qui existent entre l'authenticité dans l'expérience religieuse et le fait qu'on les reconnaisse ou non comme autonomes. L'enseignement religieux qui ne les reconnaît pas comme autonomes ne leur permet pas d'être authentiques. D'abord, cette situation ne leur permet pas d'exprimer et de communiquer ce qu'ils pensent sur le plan religieux, c'est-à-dire ne leur permet pas d'être cohérents.

> On ne pouvait pas dire ce que l'on pensait : il fallait mettre ce que le professeur avait dit, autrement on avait zéro. (N° 13)
>
> Quand ça ne discute pas, quand ça reste en surface, ça n'éveille rien. (N° 27)
>
> Il faut discuter, être dans des situations où l'on puisse parler. (N° 28)
>
> Ils ont accepté que les gars disent ce qu'ils pensaient et ils ne se scandalisaient de rien. (N° 9)

D'autre part, cette situation ne leur permet pas non plus de prendre conscience de leurs propres expériences. Cette prise de conscience exige la possibilité de remettre en question ses croyances personnelles. C'est ce qu'exprime l'informateur suivant (n° 11) quand il dit, en parlant d'un de ses professeurs de religion : « C'était *crois ou meurs.* Il ne fallait pas se poser de questions, mais avoir la foi. »

Les motifs exprimés qui se rapportent à l'authenticité sont certes moins nombreux que ceux qui se rapportaient au sentiment d'être compris ou à l'autonomie. Ceci indique que cet enseignement religieux n'engage pas souvent les informateurs dans une expérience très profonde. Par ailleurs, les références implicites, nombreuses, à l'enseignement livresque et académique, à l'obligation d'apprendre par cœur, à l'importance de la religion et de la recherche personnelle, indiquent clairement que les réactions de nos informateurs à l'enseignement de la religion sont fonction des principales conditions d'actualisation : l'utilisation de leur cadre interne de référence, l'autonomie et l'authenticité de leurs conduites religieuses. En définitive, le plus significatif à l'égard de cet enseignement est que tous les motifs exprimés à son égard (à quelques exceptions près) se rapportent à l'un ou l'autre de ces critères. L'enseignement de la religion, en lui-même, n'est peut-être pas toujours une source d'actualisation, mais la réaction des élèves à son égard s'inscrit d'emblée dans un processus d'actualisation. Pour un grand nombre d'entre eux, le rejet de cet enseignement devient à la fois un facteur et un symbole de leur actualisation.

B. LE CLERGÉ

1. Le sentiment d'être compris. — Une observation qui se dégage très nettement des résultats de notre analyse est que le sentiment de satisfaction à l'égard des contacts avec le clergé est entièrement lié au sentiment d'être compris par lui. Le tableau 3 révèle que 47 % des motifs de satisfaction à son égard se rapportent directement au sentiment d'être compris. Si nous ajoutons à ce pourcentage les motifs qui se rapportent

au sentiment de partager en commun une aire de communication (12,3 %) nous constatons que 59,3 % des motifs de satisfaction se rapportent, de façon plus générale, au cadre interne de référence de nos informateurs. En d'autres termes, près des deux tiers des contacts satisfaisants avec le clergé sont motivés par le fait que ceux-ci sont en mesure de se rapporter au cadre de référence des informateurs eux-mêmes dans leur communication. Ce résultat est d'autant plus significatif qu'il diffère totalement des résultats obtenus pour les autres groupes de référence : pour les responsables de l'enseignement religieux, ce pourcentage est seulement de 33,6 % et il s'abaissera à 16,5 % pour les parents (tableau 3).

Que signifie ce résultat en regard de la relation établie avec les membres du clergé ? Probablement que les critères utilisés pour apprécier ces relations sont fonction de la conception qu'on se fait du clergé idéal et, en particulier, du prêtre idéal. Le prêtre idéal, c'est avant tout celui qui comprend, celui de qui on n'attend pas des directives précises et définitives, mais une aide pour se comprendre soi-même davantage. D'ailleurs, cette image du prêtre idéal ne s'applique pas uniquement au prêtre que l'on va consulter personnellement. À ce niveau de l'image idéale, on s'attend à ce que la mentalité du clergé en général exprime cette attitude de compréhension et cette capacité d'être « comme tout le monde », tout en étant différent des autres. Quand ensuite, on constate que plus de la moitié des motifs de satisfaction exprimés à l'égard du clergé se rapporte justement au cadre interne de référence et, en particulier, au sentiment d'être compris, il est certainement valide de conclure que cette image du prêtre idéal remplit une fonction très importante dans l'appréciation des divers contacts avec le clergé.

Ce sentiment d'être compris apparaît clairement comme un prérequis sans lequel aucune relation n'est satisfaisante. Sur ce point, la théorie générale de Rogers s'applique parfaitement à la situation que nous étudions ici.

2. AUTHENTICITÉ ET DIFFÉRENCIATION DU CHAMP PSYCHOLOGIQUE. — Par ailleurs, que près de la moitié des motifs se

rapportent ainsi à ce que l'on peut considérer comme un pré-requis de toute relation satisfaisante indique également un autre trait caractéristique de ce groupe de référence. Une grande proportion des contacts satisfaisants avec le clergé constitue une expérience relativement peu profonde. Le fait d'en prendre très peu conscience en termes d'authenticité est révélateur à cet égard. Tout se passe comme si les jeunes informateurs se satisfaisaient, en quelque sorte, d'être compris par le clergé, sans avoir avec eux des relations assez profondes et personnelles pour pouvoir prendre conscience de la présence ou de l'absence des valeurs d'authenticité.

Jusqu'à un certain point, ceci pourrait peut-être s'expliquer par le contexte social lui-même de la relation entre clercs et laïcs. Mais si le contexte était le seul facteur en cause, il ne devrait pas y avoir de différence marquée entre les motifs de satisfaction et les motifs d'insatisfaction. Or, on constate justement une telle différence entre les motifs de satisfaction et les autres :

catégories regroupées	motifs de satisfaction	motifs d'insatisfaction
décision existentielle (1)		16,3 %
cadre interne de référence (2 et 4)	59,3 %	23,5 %
autonomie (3 et 5)	26,0 %	28,6 %
authenticité (6 à 8)	15,0 %	28,4 %

L'authenticité, en particulier, prend deux fois plus d'importance quand il s'agit des motifs d'insatisfaction (28,4 % et 15,0 %). Cela signifie que les expériences qui apparaissent insatisfaisantes aux informateurs sont des expériences pour lesquelles l'authenticité devient une valeur ou un critère dont on prend plus souvent conscience. Cela signifie également que le rejet (au sens psychologique du terme) de certaines relations avec le clergé favorise le développement d'un champ psychologique plus différencié, puisqu'on prend conscience des relations insatisfaisantes en se référant autant à l'authenticité qu'à l'autonomie ou qu'au sentiment d'être compris. Or la référence à l'authenticité dans la prise de conscience d'une expérience et une plus grande différenciation du champ psychologique sont deux indices importants d'actualisation.

L'expérience de rejet d'une relation avec le clergé impliquerait donc une plus grande actualisation que dans le cas de l'acceptation de cette relation. L'expression « plus grande actualisation » signifie ici une expérience d'actualisation qui suppose un engagement plus profond de toute la personnalité. En ce sens il semble qu'on puisse conclure que le jeune informateur s'actualise davantage en rejetant certaines relations avec le clergé qu'en les acceptant.

Mais il ne faut pas conclure par là que le rejet d'une expérience religieuse est *nécessairement* plus actualisante que son acceptation. Ce qui rend ce rejet plus actualisant, dans le cas du groupe particulier que nous étudions, c'est que ce rejet implique presque inévitablement une prise de conscience plus forte et plus différenciée de ses expériences. Dans la vie d'une personne, les périodes de changement sont les périodes où ses attitudes prennent plus facilement de l'importance et du relief dans le champ psychologique. Quand une personne est en voie de modifier certaines de ses attitudes, elle en devient plus facilement consciente, surtout quand il s'agit d'attitudes à l'égard de quelque chose qu'elle-même ou que son milieu valorise beaucoup. Or, pour nos informateurs, qui ont tous reçu une éducation catholique, le fait de rejeter un certain nombre d'expériences religieuses les situe d'emblée dans une telle période de changement personnel [1]. Aussi, ne faut-il pas se surprendre de ce que le rejet de certaines expériences religieuses soit associé à des indices d'une plus grande actualisation.

3. Aire de communication et expérience de communication. — Au cours de l'analyse des responsables de

1. Il faut toutefois préciser que, si cette période de changement devient trop menaçante et trop anxiogène, cette prise de conscience, si intense et si saillante soit-elle, risque de ne pas être une symbolisation adéquate de l'expérience vécue. Dans ce cas, la prise de conscience de l'expérience ne favorise pas le fonctionnement optimal de la personnalité.

l'enseignement religieux, nous avons constaté qu'au moins pour certains informateurs, on ne peut validement distinguer entre le processus de la communication et de son contenu. Si, pour certains, il existe une aire de communication en commun dès que le professeur de religion aborde des thèmes qui les préoccupent, pour d'autres, cette aire de communication n'existe que dans la mesure où il y a une expérience vécue de communication entre professeur et élève. Le vécu, disions-nous, devient l'aire de communication.

Le même phénomène se retrouve pour la relation avec le clergé. Voici comment il est apparu au cours de notre recherche empirique. Nous avons décrit la procédure suivie pour le découpage du matériel d'entrevue en un certain nombre d'unités. Trois critères furent utilisés : la personne ou le groupe concerné, le thème abordé et l'expression d'un sentiment de satisfaction ou d'insatisfaction. Or il est rapidement apparu que parmi les thèmes contenus dans les témoignages des informateurs, un de ceux qui revenaient le plus souvent était justement le *genre de relation* qu'ils établissaient avec les divers groupes de référence. La relation elle-même et non pas son contenu apparaissait souvent comme l'élément le plus important et, en tout cas, comme l'élément dont l'informateur parlait le plus volontiers. En d'autres termes, quand un informateur décrivait sa relation avec tel ou tel prêtre, par exemple, le souvenir qu'il décrivait dans l'entrevue se rapportait beaucoup moins au contenu des conversations avec lui, qu'au climat dans lequel s'était déroulée cette conversation. En ce sens, pour plusieurs informateurs, l'expérience de communication devient le principal critère pour juger de l'existence ou de la non-existence d'une aire de communication entre eux et le clergé. L'aire de communication, définie en termes de contenu, n'existe à peu près pas. La véritable aire de communication, c'est plutôt de faire en commun l'expérience d'une communication. Voici, à titre d'illustration, deux longs extraits d'entrevues dans lesquels on retrouve la même tendance à se centrer beaucoup plus sur le type de relation établie avec le directeur spirituel que sur le contenu de leur relation :

> C'est avec le directeur spirituel qu'on parle des choses très personnelles. C'est excellent. Ce le fut pour moi parce que c'était moi qui dirigeais nos discussions. Le directeur spirituel ne fait qu'aider un gars à évoluer : sans quoi le gars reçoit des solutions à des problèmes qu'il ne se pose pas. Mon directeur spirituel était d'accord là-dessus, sans perdre l'occasion de pousser loin nos discussions. Il était très moderne, très ouvert, adapté, et surtout humain. C'est le seul avec lequel j'étais ouvert sur le plan religieux. Encore que la plupart du temps on parlait plus des choses de l'esprit que de religion. Mon directeur spirituel avait une vue complète des choses, c'était un prêtre délicat et humain à la fois, concret. Un idéal pour moi ce directeur spirituel.
>
> On était obligé d'avoir un directeur spirituel au collège. Mais moi j'ai toujours eu de la difficulté à m'ouvrir, par timidité. Je n'ai jamais été à l'aise avec lui. Je tournais une heure autour de mes problèmes, sans y entrer, je ressortais insatisfait. Je souhaitais alors en rencontrer un qui me comprendrait, et pour ce, j'en choisissais que je ne connaissais pas trop. Mais c'est probablement parce que je suis gêné que ça ne marche pas : des amis passent des veillées à jaser avec leur directeur spirituel, pas moi. Au bout d'une heure, je ne saurais plus quoi dire.

L'expérience de la communication elle-même devient donc très souvent plus importante dans le champ psychologique que le contenu de la relation. Cette constatation pourrait être la conséquence du type d'entrevue que nous avons fait subir et, en particulier, des principales questions clés que nous utilisions. Mais, par ailleurs, cette constatation semble être logiquement reliée à la conception qu'on se fait du prêtre et du prêtre idéal. On l'a déjà vu, cette conception s'inspire beaucoup plus de la capacité de celui-ci à entrer en communication que de son appartenance symbolique à un univers religieux.

Ce n'est donc pas par le « contenu » religieux qu'on définit le prêtre ou le prêtre idéal, mais plutôt par l'expérience de la communication. Il est normal que les informateurs, dans la mesure où ils partagent cette conception du prêtre, aient tendance à accorder beaucoup d'importance et de signification au mode de relation qu'ils établissent avec le clergé. Cette tendance est largement répandue, puisque sur les 179 unités analysées se rapportant au clergé, 62 se rapportaient ainsi directement à l'expérience de la communication, plutôt qu'à son contenu.

C. LES PARENTS

À cause du nombre relativement petit d'unités se rapportant aux parents, les tableaux 3 et 4 doivent être interprétés avec prudence. Les résultats qui s'en dégagent n'en suffisent pas moins pour faire ressortir des différences fondamentales entre ce groupe de référence et les deux précédents que nous avons analysés.

1. Attitudes négatives à l'égard des parents. — Pour les deux groupes de référence que nous avons déjà analysés, le nombre de relations satisfaisantes était *légèrement* inférieur à celui des relations insatisfaisantes. Or, à l'égard des parents, la proportion des relations satisfaisantes apparaît comme *beaucoup plus faible* (seulement 37 % des 49 [2]). Comme neuf informateurs n'ont pas du tout mentionné les parents au cours des entrevues et comme on peut validement supposer que ce fait révèle des tendances plutôt neutres ou négatives à l'égard des parents, la proportion totale des relations satisfaisantes avec les parents est donc extrêmement basse. Cette tendance marquée prend encore plus de relief quand, au lieu de comparer avec l'ensemble du clergé, on compare avec certaines catégories de prêtres avec lesquels la plupart des informateurs sont venus en contact. Prenons par exemple, les directeurs spirituels et les aumôniers de collège [3]. Sur 43 contacts se rapportant aux directeurs spirituels, 24 étaient satisfaisants et sur 15 contacts avec les aumôniers, 11 étaient

2. Voir le tableau 2.

3. En général, les premiers sont en relation avec des étudiants du classique et les derniers, avec ceux du scientifique. En tout, 29 informateurs mentionnent des relations avec l'une ou l'autre de ces deux catégories de prêtres.

satisfaisants. Comparée à ces résultats, la proportion des relations insatisfaisantes avec les parents apparaît comme étant nettement significative [4].

2. CADRE INTERNE DE RÉFÉRENCE : SENTIMENT DE BRISURE. — Le tableau 3 révèle justement à l'égard de ces relations insatisfaisantes un résultat extrêmement important : plus de la moitié (54,8 %) des informateurs ont le sentiment qu'il n'y a pas, entre eux-mêmes et leurs parents, une aire de communication en commun. Si on ajoute à ces motifs ceux qui se rapportent directement au sentiment d'être compris (3,2 %) et ceux qui expriment la décision existentielle de ne pas communiquer avec leurs parents (16,0 %), la proportion totale de ceux qui ont l'impression de ne pouvoir communiquer avec leurs parents sur le plan religieux atteint 74,0 %.

Dans l'ensemble, une très forte proportion de nos informateurs ont donc nettement le sentiment d'une brisure ou d'une discontinuité plus ou moins profonde entre eux-mêmes et leurs parents. Voici, à ce sujet le témoignage d'un informateur :

> J'aimerais avoir un foyer où la foi règne, appliquée d'une façon intelligente, élever mes enfants dans la foi religieuse mieux que moi j'ai été élevé par exemple. Que ma femme et moi on vive une spiritualité : c'est un souhait que je formule [...]
>
> [En parlant de sa mère.] Sa conception de la religion, ai-je découvert, n'était pas exactement la même que moi. Je la trouvais pas mal primaire. Ce qui ne lui enlève pas sa valeur comme personne. Au point de vue esprit, elle est moins évoluée que moi. Sa vue de la réalité est très sensée mais ça n'a pas du tout de contexte culturel. Elle est très avancée par ailleurs, mais au point de vue religieux, elle est bonne pour la religion de 1900 ou 1920, pour être généreux. Une conception janséniste. Sa manière de concevoir, c'est quelque chose d'extérieur, des exigences à faire [...]
>
> [En parlant de son père.] Il est comme ma mère, moins évolué que moi... (N° 27)

4. Les deux seules catégories relatives au clergé qui sont l'objet d'une part relativement plus grande d'insatisfaction sont « les prêtres ou le clergé en général » et les « religieux ou religieuses ».

Comme on s'en rend facilement compte à la lecture de cette citation, il arrive que les informateurs jugent la religion de leurs parents en termes d'autonomie, d'authenticité : « C'est quelque chose d'extérieur », « des exigences à faire », etc. Mais même dans ces témoignages, le sentiment fondamental qui se dégage est celui d'un profond décalage entre leur propre univers religieux et celui de leurs parents [5].

Si on considère par ailleurs les relations satisfaisantes, on se rend compte que l'aire de communication ne se situe pas souvent au niveau des conceptions religieuses spécifiques ou au niveau des conduites elles-mêmes : très peu d'informateurs, par exemple, se déclarent satisfaits parce qu'il y aurait sentiment d'accord entre eux-mêmes et leurs parents par rapport à la messe, aux prières, ou par rapport au protestantisme, etc. Quand il y a sentiment d'accord plutôt que sentiment de brisure, c'est que les informateurs prennent conscience de certaines attitudes profondes de leurs parents à l'égard de ces conceptions ou de ces conduites. L'informateur dira, par exemple, « mes parents n'ont pas du tout la même conception de la religion que moi, mais ils sont honnêtes avec eux-mêmes, ils sont sincères ». Ce qui est alors valorisé dans ces relations, ce sont donc ces valeurs sous-jacentes à leurs expériences religieuses. Ce sentiment d'accord au niveau des valeurs implicites se retrouve seulement dans une très petite portion des cas. Ce sentiment de brisure est partagé même par ceux qui se déclarent satisfaits de leurs relations avec leurs parents et qui décrivent ces relations en termes d'autonomie, d'acceptation ou de compréhension. Avoir le sentiment d'être compris ou d'être accepté par les parents, dans ce contexte, signifie habituellement que les parents comprennent ou acceptent que leurs enfants soient différents d'eux-mêmes. Ceci, en soi, est déjà une condition actualisante, mais la relation avec les parents ne crée pas une situation qui aide à l'exploration de soi-même ou à la prise de décisions existentielles. En d'autres termes, la relation avec les

5. À l'appendice I, le lecteur trouvera d'autres témoignages relatifs à ce sentiment de brisure entre l'univers des informateurs et celui de leurs parents.

parents, dans ces cas, permet l'orientation vers le fonctionnement optimal de la personnalité, mais ne le favorise pas.

Le sentiment de brisure est donc ce qui caractérise la relation avec les parents. Explorons rapidement quelques explications de ce phénomène qui se dégage de nos données.

Priorité du clergé comme groupe de référence religieuse. — Dans la fonction d'agent de socialisation religieuse, le clergé semble prendre une place prédominante parce qu'il constitue un interlocuteur *possible*. Quelles que soient les incompréhensions profondes que les informateurs puissent ressentir de la part du clergé, ils sont habituellement d'accord pour dire qu'au niveau du fonctionnement intellectuel ils sont beaucoup plus près des religieux que des parents.

Par ailleurs, les parents sont habituellement perçus comme un groupe de référence reflétant sensiblement le même idéal religieux que celui du clergé. On aurait pu supposer que leur statut de laïcs aurait rapproché les parents de leurs enfants, mais le tableau suivant (nº 5) indique clairement que l'idéal proposé par les parents se rapproche plus de l'idéal proposé par le clergé que de l'idéal des jeunes informateurs eux-mêmes. Il s'agit évidemment d'une mesure statistique. Pour les quinze item formant notre score C [6], ce tableau indique la proportion des informateurs se situant au pôle religieux pour les trois images suivantes de l'idéal religieux : « Ce que je voudrais être », « Ce que mes parents voudraient que je sois », « Ce que les prêtres voudraient que je sois ».

La situation des parents comme agents de socialisation se résume donc comme ceci, quand on se place au point de vue des jeunes eux-mêmes : les jeunes n'ont pas conscience d'une très grande différence entre l'idéal proposé par les parents et celui proposé par le clergé, mais seul ce dernier peut *présenter* ou *proposer* cet idéal dans un cadre de référence suffisamment élaboré et organisé pour les satisfaire.

6. Ce score C sera construit au chapitre IV.

Rôle particulier de la mère. — Jusqu'ici nous avons parlé des parents en général, mais effectivement il serait plus exact de faire référence à la mère surtout. À l'intérieur du questionnaire dont nous nous sommes servi, nous avons demandé « d'indiquer les trois personnes (ou groupes) qui vous ont le plus influencé sur le plan religieux ». Or, il est important de constater que, dans les réponses à cette question, le père occupe une place relativement restreinte. Considérons, par exemple, la distribution des « premiers choix », c'est-à-dire de ceux qui ont le plus influencé les informateurs. Au cours classique, ce

TABLEAU 5

Distribution des informateurs dont les réponses se situent au pôle religieux du moi idéal, de l'idéal proposé par les parents et de l'idéal proposé par les prêtres (en pourcentage)

item [a]	moi idéal	idéal des parents	idéal du clergé
2	70	71	94
3	18	29	22
4	81	68	98
5	33	57	55
6	47	63	77
9 [b]	23	58	47
12	49	71	75
19	27	59	67
20	11	37	30
24 [b]	27	72	54
34	37	45	53
35	58	80	89
36	16	37	33
42 [c]	85	55	85
44	46	59	77

[a] Pour le contenu de ces item, voir le tableau 1 ou l'appendice A.

[b] Pour cet item, le pôle qui est indiqué est celui du rejet des motivations individuelles.

[c] Pour cet item, les proportions indiquent ceux qui sont d'accord avec l'item et se situent donc au pôle *individuel* plutôt que *collectif*.

premier choix va 13 fois au prêtre, 14 fois à la mère et seulement 4 fois au père. Chez les élèves du cours scientifique — qui ont moins de contact avec les prêtres — 7 premiers choix vont à un membre du clergé, 24 à la mère et seulement 9 au père [7]. Dans l'ensemble le père a donc relativement peu d'importance dans le processus de socialisation religieuse : c'est ce qu'il faut conclure, au moins quand on s'en tient à la conscience qu'en ont les informateurs eux-mêmes. Cette constatation peut expliquer en partie le sentiment de brisure entre l'expérience religieuse des parents (de la mère) et celle de nos informateurs. D'autre part, quand on considère la morale générale selon laquelle la religion doit influencer tous les secteurs de l'existence, l'absence du père comme agent de socialisation devient encore plus significative, car elle implique que l'application des valeurs religieuses à tous les secteurs de l'existence plus spécifiquement masculins devient une responsabilité *individuelle* extrêmement lourde.

Rejet de la religion apprise au cours de la jeune enfance. — Ce sentiment de brisure entre l'univers religieux des parents et celui des jeunes de notre échantillon acquiert également une signification particulière du fait qu'une bonne partie de ce qui leur a été transmis par les parents l'a été au cours de la période de la jeune enfance : prières, sacrifices, chapelet, vie du petit Jésus, etc. En rejetant ou ignorant l'univers religieux des parents, ils rejettent ou ignorent la première phase de leur propre développement religieux. Ce sentiment de brisure peut alors se définir comme l'incapacité de prendre conscience dans un tout cohérent de l'*image de ce que j'ai été* et de l'*image de ce que je suis* sur le plan religieux.

Changement social. — Enfin le sentiment de brisure sur le plan religieux doit certainement être interprété dans le contexte général d'une société qui est en pleine période de transformation. Cette situation dans laquelle le changement devient un véritable mode de vie rend presque inévitable ce sentiment de brisure entre chaque génération. Ce sentiment de brisure ne

7. Voir l'appendice F.

se limite pas au secteur religieux, mais se rapporte plutôt à l'ensemble des expériences des jeunes d'une génération [8].

3. Sentiment d'accord avec les parents. — Nous l'avons dit plus haut, même les informateurs qui ont le sentiment d'être compris par leurs parents ont très souvent le sentiment que leur propre univers religieux est totalement étranger à celui de ces derniers. Les exceptions qui apparaissent, par exemple au tableau 3, sont celles qui valorisent la sincérité, l'honnêteté, l'authenticité des expériences religieuses de ses parents. En ce sens, quand il y a accord entre les parents et leurs enfants, c'est *à un niveau assez profond* de l'expérience religieuse que cet accord s'établit. L'analyse du tableau 5 permet d'ajouter que cet accord s'établit *par rapport à des valeurs très générales* : des quinze item rapportés dans ce tableau, le seul pour lequel il y a coïncidence entre le *moi idéal* et l'*idéal des parents* est l'item 2 qui porte sur ce qu'on a défini comme la morale générale (« Mon idéal religieux doit influencer ma vie de tous les jours »).

Dans l'ensemble, on peut résumer ainsi la relation entre les informateurs et leurs parents :

a) Il y a quelquefois un sentiment d'accord ou de continuité entre l'univers religieux des jeunes et celui des parents. Dans ce cas, l'accord s'établit à propos de quelques valeurs *profondes* et *générales*.

b) Pour la plupart des informateurs, le sentiment qui prédomine est celui de l'inexistence d'une aire de communication entre eux-mêmes et leurs parents. Ce sentiment de brisure fait que les parents constituent un groupe de référence relativement peu important si on considère la seule fonction d'identification : les parents ne servent pas aux jeunes à définir leur propre identification religieuse, ne leur servent pas à décrire leur propre *moi religieux*. Par ailleurs, les jeunes définissent souvent leur univers religieux par rapport à celui de leurs parents. Deux

8. Voir, à ce sujet, Marcel Rioux et Robert Sévigny, *les Nouveaux Citoyens*.

cas sont alors possibles : 1) les parents constituent un groupe de référence négative : la religion des parents symbolise l'univers religieux que je rejette ; 2) les parents ne constituent qu'un élément « extérieur » de la situation : on en tient compte, mais seulement comme on tient compte des divers facteurs extérieurs à soi, sans que cet élément « extérieur » n'influence l'image de soi et la signification profonde de ses expériences religieuses. Les informateurs qui continuent la pratique dominicale dans le seul but de ne pas peiner leurs parents ou d'éviter de longs reproches, illustrent bien ce dernier cas.

c) Enfin on peut conclure que pour la plupart des informateurs les relations avec les parents ne constituent pas une relation actualisante. Comme nous l'avons dit, en acceptant que leurs enfants soient différents d'eux-mêmes, les parents permettent l'actualisation de leurs enfants à travers leurs expériences religieuses mais ils ne la favorisent pas.

D. LES AMIS ET LES CAMARADES

Le lecteur se sera déjà rendu compte, à la lecture des tableaux statistiques présentés dans ce chapitre, que nous avons relativement peu de données portant sur la relation avec les amis. Aussi allons-nous nous limiter ici à quelques brefs commentaires. Même si le nombre de nos unités d'observation est relativement peu élevé, il est tout de même significatif que les relations avec les amis soient les seules à être plus souvent satisfaisantes qu'insatisfaisantes. Plus que dans les autres cas, semble-t-il, les amis symbolisent l'image de *ce que je suis.*

Comment expliquer alors que les témoignages fassent si peu référence aux amis ? Une première explication est d'ordre technique : notre schéma d'entrevue ne faisait peut-être pas suffisamment l'exploration des relations avec les amis [9]. Ce schéma explorait systématiquement les *relations interpersonnelles* dans lesquelles l'informateur était impliqué. Or il est possible que les expériences religieuses des jeunes n'impliquent

9. Précisons que le thème a été abordé dans chaque entrevue.

pas beaucoup de relations interpersonnelles avec les pairs. Ce qui est probablement le plus important à leurs yeux est l'image globale de ce que les *autres jeunes en général* pensent de la religion. C'est là une hypothèse qui mériterait d'être vérifiée.

Parvenu au terme de notre exploration de quelques groupes de référence importants, nous devons conclure d'une part que les jeunes prennent une conscience différentielle de ces groupes et que, d'autre part, la conscience qu'ils en ont s'établit en fonction des critères d'actualisation. Cette généralisation s'applique particulièrement au clergé et aux parents. En d'autres mots, les jeunes ne se font pas une image identique de leurs parents et du clergé comme groupes de référence religieuse, mais dans les deux cas, ces images sont fortement influencées par le fait qu'ils sont ou non une source d'actualisation.

Avant de tenter une synthèse des résultats obtenus jusqu'à maintenant, nous désirons compléter notre analyse par une dernière démarche décrite au chapitre suivant.

IV

L'expérience religieuse et l'actualisation : vérification statistique

Deux fois déjà nous avons décrit et expliqué l'expérience religieuse en faisant référence au concept d'actualisation. Nous l'avons fait d'abord en décrivant les diverses conceptions qu'on se fait de l'expérience religieuse. Nous avons alors constaté que les principaux concepts relatifs à la théorie rogérienne de l'actualisation pouvaient adéquatement décrire certains types de conceptions religieuses. Quelle que soit sa position sur le plan religieux, tout jeune étudiant doit se situer et prendre position à l'égard des valeurs qui servent de fondement, par exemple, à ce que nous avons appelé le modèle de référence de l'expérience religieuse. En ce sens, nous pouvons déjà conclure qu'au niveau de la conception de la religion, l'expérience religieuse n'est pas étrangère au processus d'actualisation.

Nous avons ensuite utilisé les concepts relatifs aux diverses dimensions de l'actualisation pour décrire et expliquer les expériences religieuses reliant nos informateurs à certains groupes de référence. Cette analyse ne portait plus sur une conception idéale de l'expérience religieuse, mais sur les sentiments de satisfaction ou d'insatisfaction à l'égard de ces divers contacts. Or, un sentiment de satisfaction ou d'insatisfaction constitue l'expression globale de deux perceptions de sentiments : *sentiment de ce qu'est la réalité* et *sentiment de ce qu'elle devrait être*. En exprimant, par exemple, son insatisfaction à l'égard de tel contact avec tel prêtre, l'informateur nous exprimait effectivement le résultat de la confrontation entre deux images dans le champ psychologique : ce qu'aurait dû être un tel contact et ce qu'il a été. Ceci signifie que, jusqu'à un certain point, l'analyse présentée au chapitre précédent se situait au niveau de la conception qu'on se fait de l'expérience religieuse.

Au cours de ce chapitre, notre exploration portera sur l'ensemble des expériences religieuses. Contrairement aux analyses précédentes, celle-ci ne favorisera donc ni les conceptions de l'expérience religieuse, comme dans la première partie du travail, ni les seules expériences impliquant des relations avec des groupes de référence, comme dans les deux chapitres précédents. En ce sens, ce chapitre aborde l'expérience religieuse dans une perspective plus générale que dans le dernier chapitre [1].

D'autre part, nous utiliserons de nouveaux instruments d'analyse permettant d'arriver à certaines mesures quantitatives [2]. Ces mesures, bien que très approximatives, serviront à une vérification statistique de la relation entre l'expérience religieuse et le processus d'actualisation. Quatre variables seront mises en relation : l'actualisation ou le fonctionnement optimal de la personnalité, l'attitude à l'égard de la pratique dominicale, le sentiment que l'Église constitue une condition actualisante ou fournit une situation actualisante, et enfin le degré d'acceptation ou de rejet du modèle de référence que nous avons déjà décrit au chapitre VII de la première partie.

A. MESURES DES VARIABLES ANALYSÉES

1. MESURE DE L'ACTUALISATION OU DU FONCTIONNEMENT OPTIMAL (SCORE A). — Quatre dimensions de l'actuali-

1. Une analyse rapide des vingt item composant le score d'actualisation montre très bien qu'ils portent sur l'expérience religieuse dans son ensemble (voir l'appendice G).

2. Rappelons que cette partie de notre enquête porte sur le second échantillon que nous avons décrit auparavant (voir p. 39-40).

sation ou du fonctionnement optimal furent utilisées : la cohérence du champ psychologique, la congruence, l'ouverture à l'expérience et l'autonomie [3]. Nous nous limiterons ici à un simple rappel de ces définitions.

a) Cohérence du champ psychologique. — Il y a cohérence dans le champ psychologique d'une personne quand celle-ci réussit à intégrer les divers éléments qui le composent et quand elle a conscience de comprendre la signification de ces éléments : « J'ai de la difficulté à mettre de l'ordre dans mes idées sur le plan religieux. »

b) Congruence. — La congruence définit la qualité de la symbolisation de l'expérience dans le champ de conscience. L'incongruence se manifeste habituellement par un état d'ambivalence, de confusion, de malaise et d'insatisfaction : « Quand je discute de religion, je ne dis pas tout ce qui me vient à l'esprit. »

c) Ouverture à l'expérience. — Être ouvert à l'expérience signifie ne pas se sentir menacé par des expériences nouvelles, par l'incertitude de l'avenir, par le changement ou par la présence de ceux qui n'ont pas les mêmes croyances que soi : « Je n'aime pas discuter de religion avec des personnes qui n'ont pas les mêmes convictions religieuses que moi. »

d) Autonomie. — L'autonomie définit le degré d'intériorisation des critères de valorisation de soi-même et des autres : « Au fond, je suis le seul à pouvoir juger ce que je dois faire sur le plan religieux. »

Comme dans le premier questionnaire qui nous servait à explorer la conception que nos informateurs se faisaient de l'expérience religieuse, chaque répondant devait indiquer jusqu'à

3. Ces notions ont déjà été définies au moment de la présentation de notre cadre général d'analyse. On retrouvera à l'appendice G les vingt item utilisés dans la construction de ce score.

quel point chacune des phrases décrivait très peu ou très bien sa propre expérience religieuse ; ceci sur une échelle en neuf points [4].

TABLEAU 6

Mesure de validité interne entre chaque sous-score et le score total d'actualisation (N = 94)

		congruence		cohérence		autonomie		ouverture à l'expérience		total
		+	−	+	−	+	−	+	−	
score total d'actualisation	+	36	9	37	8	32	13	35	10	45
(score A)	−	8	41	8	41	13	36	11	38	49
total		44	50	45	49	45	49	46	48	94

Le signe + signifie au-dessus de la médiane.
Le signe − signifie au-dessous de la médiane.
P = 0,001.

Validité interne. — Notre objectif, en utilisant ces quatre sous-scores, n'était pas d'effectuer une analyse propre à chacune des quatre dimensions, mais uniquement d'assurer une plus grande validité interne à l'instrument et au score total. Effectivement, comme chacun de ces sous-scores se trouve en étroite relation avec le score total, celui-ci constitue une mesure valide des quatre dimensions. Le tableau 6 indique le résultat de ce test de validité interne [5]. Ici le test U de Mann-Whitney a été utilisé [6].

4. Les réponses furent ensuite compilées selon la méthode de Likert pour donner quatre sous-scores correspondant aux quatre dimensions explorées, et un score total d'actualisation. Chaque score fut ensuite dichotomisé, *i. e.* ramené à une mesure nominale : en dessous et au-dessus de la médiane.

5. On trouvera à l'appendice B cette partie du questionnaire qui portait le titre : *Vos réactions personnelles.*

6. Sidney Siegel, *Nonparametric Statistics for the Behavioral Sciences,* p. 116-127. Pour toutes les autres mesures de probabilité présentées dans ce chapitre, le test du χ^2 fut utilisé (voir *ibid,* p. 104-111).

2. Mesure de l'attitude à l'égard de la pratique dominicale (P et NP). — Notre échantillon fut divisé en deux catégories. Au cours de notre analyse, nous définirons le pratiquant (P) comme celui qui se considère comme membre de l'Église catholique et qui pratique régulièrement et volontairement. Tous les autres sont considérés ici comme des non-pratiquants (NP). Notre division en deux catégories constitue donc avant tout une définition opératoire de cette dimension cultuelle de l'expérience religieuse [7]. D'autre part, l'acceptation ou le rejet de la pratique peut servir d'indice du sentiment d'appartenance à l'Église.

3. Mesure du sentiment d'une Église actualisante (EgA). — Théoriquement, il aurait été utile de mettre en relation la conception qu'on se faisait des groupes de référence et le score d'actualisation. Comme l'analyse des groupes de référence s'est effectuée à l'aide d'un échantillon et de données d'entrevues non structurées, cette mise en relation s'est révélée impossible. Pour être en mesure d'établir quand même une relation entre ces deux variables, nous avons utilisé cette partie de notre questionnaire qui incluait cinq item se rapportant à l'Église en général. Chacun de ces cinq item porte sur l'une ou l'autre des dimensions de l'actualisation : le sentiment d'être compris, le sentiment d'être accepté inconditionnellement ou d'être valorisé, le sentiment que l'autre est cohérent ou congru. Voici ces cinq item [8] :

Je trouve qu'au fond l'Eglise ne s'intéresse pas à moi.
Je sens que l'Eglise comprend mon point de vue à moi sur la religion.
J'ai le sentiment que l'Eglise ne sait pas trop ce qu'elle attend de moi.

7. Pour la distribution des informateurs de notre échantillon selon la pratique dominicale, voir l'appendice C.

8. Les cinq phrases se trouvaient insérées dans la partie du questionnaire portant sur les réactions personnelles. Le score fut calculé de la même façon, ce qui donne un score possible de 5 à 45. Il fut ensuite réparti en deux catégories : en bas et en haut de la valeur médiane.

J'ai le sentiment que l'Eglise me fait confiance même quand je fais quelque chose qu'elle n'approuve pas.
J'ai l'impression que ceux qui parlent au nom de l'Eglise vivent eux-mêmes ce qu'ils proposent.

La validité logique de cette échelle s'appuie sur l'analyse que nous avons déjà présentée à propos des groupes de référence. Les cinq dimensions qui sont représentées, brièvement nous l'admettons, dans cette échelle sont des dimensions qui se sont déjà avérées utiles à l'analyse des relations avec les groupes de référence. Dans les pages suivantes, nous nous référons à ce score en tant qu'il mesure le sentiment d'être ou d'avoir été en présence d'une Église actualisante, c'est-à-dire d'une Église qui fournit ou qui fournissait les conditions nécessaires à l'actualisation de ses membres (score EgA).

4. Mesure du modèle de référence (score C). — À la fin de la première partie de ce travail, nous avons formulé un type idéal d'expérience religieuse qui sert de type de référence aux jeunes quelle que soit leur orientation propre. Pour être en mesure de vérifier les relations pouvant exister entre la conception de l'expérience religieuse et le processus d'actualisation, nous avons voulu établir une mesure statistique qui traduirait en un simple score ce modèle de référence. La procédure fut la suivante. Des 38 item portant sur la conception de l'expérience religieuse 15 furent retenus parce que permettant mieux de situer chaque informateur par rapport à ce modèle idéal [9].

9. On trouvera la liste de ces 15 item à l'appendice E. D'autres item parmi les 38 auraient pu entrer dans cette mesure. Notre choix de ces 15 item se base sur quatre critères : 1) leur formulation techniquement supérieure, sur le plan du contenu : ils devaient refléter les différents traits du type de référence décrit au chapitre VII de la première partie ; 2) le contenu des item : nous avons été amené à éliminer un certain nombre d'item qui auraient accordé trop de poids à l'un ou l'autre de ces traits ; 3) la neutralisation de la variable « intensité de l'expérience religieuse » pour ne garder que l'aspect conception ou orientation de l'expérience religieuse ; 4) la réduction de l'effet de halo. Pour satisfaire à ces deux derniers critères, nous avons, d'une part, choisi un nombre égal d'item formulés positivement et négativement et, d'autre part, fait alterner les item positifs et négatifs.

Ces 15 item reflètent les dimensions suivantes :

Un Dieu compréhensif avec qui on a un dialogue personnel (item 4 et 42) ;

Le rejet de l'Église comme cadre de l'expérience religieuse collective (item 6) ;

Le rejet des dogmes comme formulation des croyances religieuses (item 19) ;

Le prêtre valorisé à cause surtout de sa capacité d'être un homme comme les autres (item 34) ;

L'importance relativement moins grande des pratiques cultuelles (item 5 et 35) ;

L'individualisme caractérisant celles-ci quand elles sont acceptées (item 20 et 36) ;

L'importance de la motivation individuelle (item 9 et 24) ;

Le rejet de la morale spécifique et institutionnelle (item 3 et 12) ;

La valorisation d'une morale générale et individuelle (item 2 et 24).

Le score fut calculé pour chaque item, ce qui permettait de dichotomiser : une catégorie allant dans le sens du modèle de référence et une catégorie allant plutôt dans le sens d'une conception traditionnelle de l'expérience religieuse [10]. Le score total obtenu par chaque informateur [11] est donc la somme totale des réponses allant dans le sens du modèle de référence, ce score pouvait donc techniquement se situer entre 0 et 15, mais il fut lui-même dichotomisé en prenant la médiane comme point milieu (C+ et C—).

Signification de ce score C. — Le score C+ indique donc l'acceptation du modèle de référence. Plus spécifiquement, il mesure une orientation globale de la conception de l'expérience

10. Voir « Type 1. L'adhésion traditionnelle à l'Église », chap. VII, p. 139.

11. On trouvera à l'appendice E la distribution de ce score parmi les informateurs.

religieuse, celle qui se caractérise par la tendance à faire ressortir les dimensions individuelles, relationnelles et personnelles de l'expérience religieuse ainsi que ses traits d'authenticité et d'autonomie. Le score C— indique le rejet de ce type de référence et de ses dimensions caractéristiques. Il reflète plutôt l'adhésion à ce que nous avons déjà appelé « le type traditionnel d'expérience religieuse » et qui constitue en quelque sorte le pôle opposé au type de référence que nous avons dégagé.

Notons que sur cette échelle du score C le point milieu prend une signification plus confuse [12]. Il groupe, à la fois, ceux dont les tendances vers l'un ou l'autre type ne sont pas très prononcées et ceux pour qui l'expérience religieuse n'a aucun intérêt, aucune intensité [13].

Validité du score C. — Nous n'avons aucune possibilité de comparaison avec un groupe contrôle. Nous pouvons tout de même dégager de la comparaison entre les informateurs pratiquants et les autres, la caractéristique suivante : le groupe des non-pratiquants s'éloigne plus que l'autre groupe de la conception traditionnelle de l'expérience religieuse, puisqu'il a en général, un score C plus élevé (voir tableau 7).

TABLEAU 7

Distribution du score C selon la pratique religieuse

score C	pratiquants (P)	non-pratiquants (NP)	total
+ médiane	16	27	43
— médiane	32	19	51
total	48	46	94

12. Comme dans toutes les échelles de ce type le point milieu est d'une interprétation plus difficile. Pour les problèmes sous-jacents à la construction des échelles, voir Allen L. Edwards, *Techniques of Attitude Scale Construction,* p. 149-171.

13. Par la forme même de l'échelle, les informateurs dont l'intensité de l'expérience religieuse était absolument nulle se situeraient au point milieu de l'échelle. Ceci signifie que ces informateurs se situent probablement de part et d'autre de la médiane et n'influencent guère les analyses statistiques que nous ferons.

B. FORMULATION DES HYPOTHÈSES

L'objectif de ce chapitre est la vérification de *l'hypothèse générale d'une relation entre l'actualisation et les trois variables que nous venons de décrire.* Formulons d'abord quelques hypothèses particulières : la vérification de celles-ci nous permettra ensuite d'en arriver à une typologie empirique de l'expérience religieuse et de porter un jugement sur la validité de cette hypothèse générale [14].

1. LA PRATIQUE DOMINICALE ET L'ACTUALISATION. — On peut supposer que la décision existentielle d'une personne de diminuer ou d'arrêter la pratique dominicale est une réponse au sentiment de ne pas s'actualiser au cours de ses expériences religieuses. Si ceux qui deviennent des non-pratiquants sont ceux pour qui les expériences religieuses situées dans le cadre institutionnel de l'Église ne sont pas une source d'actualisation d'eux-mêmes, nous pouvons formuler l'hypothèse suivante : *les non-pratiquants se situent en général plus bas sur une échelle d'actualisation que les pratiquants* (H-1).

2. RELATION ENTRE L'ÉGLISE ACTUALISANTE, LA PRATIQUE ET L'ACTUALISATION. — *a*) Nous pouvons formuler l'hypothèse suivante en nous appuyant sur ce que nous avons déjà dit des groupes de référence religieuse. Dans la mesure où ceux qui représentent l'Église aux yeux de nos informateurs manifestent à l'égard de ces derniers une attitude d'acceptation inconditionnelle, de valorisation de leur personne, de compréhension et dans la mesure où ils sont eux-mêmes cohérents et congrus, ils fournissent à ces jeunes un cadre de relations interpersonnelles permettant des expériences religieuses actualisantes. Si on applique ce qui précède à l'Église en général, on peut dire

14. Notons que le score d'actualisation mesure le fonctionnement optimal dans l'expérience religieuse. Si ce score mesurait l'actualisation dans l'ensemble des expériences humaines, certaines hypothèses sur la relation entre l'expérience religieuse et les autres types d'expérience pourraient être formulées. Notre propre travail se situe toutefois dans les limites de l'expérience religieuse elle-même.

alors que plus l'Église constitue pour eux un cadre dans lequel il leur est possible de vivre des expériences actualisantes, plus ils auront tendance à y demeurer et plus ils auront tendance à valoriser le précepte de la pratique dominicale. Comme l'échelle que nous avons constituée mesure les sentiments des jeunes à l'égard de l'Église, comme cadre favorisant ou non l'actualisation (score EgA), nous pouvons formuler l'hypothèse suivante : *les informateurs ayant un score élevé sur l'échelle mesurant l'Église actualisante (EgA) se retrouveront plus nombreux chez les pratiquants que chez les non-pratiquants* (H-2) ; *b*) D'autre part, comme l'Église constitue pour eux un milieu favorable à l'actualisation, on peut également supposer que *les informateurs qui ont un score élevé sur cette échelle mesurant l'Église actualisante (EgA) auront tendance à avoir également un score plus élevé que les autres sur l'échelle d'actualisation, c'est-à-dire au score A* (H-3).

3. Hypothèses relatives à la relation entre la conception de l'expérience religieuse et l'actualisation. — Cette conception de l'expérience religieuse, on l'a vu, est mesurée par le score C. Ceux qui se situent au pôle le plus élevé de cette échelle tendent à favoriser l'expérience religieuse individuelle, personnelle, autonome et authentique.

a) Une première hypothèse générale est qu'en soi le processus d'actualisation n'est lié à aucun contenu particulier, à aucune conception particulière. On peut donc formuler immédiatement cette hypothèse : *il n'y a pas de relation entre le score C mesurant la conception de l'expérience religieuse et le score A d'actualisation* (H-4).

b) Comme par ailleurs on sait déjà que la pratique dominicale est reliée statistiquement à l'acceptation ou au rejet de ce type de référence [15], et comme nous supposons une relation entre la pratique et l'actualisation, il est possible que cette troisième variable entre en jeu ici. Il nous faut donc préciser l'hypothèse (H-4) en disant : *si on tient constante la variable*

15. Voir le tableau 7.

« pratique religieuse », il n'y aura pas de relation entre le score C de conception religieuse et le score A d'actualisation (H-5).

c) Le même raisonnement s'applique par rapport au sentiment d'être ou non en présence d'une Église actualisante. Il est possible que l'Église accepte et valorise moins ceux qui ont cette conception autonome de la religion (C +) et qu'alors ces derniers aient moins souvent le sentiment d'une Église actualisante. Si tel est le cas, cette variable interviendrait ici dans les résultats. Il nous faut donc préciser à nouveau notre hypothèse (H-4) en disant : *il n'y a pas de relation entre la conception religieuse et l'actualisation si on tient constante la variable « sentiment d'une Église actualisante »* (H-6).

C. VÉRIFICATION DES HYPOTHÈSES

La vérification des hypothèses suivra l'ordre de leur présentation dans la section précédente. Comme la signification y a été présentée, nous nous limiterons à préciser si l'hypothèse est vérifiée ou rejetée.

1. Hypothèse relative à la pratique dominicale. — Cette hypothèse se formulait comme suit : les non-pratiquants se situent en général plus bas sur une échelle d'actualisation que les pratiquants (H-1). Le tableau 8 montre clairement que cette hypothèse est vérifiée. Chez les pratiquants, la proportion la plus forte représente ceux qui ont un haut score d'actualisation (30/48), alors que chez les non-pratiquants la tendance est inversée : la proportion la plus forte représente ceux qui s'actualisent peu, soit 31/46.

TABLEAU 8

Score d'actualisation selon la pratique religieuse (N = 94)

actualisation	pratique P	pratique NP	total
A+	30	15	45
A−	18	31	49
total	48	46	94

P = 0,01.

2. Hypothèses relatives à l'Église actualisante. — La première hypothèse se rapportant à l'Église actualisante concerne la relation entre cette variable et la pratique. Elle s'énonce comme suit : les informateurs ayant un score élevé sur l'échelle mesurant l'Église actualisante se retrouvent plus nombreux chez les pratiquants que chez les non-pratiquants (H-2). Cette hypothèse se vérifie (voir tableau 9). La majorité des pratiquants ont le sentiment que l'Église est actualisante (32/48) alors que la majorité des non-pratiquants ont le sentiment contraire (28/46).

TABLEAU 9

Score sur l'Église actualisante (EgA) selon la pratique religieuse (N = 94)

Église actualisante	pratique P	NP	total
EgA+	32	18	50
EgA–	16	28	44
total	48	46	94

P = 0,02.

La seconde hypothèse se rapporte à l'influence qu'a le sentiment d'une Église actualisante sur le processus d'actualisation : les informateurs qui ont un score élevé sur l'échelle mesurant l'Église actualisante (EgA) auront tendance à avoir également un score plus élevé que les autres sur l'échelle d'actualisation (H-3). Cette hypothèse se vérifie. Le tableau 10 montre clairement que parmi ceux qui ont le sentiment d'une Église actualisante, le plus grand nombre s'actualise (33/50), et que parmi ceux qui n'ont pas ce sentiment, la plupart ne s'actualise pas (32/44).

TABLEAU 10

Score d'actualisation (A) selon le score de l'Église actualisante (N = 94)

actualisation	Église actualisante EgA+	EgA–	total
A+	33	12	45
A–	17	32	49
total	50	44	94

P = 0,001.

Le sentiment d'une Église actualisante est donc en relation significative avec la pratique et avec l'actualisation. Pour être en mesure de bien apprécier l'influence de ce sentiment (EgA) sur l'actualisation, nous avons tenu constante la pratique religieuse. Le tableau 11 présente ces données. De ce tableau

TABLEAU 11

Score d'actualisation selon la pratique et selon le sentiment d'une Église actualisante (N = 94)

actualisation	pratiquants [a]			non-pratiquants [b]		
	EgA+	EgA−	total	EgA+	EgA−	total
A+	25	5	30	8	7	15
A−	7	11	18	10	21	31
total	32	16	48	18	28	46

[a] P = 0,01.
[b] P = entre 0,20 et 0,30.

se dégage une constatation extrêmement intéressante précisant la portée du score EgA. Ce score EgA n'influence l'actualisation que chez les seuls pratiquants. Quand on est non-pratiquant, quel que soit le sentiment à l'égard de l'Église actualisante, on tend à moins s'actualiser : 10 sur 18 et 21 sur 28 [16]. Si on est pratiquant cependant, on s'actualise ou non selon que l'on a ou non ce sentiment d'une Église actualisante.

Le pratiquant qui a un haut score (EgA +) s'actualise 25 fois sur 32 alors que celui qui a un bas score (EgA —) s'actualise seulement 5 fois sur 16. De fait, chez les pratiquants qui n'ont pas le sentiment d'une Église actualisante, la proportion de ceux qui s'actualisent est relativement semblable à celle des non-pratiquants (5/16, 8/18, 7/21), de sorte que l'on peut regrouper validement les données en deux seules catégories : les pratiquants qui ont le sentiment d'une Église actualisante et les autres, qu'ils soient pratiquants ou non-

16. Probablement parce que l'abandon de la pratique signifie qu'au niveau existentiel tout au moins, on a déjà pris conscience d'une Église non actualisante.

pratiquants. Ce groupement apparaît au tableau 12 et décrit très bien la relation qui existe entre le sentiment d'une Église actualisante et la pratique.

TABLEAU 12

Score d'actualisation selon les deux catégories suivantes : les pratiquants ayant le sentiment d'une Église actualisante (P EgA+) et tous les autres (N = 94)

actualisation	P EgA+	autres	total
A+	25	20	45
A–	7	42	49
total	32	62	94

P = 0,001.

3. Hypothèse relative à la conception de l'expérience religieuse. — Comme le processus d'actualisation en soi n'est pas lié à un contenu particulier du champ psychologique, nous avons formulé l'hypothèse suivante : il n'y a pas de relation entre le score C mesurant la conception de l'expérience religieuse et le score d'actualisation (H-4). Le tableau 13 confirme cette hypothèse. Dans l'ensemble le fait d'avoir un score C élevé ou bas n'influence en rien le score d'actualisation.

TABLEAU 13

Score d'actualisation selon le score C mesurant la conception de la religion (N = 94)

actualisation	conception de la religion C+	C–	total
A+	20	25	45
A–	23	26	49
total	43	51	94

P = entre 0,50 et 0,70.

Mais il est possible que l'importance de la conception de la religion par rapport à l'actualisation soit masquée par l'interaction que nous savons exister entre la conception de la religion et la pratique religieuse. Aussi, faut-il vérifier l'hypothèse suivante : si on tient constante la variable « pratique religieuse », il n'y aura pas de relation entre le score C de conception religieuse et le score A d'actualisation (H-5). Encore une fois, l'hypothèse se vérifie par les résultats présentés au tableau 14. Dans le groupe des pratiquants, le score C n'influence aucunement l'actualisation et il en est de même dans le groupe des non-pratiquants. Chez les pratiquants, on s'actualise plus souvent, quelle que soit la conception de la religion (11/16 et 19/32), tandis que chez les non-pratiquants, on s'actualise moins souvent, quelle que soit la conception religieuse (18/27 et 13/19).

TABLEAU 14

Score d'actualisation selon la pratique religieuse et la conception de la religion (N = 94)

conception de la religion	pratiquants [a] C+	pratiquants [a] C–	non-pratiquants [b] C+	non-pratiquants [b] C–	total
actualisation					
A+	11	19	9	6	45
A–	5	13	18	13	49
total	16	32	27	19	94

[a] P = entre 0,70 et 0,80.
[b] P = entre 0,80 et 0,90.

Enfin, avant de pouvoir affirmer qu'il n'y a aucune relation entre l'actualisation et la conception religieuse telle que mesurée par le score C, il nous faut contrôler la troisième variable explicative de notre modèle d'analyse : le sentiment d'une Église actualisante. En d'autres termes, il nous faut vérifier cette hypothèse : il n'y a pas de relation entre la conception religieuse et l'actualisation si on tient constante la variable « sentiment d'une Église actualisante » (H-6). Au moment de formuler cette hypothèse, nous avons mentionné la possibilité qu'il y ait une relation entre notre mesure de la conception religieuse et le sentiment d'une Église actualisante ; mais à partir des données présentées dans le tableau 15, nous pouvons maintenant préciser la relation entre ces trois variables.

TABLEAU 15

Score d'actualisation selon le sentiment d'une Église actualisante (EgA) et selon la conception de la religion (N = 94)

conception de la religion	Église actualisante EgA+ [a]		EgA− [b]		total [c]
	C+	C−	C+	C−	
actualisation					
A+	11	22	9	3	45
A−	9	8	14	18	49
total	20	30	23	21	94

[a] P = entre 0,05 et 0,10.
[b] P = entre 0,10 et 0,20.
[c] P = 0,02.

Quand on tient constante la variable EgA, on s'aperçoit que l'actualisation varie de façon significative selon le score C.

En d'autres termes, si on considère uniquement les informateurs qui ont le sentiment d'une Église actualisante (EgA +), on constate que ceux qui ont une conception traditionnelle de la religion (C —) s'actualisent plus souvent que les autres (22/30 contre 11/20). Si maintenant on considère l'ensemble de ceux qui n'ont pas le sentiment d'une Église actualisante (EgA —), ceux qui ont une conception traditionnelle de la religion (C —) appartiennent plus souvent que les autres à la catégorie de ceux qui ne s'actualisent pas (18/21 et 14/23). Dans l'ensemble, la différence observée entre ceux qui ont une conception autoritaire et ceux qui ont une conception autonome est statistiquement significative [17]. L'hypothèse (H-6) est donc rejetée et il faut conclure que la conception de la religion influence l'actualisation.

Chacune des trois variables explicatives que nous avons utilisées dans notre modèle d'analyse se révèle donc, d'une façon ou de l'autre, reliée au score d'actualisation. Il nous reste à proposer une typologie empirique de l'expérience reli-

17. Les résultats observés ont une probabilité de 0,10 et de 0,20 ; la probabilité totale d'obtenir un tel résultat est inférieure à 0,02.

gieuse qui mettra en lumière cette relation statistique entre toutes les variables dont tient compte notre analyse.

D. *TYPOLOGIE EMPIRIQUE DE L'EXPÉRIENCE RELIGIEUSE*

Dans un chapitre précédent [18], nous avons formulé dix types d'expérience religieuse à partir des témoignages recueillis par entrevues. Nous essayerons maintenant de formuler une nouvelle typologie à partir des résultats de notre analyse statistique. Cette typologie devra tenir compte des trois variables indépendantes de notre analyse : la pratique, l'Église actualisante et la conception de l'expérience religieuse.

1. Quatre types empiriques. — Constituons plutôt une typologie avec la variable P-NP et le score C. Supposons que :
La variable « pratique religieuse » mesure la décision existentielle d'appartenir ou non à l'Église ;

Le score C + mesure l'acceptation d'une conception autonome de l'expérience religieuse ;

Le score C —, chez un pratiquant, signifie l'acceptation d'une conception autoritaire de l'expérience religieuse ;

Le score C —, chez un non-pratiquant, signifie le peu d'intérêt accordé à l'expérience religieuse.

Nous en arrivons alors à quatre grands types empiriques d'expériences religieuses :

type A	PC—	correspondant au type 1 [19]	adhésion autoritaire
type B	PC+	correspondant au type 2	adhésion autonome
type C	NPC—	correspondant aux types 8 et 9	absence ou diminution d'intensité
type D	NPC+	correspondant aux types 10*a* et 10*b*	rejet conscient

18. Voir le chapitre VI de la première partie.

19. Pour ces types correspondants, voir le chapitre VI de la première partie.

Vérifions maintenant les relations entre cette typologie et les deux autres variables : le score A et le score EgA.

Relation entre cette typologie et l'actualisation. — La vérification se trouve déjà présentée au tableau 14 et nous savons qu'en gardant la pratique constante, il n'y a pas de différence significative entre les scores C + et les scores C —. Cette typologie n'est pas utile pour prédire le score d'actualisation.

Église actualisante. — Peut-être cette typologie est-elle alors en relation avec le sentiment d'une Église actualisante (EgA) ? À ce sujet, nous pouvons formuler l'hypothèse suivante :

> Pour le type D (rejet conscient), la variable EgA n'influence pas l'actualisation parce que les informateurs de ce type ont déjà choisi de ne plus être en relation avec l'Eglise. Pour les autres types, ceux qui auront un score EgA élevé auront également un score A élevé.

Or, le tableau 16 montre clairement la vérification de cette hypothèse : parmi ceux qui s'actualisent, seuls ceux du type D se retrouvent plus nombreux à EgA — qu'à EgA +.

TABLEAU 16

Relation entre la typologie A, B, C, D et le score EgA et le score A

types		A+		A—		total
		EgA+	EgA—	EgA+	EgA—	
PC—	A	16	3	5	8	32
PC+	B	9	2	2	3	16
NPC—	C	6	0	3	10	19
NPC+	D	2	7	7	11	27

2. Réduction à trois types. — Nous pouvons alors regrouper les informateurs en tenant compte à la fois des trois mesures indépendantes P-NP, score EgA et score C (voir tableau 17). Nous avons alors le type *a* qui comprend tous

ceux qui ont pris la décision existentielle d'être en relation avec l'Église et qui ont le sentiment d'une Église actualisante. Le type *b* comprend ceux qui n'ont pas décidé d'abandonner l'Église, mais qui ont par contre le sentiment d'une Église non actualisante. Enfin, le type *c* demeure le même que le type D.

TABLEAU 17

Trois types d'expériences religieuses selon le score d'actualisation

types	actualisation A+	actualisation A–	total
a = A, B, C (EgA+)	31	10	41
b = A, B, C (EgA–)	5	21	26
c = D (EgA±)	9	18	21
total	45	49	94

3. RÉDUCTION À DEUX TYPES. — *a*) Le type M : ceux pour qui l'Église est actualisante et qui n'ont jamais pris une décision existentielle et consciente d'abandonner l'Église ; *b*) Le type N : ceux pour qui l'Église n'est pas actuellement actualisante (score EgA —) et tous ceux pour qui l'Église ne peut être actualisante à cause d'une décision autonome antérieure. On pourra alors résumer ainsi :

		A EgA+	PC+ EgA+
M	a	B EgA+	PC– EgA+
		C EgA+	NPC– EgA+
		A EgA–	PC+ EgA–
	a	B EgA–	PC– EgA–
N		C EgA–	NPC– EgA–
	b	D EgA–	NPC+ EgA–
		D EgA+	NPC+ EgA+

Le type M suppose une expérience religieuse satisfaisante et le type N, une relation insatisfaisante. La relation entre cette dernière typologie et l'actualisation apparaît clairement au tableau 18.

TABLEAU 18

Deux types d'expériences religieuses selon le score d'actualisation

types	actualisation A+	actualisation A−	total
M	31	10	41
N	14	34	53

P = 0,001.

4. Mesure absolue d'actualisation. — Si l'on considère comme cohérents les informateurs qui ont exprimé qu'ils étaient à MA + ou à NA — on en arrive alors à deux types : types cohérents (N = 70) ; types incohérents (N = 24). Cette mesure demeure une hypothèse invérifiable parce qu'elle ne peut être mise en relation avec aucun critère de validation.

*

* *

Ces typologies ont montré que les trois mesures EgA +, C et P — NP sont en interrelation avec le score A d'actualisation. En d'autres termes, les trois variables que nous avions isolées, non seulement influencent en bonne part le processus d'actualisation, mais sont également en interaction entre elles.

Sans qu'il soit possible d'indiquer parfaitement tout le sens et toute la portée de ces résultats, il apparaît clairement que cette vérification empirique assure une plus grande validité aux analyses qualitatives qui l'ont précédée. L'inverse est d'ailleurs juste aussi : cette analyse statistique s'est souvent appuyée sur les analyses qualitatives antérieures. Il nous reste donc à tenter une synthèse des diverses démarches qui ont été élaborées précédemment et à tirer les lignes centrales de l'ensemble de cette étude. Ce sera l'objet de notre conclusion.

Conclusion

Tout au cours de notre exposé, trois principales voies d'analyse nous ont servi à vérifier les hypothèses que nous avions formulées. Ce sont l'étude des conceptions religieuses, l'évaluation des relations avec les groupes de référence religieuse et l'analyse statistique de quelques mesures objectives se rapportant au processus d'actualisation. Comme nous avons déjà décrit les plus importants résultats de ces analyses, nous ne jugeons pas utile d'en présenter un résumé systématique. Au terme de cette étude, nous nous permettons cependant d'exprimer un certain nombre de réflexions et de commentaires sur l'expérience religieuse des jeunes gens de notre échantillon et sur quelques problèmes liés à l'utilisation que nous avons faite de la théorie de Carl Rogers.

A. L'EXPÉRIENCE RELIGIEUSE

1. La conception de l'expérience religieuse. — Quelques propositions peuvent résumer notre analyse de la conception que les jeunes de notre échantillon se font de l'expérience religieuse.

a) Dans l'élaboration de sa théorie de la personnalité, Rogers suggère de parler plutôt *des* expériences que de l'expérience. Notre propre analyse met en relief la multiplicité des formes ou des types d'expériences religieuses. Car il existe de fait une multiplicité de conceptions religieuses.

b) Ces conceptions sont souvent *mouvantes*. Non seulement plusieurs types d'expériences religieuses coexistent chez nos informateurs, mais chacun, au cours de son existence, peut évoluer d'un type à l'autre.

c) Pour une très forte proportion d'entre eux, l'individu qui ne se considère pas comme catholique, pratiquant régulièrement et volontairement, apparaît déjà à leurs yeux comme ayant subi une importante évolution. D'ailleurs, certains des dix types que nous avons dégagés se trouvent directement axés, soit sur le changement, soit sur l'ouverture au changement. Certaines orientations de ce changement se retrouvent même dans le modèle général de l'expérience religieuse que nous avons décrit au chapitre VII de la première partie.

d) Chacun de ces types d'expériences religieuses constitue, en dernière analyse, une recherche d'une certaine cohérence qui peut être plus ou moins stable, ou plus ou moins orientée vers l'actualisation de soi. Considéré à tel moment de l'évolution d'une personne, chaque type d'expérience tend cependant à caractériser à ce moment-là, la tendance à un fonctionnement optimal de sa personnalité.

Cette recherche d'une certaine cohérence dans l'expérience religieuse met en cause des éléments nombreux et complexes : croyances, rites, normes, valeurs, etc. L'intégration s'établit, en définitive, autour de ce qui permet ce fonctionnement optimal. En d'autres termes, les valeurs qui sous-tendent cette cohérence sont les valeurs qui sont dynamiquement reliées au processus d'actualisation : authenticité, autonomie, responsabilité personnelle de soi. En somme, ce qui au départ se présentait comme un cadre d'analyse apparaît maintenant comme un système de valeurs auquel font de plus en plus référence les jeunes gens de notre échantillon et probablement les jeunes en général.

e) Ces valeurs sont intégrées dans un tout relativement cohérent dans le champ psychologique ; nous en avons un indice très significatif dans le fait que, quelles que soient les perspectives qui orientent l'expérience religieuse, nous retrouvons l'influence dynamique des mêmes valeurs : authenticité, autonomie, responsabilité individuelle, etc. Que l'analyse de l'expérience religieuse porte sur les conceptions religieuses, les groupes de référence religieuse ou des mesures objectives d'actualisation, toujours l'autonomie apparaît-elle comme une de ses dimensions importantes. Même si notre recherche ne visait pas d'abord à une description statistique de l'expérience religieuse, il nous est maintenant possible d'ajouter que ces valeurs semblent partagées par une forte proportion de nos informateurs. On peut aussi formuler l'hypothèse que ces valeurs orientent non seulement leurs expériences religieuses mais également leurs expériences dans plusieurs autres secteurs de leur existence. Ce qui signifierait que ce système de valeurs influence plusieurs de leurs choix existentiels.

2. Système de valeurs et attitudes personnelles : l'autonomie. — Nous en arrivons, en dernière analyse, à une situation paradoxale : les traits caractéristiques du fonctionnement optimal de la personnalité parviennent à décrire le système de valeurs qu'un milieu propose et les attitudes de l'individu à l'égard de ce système. Placé par exemple devant un système de valeurs dont l'authenticité constitue un élément important, chaque individu peut être ou ne pas être authentique. Il est également possible à un individu d'accepter de manière non autonome un système de valeurs dont l'autonomie est un élément important. En d'autres termes, une fois que l'autonomie est devenue une valeur proposée par le milieu des jeunes étudiants et que ces derniers définissent le rejet de la pratique dominicale comme un moyen ou une condition d'accéder à cette autonomie, il est possible qu'un individu se conforme à la norme du rejet de la pratique dominicale, sans inclure l'autonomie dans son propre système de valeurs. Si, à un moment donné, l'abandon de la pratique religieuse constitue pour un certain nombre de personnes une façon de tendre vers une plus grande actualisation d'eux-mêmes, on ne peut conclure que le simple fait d'abandonner la pratique assure cette autonomie ou ce fonctionnement optimal. Bref, pour chaque personne prise isolément, le problème de l'autonomie n'est pas résolu car l'autonomie est devenue une valeur du milieu : plusieurs facteurs peuvent empêcher l'actualisation maximale de sa personnalité et peuvent, en particulier, l'empêcher d'être autonome.

a) Un premier facteur est la force [1] même de l'attitude dogmatique. Pour une personne adhérant à l'Église de façon dogmatique et non autonome, il est beaucoup plus facile de changer le *contenu* de son expérience religieuse que d'en changer la *forme* ou la *structure*. Dans le dernier cas, la personne doit en effet modifier son mode habituel de fonctionnement, tandis que dans le premier cas, il suffit qu'elle change de groupe de référence. Une personne qui ne réussit pas à s'actualiser dans ses expériences religieuses peut se soumettre de façon dogmatique, à un groupe non religieux ou antireligieux.

b) Un second facteur qui peut empêcher l'autonomie d'une personne est la coexistence d'autres valeurs qui viennent en conflit avec cette autonomie. En effet, le milieu dans lequel se déroule l'expérience religieuse n'est pas un tout homogène et monolithique : au contraire, l'appel à la soumission dogmatique voisine l'appel à l'autonomie. Or, une situation impliquant des conflits de valeurs, comme des conflits de rôles, rend beaucoup plus difficile l'exercice de l'autonomie. Car la présence de valeurs opposées ou contradictoires [2] place l'individu dans une situation de type anomique : à moins qu'il ne choisisse d'emblée d'accepter une des valeurs et d'accepter aussi le groupe ou l'institution qui la propose, il peut avoir un sentiment d'isolement psychologique semblable à ce qu'il ressent quand aucune valeur ne lui est proposée par le milieu.

c) Un troisième facteur pouvant empêcher le fonctionnement autonome consiste en ce que Merton appelle le manque de « visibilité » ou d'« observabilité » des normes ou des valeurs [3]. Pour que l'individu soit en mesure de faire des choix autonomes parmi certaines valeurs, il faut que celles-ci lui soient expliquées de façon telle qu'elles *puissent* être présentes au champ de conscience. Ce troisième facteur, en

1. La force d'une attitude se caractérise par son degré de résistance au changement (voir Richard S. Crutchfield et David Krech, *Théorie et problèmes de psychologie sociale,* p. 213-214).

2. L'existence de plusieurs types d'expériences religieuses constitue un exemple de cette situation.

3. Voir Robert K. Merton, *Social Theory and Social Structure,* p. 336-350.

soi, ne semble pas être très important dans le cas des jeunes gens de notre échantillon [4], mais il s'apparente à un quatrième facteur : le degré de généralité des valeurs ou des normes qui, lui, influence plus directement l'expérience religieuse.

d) Nous avons montré comment un des traits fondamentaux de l'expérience de nos informateurs se caractérise par l'emphase accordée à la responsabilité individuelle : à chacun revient la responsabilité d'appliquer à sa propre situation les valeurs religieuses auxquelles il adhère. Ceci apparaît clairement dans ce que nous avons appelé l'adhésion à une morale générale : les jeunes tendent à rejeter une morale définissant de l'extérieur des prescriptions spécifiques et à prendre l'entière responsabilité de décider comment la religion influencera les secteurs importants de leur existence. De la même façon, être cohérent ou congru signifie, en fin de compte, avoir la responsabilité individuelle d'assurer un certain accord entre les valeurs religieuses fondamentales et l'ensemble de ses expériences ou l'ensemble des images de soi. Dans tous ces cas, l'individu adhère, en définitive, à un petit nombre de valeurs religieuses dont le contenu se situe inévitablement à un très haut degré de généralité ; ceci est inévitable, précisément parce que, à partir du moment où on reconnaît à chacun le droit ou la responsabilité d'appliquer ces valeurs à sa situation particulière, il faut nécessairement que ces valeurs soient formulées de façon très générale. Or ce degré de *généralité* n'est pas étranger à la *visibilité* des normes ou des valeurs dont tient compte Merton : pour l'individu qui est placé en face d'un système très général de valeurs, la responsabilité de son application particulière devient facilement un fardeau très lourd et, au lieu d'assurer cette responsabilité de façon autonome, il peut avoir tendance à recourir à des mécanismes qui rendent moins nécessaire cette prise en charge de lui-même. Selon une hypothèse de Parsons, ce mécanisme pourrait être alors la *motivation extéro-dirigée* décrite par Riesman. Ce problème mérite ici que nous nous y arrêtions.

4. Il ne faut pas oublier que les jeunes de notre échantillon ont beaucoup plus de contacts avec le clergé que la plupart des catholiques.

Riesman caractérise le type de personnalité de l'homme américain contemporain par sa tendance à être extéro-dirigé, c'est-à-dire à ne pas intérioriser un système de valeurs parce qu'en définitive le système social ne lui en présente aucun. Ce que la société lui propose plutôt, c'est de demeurer à l'affût, tel un « radar », de ce que les autres, en particulier ses contemporains, attendent de lui et de se conformer à ces attentes. Parsons s'oppose à cette interprétation. Il affirme que la caractéristique de la société actuelle n'est pas l'absence de valeurs proposées aux individus, mais leur petit nombre et leur haut degré de généralité [5]. Les valeurs proposées à ce niveau de généralité deviennent, d'une part, plus difficilement accessibles au champ de conscience ; d'autre part, la responsabilité de l'application concrète de ces valeurs devient une charge beaucoup plus lourde qu'elle ne l'était dans les stades antérieurs du développement social. La tendance à l'extéro-direction ne serait alors que la conséquence de la très grande généralité des normes et des valeurs sociales : souvent incapable de prendre lui-même conscience de ces valeurs générales, l'individu tendrait alors à se tourner vers ses pairs pour trouver un cadre de référence à la prise de conscience de ses expériences.

Si cette interprétation est juste, la généralité des valeurs religieuses, qui apparaît comme un des traits caractéristiques des expériences des jeunes gens de notre échantillon, s'apparenterait à un phénomène qui dépasse de beaucoup le champ de l'expérience religieuse. Notre constatation, en définitive, se relierait à un trait de l'existence contemporaine. D'une part, la responsabilité individuelle et l'autonomie constitueraient des valeurs ; d'autre part, la généralité des valeurs, inhérente à un système social valorisant fortement la responsabilité individuelle, menacerait l'exercice de cette responsabilité individuelle et de cette autonomie.

Ces quatre facteurs qui peuvent menacer l'autonomie de la personne, et qui ne sont pas d'ailleurs sans relation entre eux, influencent certainement l'expérience religieuse des jeunes

5. Talcott Parsons et Winston White, « The Link between Character and Society », dans Talcott Parsons, *Social Structure and Personality*, p. 183-235.

Canadiens français. Notre analyse ne nous permet pas d'indiquer jusqu'à quel point la généralité des valeurs religieuses rend impossible l'exercice de l'autonomie dans l'expérience religieuse. Mais il est probable qu'une partie de ceux qui abandonnent les expériences religieuses proposées par les parents ou par le clergé font ou feront face à ces obstacles dans l'exercice de leur autonomie.

Quoi qu'il en soit, si nous avons présenté ici cette problématique, ce n'est pas parce que notre étude présente des conclusions définitives à cet égard, mais uniquement parce qu'elle a mis en relief un ensemble important et significatif de choix existentiels que chacun doit effectuer : choix entre une attitude autonome, une attitude de soumission à une attente religieuse bien définie et structurée et une attitude de dépendance à l'égard de n'importe quel « autre » qui puisse l'aider à résoudre ou à diminuer l'anxiété créée par la généralité des valeurs religieuses. En somme, une constatation s'impose : l'apparition de l'autonomie ou de l'authenticité comme valeur ne doit pas donner l'illusion que les expériences religieuses deviennent inévitablement autonomes et authentiques.

En effet, la soumission autoritaire aux valeurs religieuses fait partie intégrante de notre contexte culturel. Toutefois, nous pouvons remarquer après Fernand Dumont [6] que cette soumission est passée, au Québec, du traditionalisme au conformisme religieux. Encore faudrait-il ajouter que cette soumission conformiste tend de plus en plus à se transposer des détenteurs de l'autorité religieuse aux groupes de pairs [7].

3. Expérience religieuse individuelle ou collective. — Une autre conclusion se dégage nettement de notre analyse : les jeunes de notre échantillon ont tendance à rejeter les formes institutionnalisées et collectives de l'expérience religieuse : qu'il s'agisse de l'Église elle-même, du prêtre, des dogmes, des pratiques cultuelles, de la morale, etc., la dimension collective de

6. Fernand Dumont, « Réflexions sur l'histoire religieuse du Canada français » dans *l'Église et le Québec,* p. 64.

7. On reconnaît là l'extéro-direction de David Riesman.

l'expérience religieuse s'avère relativement peu importante. Que signifie donc ce rejet de l'expérience collective ?

Il peut signifier d'abord que celle-ci est trop souvent l'occasion d'expériences dans lesquelles on n'a pas le sentiment d'être congru, cohérent ou autonome. *Collectif* s'oppose alors à *personnel.* D'autre part, l'expérience collective peut s'opposer à l'expérience individuelle. L'individu peut s'opposer à l'expérience collective parce qu'il définit sa relation avec Dieu d'abord ou exclusivement comme une relation individuelle entre Dieu et lui-même et parce que l'Église ou la communauté des croyants ne constituent pas des symboles auxquels il accorde une valeur : dans ce cas le rejet de l'expérience collective signifie que l'Église ou le Corps mystique ne sont pas associés symboliquement au divin. Il peut arriver, enfin, que la dimension ecclésiale de l'expérience religieuse soit valorisée en elle-même, mais qu'elle soit rejetée à partir d'autres critères. Nous avons déjà tenu compte de ces distinctions en formulant le dixième type d'expérience religieuse.

Dans la perspective d'un inventaire des choix existentiels, il nous faut cependant ajouter qu'au niveau des expériences concrètes, toutes ces significations du rejet de l'expérience collective peuvent être parfois étroitement associées symboliquement. Par exemple, si une personne tend à rejeter les pratiques cultuelles parce que ces dernières ne sont pas pour elle des expériences autonomes, elle peut en même temps rejeter les croyances en l'Église qui servent de justification à ces pratiques cultuelles. Autrement dit, quand une personne a le sentiment d'avoir dû se conformer à des pressions sociales touchant les pratiques religieuses, il devient difficile pour elle de distinguer, dans son champ de conscience, entre le rejet de ces pratiques elles-mêmes et le rejet de l'Église comme symbole religieux.

C'est dans ce contexte qu'il faut situer l'attitude à l'égard de la pratique dominicale. L'abandon de la pratique peut prendre alors plusieurs significations : il peut signifier soit le rejet de cette pratique cultuelle en elle-même, soit le rejet de l'Église ou du religieux dans son ensemble. En même temps, le rejet de la pratique peut être une tentative d'accéder à une religion plus authentique et plus personnelle, et signifier que l'Église ou le religieux ne constituent pas une réponse à des problèmes fondamentaux. Par ailleurs, le rejet de la pratique peut exprimer également l'adhésion à une sous-culture « a-religieuse » ou même antireligieuse. Notre analyse ne nous a pas permis de dresser des statistiques précises pour chacun de ces cas. Nous nous sommes limité à faire ressortir la multiplicité et la complexité des significations de l'abandon de la pratique. Nous avons montré que, dans l'ensemble, ceux qui demeurent volontairement des pratiquants réguliers sont ceux qui s'actualisent le plus dans l'expérience religieuse tandis que ceux qui abandonnent la pratique régulière sont justement ceux pour qui les expériences religieuses ne sont pas orientées vers le fonctionnement optimal de leur personnalité. De ceci, nous ne pouvons pas conclure que l'abandon de la pratique signifie *toujours* une orientation vers une plus grande actualisation de soi, car certains peuvent ne pas s'actualiser non plus dans les autres secteurs de leur existence ; mais, dans l'ensemble il est plausible de supposer qu'au moins un certain nombre de ceux qui abandonnent la pratique religieuse le font plus ou moins confusément pour s'orienter vers une plus grande actualisation d'eux-mêmes.

4. Les groupes de référence et les conditions actualisantes. — La question fondamentale que nous avons posée à propos des groupes de référence se résume en quelques mots : ces groupes favorisent-ils ou empêchent-ils l'actualisation de la personne ? Nous avons conclu qu'effectivement les conditions actualisantes servaient de critère dans l'évaluation de ces groupes de référence et que ceux qui s'actualisent le plus dans leurs expériences religieuses sont ceux pour qui l'Église constitue une condition actualisante ou, en d'autres termes, sont ceux à qui l'Église fournit une situation actualisante. Nous avons constaté également comment les groupes de référence, en particulier les parents et le clergé, ne présentent pas les mêmes conditions actualisantes.

Un autre problème se dégage nettement de notre analyse : comment une personne peut-elle intégrer l'attitude d'éducateur ou d'agent de socialisation et l'attitude d'acceptation inconditionnelle de celui qu'elle doit éduquer ou socialiser ? Le thérapeute non directif [8] évite systématiquement de faire intervenir ses propres valeurs dans le processus thérapeutique. Il ne se définit pas comme un agent de socialisation et ne se donne pas comme responsabilité de proposer à ses clients un système idéal soit social, soit religieux. Mais, quand il s'agit des parents ou du clergé, accepter l'autre inconditionnellement et le reconnaître comme une personne autonome signifie-t-il qu'ils ne doivent pas proposer leur propre système de valeurs ? La réponse, nous semble-t-il, est négative. Accepter l'autre comme autonome n'empêche pas de proposer un système de valeurs, mais empêche d'adopter des attitudes ou des conduites qui rendent menaçant ou impossible le refus de ces valeurs. Ce qui s'oppose à l'attitude non directive, c'est donc, par exemple, de ne pas aider l'autre à devenir le plus conscient possible de ses expériences religieuses, d'imposer des sanctions si l'autre refuse ce qui lui est proposé, etc. Le concept d'autonomie, en d'autres termes, n'implique pas que chaque personne doive tout redécouvrir par elle-même, mais qu'elle puisse choisir, en fonction de ses propres expériences, d'accepter ou de refuser ce qui lui a été proposé.

Dans l'ensemble, il semble bien que ce soit là ce qu'exigent les jeunes gens de notre échantillon. La plupart d'entre eux ne nient pas spécifiquement le rôle d'agents de socialisation religieuse aux parents ou aux membres du clergé. Mais ils désirent que ces agents de socialisation leur laissent la possibilité de choisir. En définitive ils demandent le droit à la conversion [9] ; conversion qui peut mener à l'un ou l'autre des dix types d'expériences religieuses que nous avons dégagés.

8. Rogers lui-même a longtemps décrit le processus thérapeutique qu'il propose par cette attitude non directive.

9. Le phénomène de la conversion a beaucoup été étudié par la psychologie du protestantisme. Dans plusieurs religions protestantes, la conversion est un processus auquel on accorde une grande importance. Du point de vue de l'Église catholique, on retrouve une référence explicite à cette notion de conversion dans P.-A. Liégé, « La foi », dans *Initiation théologique,* p. 486-488.

5. Évolution des expériences religieuses. — Peut-on prévoir la direction que suivra l'évolution de ceux dont nous venons de décrire les expériences religieuses actuelles ? Dans l'ensemble, cette évolution s'orientera probablement vers le type idéal que nous avons décrit et qui favorise l'authenticité, l'autonomie, l'expérience individuelle, la prise en charge de soi.

En termes de choix existentiels que nos informateurs devront effectuer quand ils auront atteint l'âge de trente-cinq ou de quarante ans [10], on peut supposer qu'ils seront plus nombreux et plus complexes, mais qu'ils se situeront toujours dans le cadre que nous avons défini au cours de notre travail : choix entre divers secteurs, diverses orientations et divers degrés d'intensité. Nous avons décrit ailleurs quelques-uns des choix existentiels des personnes appartenant à cette catégorie d'âge et comment se pose, pour eux aussi le problème de l'intégration, dans un tout relativement cohérent, de diverses images de leur *moi religieux*. Il est évident, par exemple, que le problème de la cohérence entre l'image de *ce que je suis* et l'image de *ce que je fus* devient à la fois plus complexe et plus importante dans l'expérience religieuse de l'adulte de trente-cinq ans [11].

L'influence des parents et du clergé ne pourra certes pas s'exercer de façon aussi directe quand nos informateurs auront laissé les milieux d'enseignement et leur milieu familial. Leurs principaux groupes de référence religieuse deviendront davantage fonction, soit de leur orientation personnelle, soit du milieu dans lequel ils évolueront à ce moment-là. Par rapport à l'ensemble de ces groupes de référence, la tendance générale sera probablement d'adopter une attitude plus autonome, mais l'on peut prévoir que plusieurs types d'expériences religieuses existeront toujours parallèlement : ceci est presque inévitable-

10. Voir Robert Sévigny, *le Jeune Laïc canadien-français : son état religieux*.

11. Cet âge correspond au milieu d'une période dans l'évolution de l'image de soi (voir Donald Super, *The Psychology of Careers*, en particulier le chapitre 9 : « The Period of Establishment : The Self-concept Modified and Implemented », p. 129-146).

ment lié à cette tendance vers l'autonomie d'une part et, d'autre part, à la diversité des situations dans lesquelles se feront ces expériences.

Une évolution des préoccupations ultimes devrait également caractériser l'évolution religieuse de nos informateurs. Nous pensons, par exemple, à des préoccupations comme le mal, la misère, la vie, la mort, l'au-delà qui, actuellement, n'apparaissent guère dans le champ psychologique de ces jeunes informateurs de dix-huit ou vingt ans. Effectivement, le fait que peu de ces informateurs nous aient parlé de ces thèmes comme étant des préoccupations ultimes peut surprendre, surtout si l'on songe qu'une bonne partie des expériences religieuses proposées par l'Église sont orientées par l'idée ou l'image du salut et de l'éternité [12]. Mais nous avons là l'indice que la plupart des informateurs tendent à intégrer leurs propres expériences personnelles à leur univers religieux : par exemple, l'expérience de la mort, comme celle de la naissance, n'étant pas pour eux une préoccupation liée à des expériences vécues, ils ne s'y réfèrent pas dans leurs expériences religieuses.

Tout au cours de notre travail nous avons défini l'actualisation par les notions de cohérence, de congruence et d'autonomie. Il faut bien voir, cependant, qu'envisagées dans une perspective génétique, l'incongruence, l'incohérence et l'absence d'autonomie ne signifient pas irrévocablement l'impossibilité de tendre vers une plus grande actualisation de soi [13]. Au contraire, même si une période de changement personnel ou de changement social rend plus difficiles la cohérence, la congruence et l'autonomie, une plus grande actualisation de soi peut être liée au terme de cette évolution. Ainsi, lorsque nous constatons que ceux qui diminuent ou cessent la

12. Nous n'avons pas exploré systématiquement la conception que nos informateurs se faisaient de ces « problèmes fondamentaux ». Il demeure que ces thèmes ont rarement été abordés par les informateurs eux-mêmes au cours des interviews très peu structurées auxquelles ils se sont prêtés.

13. Pour cette question du changement social et l'évolution de la personnalité, voir l'excellent chapitre de Shibutani, « Social Change and Personal Growth », dans Tamotsu Shibutani, *Society and Personality,* p. 374-397.

pratique dominicale sont ceux qui s'actualisent le moins à travers leurs expériences religieuses [14], nous pouvons supposer qu'un certain nombre d'entre eux s'actualiseront moins dans d'autres secteurs de leur vie *parce que* leurs expériences religieuses les auront éloignés d'un mode de fonctionnement optimal, mais que, par ailleurs, d'autres, parmi eux, s'actualiseront davantage dans l'avenir *parce qu'*ils auront réussi à prendre un certain nombre de décisions existentielles (*v. g.* cesser d'appartenir à l'Église ou modifier leur conception de l'expérience religieuse), décisions qui leur rendront plus facile l'exercice de ce mode de fonctionnement optimal dans d'autres secteurs de leur vie. En d'autres termes, le fait qu'*aujourd'hui* l'expérience religieuse ne constitue pas une expérience actualisante peut les conduire *demain,* soit vers une moins grande actualisation, soit vers une plus grande actualisation d'eux-mêmes.

Le changement social, avec l'anxiété et l'insécurité qu'il engendre fréquemment, crée donc des conditions polyvalentes. Le terme de cette évolution se caractérise par deux pôles opposés qui sont, d'une part, l'ouverture à ses propres expériences religieuses et l'ouverture au changement dans les institutions religieuses et, d'autre part, l'incapacité d'utiliser ses propres expériences organismiques comme guide de son évolution religieuse personnelle et l'incapacité d'assumer certains changements sociaux et culturels dans le secteur religieux. Ces deux pôles définissent bien, de façon très globale, les principaux choix existentiels liés aux expériences religieuses des jeunes gens de notre échantillon. Notre travail ne prétendait pas en arriver à des prédictions statistiques de ces choix existentiels : il visait seulement à la compréhension et à l'explication de leur dynamique.

B. LE CADRE THÉORIQUE

La première hypothèse que pose tout chercheur — implicitement du moins — porte sur la validité de la théorie qu'il

14. Voir le chapitre v de la deuxième partie.

utilise pour comprendre et expliquer le phénomène étudié. Déjà, la décision d'explorer l'expérience religieuse à partir de la théorie rogérienne supposait qu'au moins dans son orientation générale cette théorie permettrait d'en cerner certaines dimensions importantes. L'ensemble de notre étude, croyons-nous, nous permet de conclure que la théorie de Rogers a été utile — et c'est là le critère ultime de la validité d'une théorie — à la compréhension de l'expérience religieuse. Ce cadre théorique a permis de vérifier comment l'expérience religieuse s'inscrivait dans un processus d'actualisation. Ce point de départ nous a même permis de dégager une typologie de l'expérience religieuse en montrant jusqu'à quel point les valeurs liées à l'expérience des relations humaines actualisantes, l'autonomie et l'authenticité, sont également liées aux expériences religieuses. En définitive, une telle correspondance entre l'univers des relations interpersonnelles et l'univers du religieux vient certainement de ce que les deux zones d'activité sont fortement influencées et marquées par certains traits caractéristiques de la culture contemporaine : si le même cadre théorique peut rendre compte de la relation thérapeutique et de l'expérience religieuse, c'est avant tout que, dans les deux cas, l'observation porte sur l'homme contemporain, sur la personne en situation. Le cadre rogérien d'analyse permet de comprendre et d'expliquer cette personne en situation, qu'il s'agisse d'une expérience thérapeutique ou d'une expérience religieuse.

1. Les difficultés d'application du cadre théorique. — Pourtant, la principale difficulté que pose la théorie rogérienne se trouve justement reliée à cette notion de l'homme en situation. Certes, Rogers lui-même le reconnaît, la personne dont il analyse l'expérience ou l'image de soi est constamment imbriquée dans un réseau de relations interpersonnelles ou sociales et le fonctionnement optimal de la personnalité peut se décrire à partir de son fonctionnement social. Mais nulle part Rogers ne pose explicitement d'hypothèse sur les modes de relations entre la personnalité et les structures sociales. La majeure partie des commentaires qui suivent explorent les diverses ramifications de cette difficulté : le haut degré de

formalisation de cette théorie ; la notion de « mensonge » qui ignore une partie des tensions entre les diverses régions du champ psychologique ; l'utilisation floue et peu systématique du concept des « autres significatifs » ; l'absence d'une analyse du processus de socialisation ; la difficulté de restreindre une analyse à une aire de communication particulière ; le fait de ne pas tenir compte du *contenu* des expériences, par exemple, du contenu de la communication entre deux personnes ; la faiblesse de la mesure habituelle d'actualisation ou d'évaluation positive de soi.

Le haut degré de formalisation de cette théorie. — La théorie de Rogers se présente à un très haut degré de formalisation, mais ne recouvre pas une réalité empirique suffisamment définie et explicitée ; en un sens, dès qu'on l'applique à d'autres situations que les seules situations interpersonnelles, elle ne rend pas compte de la réalité empirique. Pourtant, la théorie rogérienne des relations interpersonnelles implique un certain nombre de jugements ou d'hypothèses sur la société américaine et sur la personne qui vit dans cette société. Ainsi, Rogers semble bien supposer que la civilisation occidentale ou la société américaine, tout au moins, ne permet pas une actualisation maximale des potentialités de la personne. Aussi, ses hypothèses implicites sont-elles fondamentalement en accord avec celles de Rokeach, d'Adorno, de Riesman, de Fromm, de Lyndt, qui, elles, portent un jugement explicite sur la civilisation actuelle ou la société américaine contemporaine. Mais il demeure que Rogers ne dit pas, par exemple, quelles sont, pour l'homme concret dont il a étudié les expériences, les situations sociales dans lesquelles il s'actualise le plus et quelles autres situations empêchent ce fonctionnement optimal. Nous savons très bien comment Freud expliquait, par les normes sociales rigides de son époque, l'inconscient refoulé. Rogers, pour sa part, ne présente pas de telles hypothèses sur le type de relations qui unissent la personne à la société. Ceci lui permet de présenter sa théorie dans une perspective beaucoup plus générale, mais l'empêche, par ailleurs, de formuler le plus explicitement possible les hypothèses et les postulats sur lesquels repose sa théorie.

C'est pour cette raison qu'avant même d'aborder notre recherche empirique, nous avons cru important d'introduire dans la théorie rogérienne deux concepts qui, sans être étrangers à cette théorie, ont pris au cours de notre travail une grande importance.

La notion de « mensonge » et le concept de cohérence. — On se rappelle que Rogers se réfère, à certains moments, au décalage entre l'image de soi et la communication de cette image. Pour lui, ce décalage pose le seul problème du mensonge puisqu'il s'agit de l'accord ou du désaccord entre deux zones du champ de conscience. Or, dès que l'on veut appliquer le cadre rogérien à une situation donnée, on se rend compte que pour les personnes concernées, le « mensonge » n'est pas le seul problème qui se pose. La multiplicité des situations, des rôles, des valeurs, des groupes de référence, fait qu'une des sources de malaise ou de désaccord vient de la difficulté à intégrer dans un tout satisfaisant tous les éléments de cette *image du moi en situation.* C'est pour tenir compte de cette image de soi, souvent fractionnée et segmentée, que nous avons mis l'accent sur le concept de cohérence : le concept de « mensonge » ne nous a pas semblé permettre une description valide de l'homme en situation.

L'autre significatif. — Quant au second concept que nous avons utilisé plus que ne le fait Rogers lui-même, c'est celui du « groupe de référence » qui tient compte justement de la complexité des expériences en situation et explique en bonne partie l'incohérence de l'image de soi. Notre analyse tient compte de deux fonctions de ces groupes de référence. D'abord, ils servent de cadre de référence à la genèse de l'image de soi et à ses transformations successives. Ainsi, l'image actuelle du *moi religieux* est déjà influencée par l'image de mes groupes de référence futurs : si le jeune homme se perçoit comme futur étudiant universitaire, il aura tendance à transformer dès maintenant l'image de son expérience religieuse actuelle en fonction de l'image qu'il se fait de l'expérience religieuse de l'étudiant universitaire. Cette participation d'un tel groupe de référence à l'image de soi correspond à ce que Rogers lui-même, après G.H. Mead, définit comme la fonction de l'« autre significatif ».

Une seconde fonction de ces groupes de référence, évidemment liée à la première, est de fournir ou de refuser ce que nous avons appelé des conditions actualisantes : cette fonction du groupe de référence se rapproche de celle du thérapeute qui vise à créer une microculture ou un type de relations interpersonnelles qui permettent l'actualisation du client. Cependant, le concept de l'« autre significatif » ne permet pas, croyons-nous, de décrire et d'analyser adéquatement ces conditions ou ces situations actualisantes.

Le processus de socialisation. — L'absence d'hypothèses explicites sur le contexte social dans lequel agit la personnalité et, en particulier, sur l'importance relative des divers groupes de référence empêche une exploration systématique et complète du processus de socialisation. Au sujet de la socialisation ou des facteurs génétiques de l'actualisation, Rogers, on s'en souvient, se contente de rappeler la fonction des « autres significatifs » comme personnes critères dans l'évaluation de soi. Mais l'évaluation de soi et, de façon plus générale, la genèse de l'image de soi s'effectuent de façon différente selon que les « autres significatifs » sont les parents ou les groupes de pairs. S'il se trouve, par exemple, que la dynamique de l'image du *moi religieux* soit liée aux modèles proposés par les pairs autant, sinon plus, que par ceux proposés par les parents, ceci signifie, entre autres interprétations, que :

La « visibilité » des normes et des valeurs religieuses est moins grande : ce que pensent les pairs de la religion est probablement moins « visible » que ce qu'en pensent les parents. S'il est possible pour le très jeune enfant d'accorder de l'importance aux normes des pairs dans le secteur des loisirs, des études, de l'amitié, etc., il semble qu'il lui soit plus difficile de prendre conscience des valeurs religieuses partagées par ses pairs ;

La véritable socialisation religieuse, c'est-à-dire la socialisation fonctionnelle, par laquelle l'enfant et l'adolescent apprennent les normes et les valeurs qui orienteront leurs expériences religieuses de l'âge adulte, se fera donc beaucoup plus tard, à un moment où la structure de la personnalité, en particulier l'image de soi, est déjà relativement stable et cristallisée ;

L'ensemble du processus de socialisation religieuse implique alors une tension presque inévitable, dans le champ psychologique de l'enfant ou de l'adolescent, entre les valeurs religieuses transmises aux enfants par les parents et les valeurs dont il aura plus tard à se servir comme cadre de référence : les valeurs religieuses des parents, au moins leurs valeurs implicites, seront toujours pour l'enfant des normes beaucoup plus « visibles » que celles des pairs, des amis ou des camarades. Même si l'ensemble du système social pousse l'enfant à se définir d'abord par rapport aux pairs, il n'en sera pas moins toujours soumis à une confrontation directe avec ses parents et leurs propres conceptions religieuses. Il devra donc se situer également par rapport à eux : d'où une tension inévitable dans le champ psychologique, particulièrement lorsqu'il s'agit d'expériences vécues dans une société en changement. La tension ou la coexistence de ces deux systèmes de valeurs religieuses ne signifie pas nécessairement l'apparition de conflits interpersonnels ou de situations fortement anxiogènes, mais ce sont là des possibilités que le chercheur doit prévoir et dont son analyse pourra tenir compte.

Notre propre travail ne nous permet pas de discuter à fond ce processus de socialisation religieuse. Il fait tout de même ressortir un aspect de la théorie rogérienne qui ne satisfait pas les besoins de la recherche psycho-sociologique.

L'aire de communication. — Notre travail se proposait d'appliquer la théorie rogérienne à l'analyse de ce que Rogers aurait appelé l'« aire de communication » religieuse. Or, ce cadre général d'analyse peut-il s'appliquer — toute chose étant égale par ailleurs — à une aire donnée de la communication ? On se souvient que l'illustration que Rogers suggère à ce propos est celle de la relation entre l'avocat et son client. Notre propre expérience de recherche nous permet de répondre affirmativement à cette question.

Ce qui ne nous a pas empêché, cependant, de regretter, une fois parvenu au quatrième chapitre de la deuxième partie, soit à la dernière étape de notre analyse, de ne pas avoir recouru à une mesure générale d'actualisation. Car l'expérience religieuse, au moins dans notre milieu, imprègne l'ensemble de la personnalité. Vient s'ajouter aussi le fait que les expériences actualisantes dans un secteur de la vie ne prennent toute leur signification qu'en référence à l'actualisation globale de la personne. Aussi concluons-nous que, bien qu'il soit possible au chercheur d'isoler certaines « aires de communication » et de les analyser à l'aide de cette théorie, la compréhension de l'ensemble de la personnalité exige, elle, que nous tenions compte de l'ensemble des « aires de communication » ou que nous puissions comparer les résultats d'une analyse d'un type d'expériences à des résultats d'analyses d'au moins quelques autres secteurs d'expériences. L'exemple de la relation avocat-client, utilisé par Rogers, ne constitue pas une relation interpersonnelle au sens strict du terme, mais bien une relation entre deux rôles joués par deux personnes différentes. Lorsque nous voulons, cependant, recourir à l'analyse des processus de congruence, de cohérence et d'autonomie dans l'étude des expériences d'une personne, il devient difficilement justifiable de ne pas tenir compte de l'ensemble de ses expériences.

Le contenu de la communication ou de l'expérience. — Les facteurs dont tient compte la théorie rogérienne ignorent le contenu de la communication ou de l'expérience. Les facteurs explicatifs de la relation thérapeute-client, par exemple, décrivent uniquement les attitudes du thérapeute, sans tenir compte du contenu de cette relation : le thérapeute est non directif et se limite, en quelque sorte, à demeurer continuellement présent au cadre interne de référence de son client.

L'application rigoureuse de cette démarche méthodologique à la recherche psycho-sociologique, c'est-à-dire à l'étude de la relation entre l'individu et les diverses structures sociales dont il est un élément, amène le chercheur à négliger une dimension importante de la vie de l'homme en situation : le contenu de l'expérience. Si le contenu de l'expérience n'est pas à l'étude, c'est dire qu'il est impossible d'atteindre l'univers des conceptions, religieuses ou autres, des croyances, des valeurs. La mise de côté de cette dimension de l'expérience empêche alors le chercheur de relier l'individu à son milieu social et à ses groupes de référence. L'inclusion de cette dimension sociale dans le cadre d'analyse, par ailleurs, permet une explication plus globale de l'homme en situation. Une analyse du processus d'actualisation qui veut rendre compte de l'homme en situation doit donc intégrer cette dimension dans son schème d'analyse.

Notre propre étude a pu établir qu'il existait un lien entre le degré d'actualisation de nos informateurs dans le domaine religieux et leur conception de l'expérience religieuse, conception qui se trouve symbolisée par notre score C. Si une telle relation existe, elle rend difficile l'analyse d'une expérience qui mettrait de côté la conception que l'individu s'en fait.

La mesure de l'actualisation. — L'importance que nous venons de reconnaître à l'insertion des conceptions de l'expérience ne s'avère pas justifiable seulement par leurs relations au processus d'actualisation. Elle s'accroît, par exemple, lors de l'étude du décalage entre l'*image du soi* et l'*image du soi idéal*, c'est-à-dire lorsque nous appliquons la mesure habituelle de l'actualisation ou de l'évaluation positive de soi. Cette mesure, qui nous est apparue inappropriée dans son application aux expériences religieuses pourrait aussi, croyons-nous, défier d'autres dimensions de l'expérience humaine.

Dans le secteur religieux, par exemple, il arrive précisément qu'un tel décalage entre l'*image de ce que je suis* et l'*image de ce que je voudrais être* se trouve intimement lié à la conception que l'individu se fait de son expérience religieuse. Ainsi, pour certaines personnes au moins, être religieux, c'est se fixer un idéal constamment plus élevé que la perception qu'elles ont de leurs expériences actuelles. Une mesure d'actualisation basée sur le seul décalage entre ces deux images n'a donc aucune signification et son utilisation est d'autant plus difficile que l'idéal religieux se trouve largement tributaire du système de valeurs proposé par le milieu. Ceci s'applique également à toute *image du moi idéal.* Un tel indice d'actualisation ne vaut donc que dans la mesure où il est possible de faire abstraction du système de valeurs proposé par le milieu. L'utilisation, au moment de la cueillette des données, de questions très générales, ne référant à aucune situation sociale précise, rendrait donc acceptable une telle procédure. Elle devient d'une validité douteuse, cependant, dès que le chercheur veut pouvoir relier le degré d'actualisation d'un informateur à sa situation sociale. Au cours de notre recherche, nous avons décidé, pour notre part, d'utiliser plutôt une autre mesure d'actualisation [15].

Signalons un dernier problème théorique et méthodologique, soulevé par notre enquête, mais que nous n'avons pas pu discuter adéquatement. Au chapitre III, de la deuxième partie nous avons suggéré une certaine interprétation de la *profondeur* de la prise de conscience de l'expérience religieuse. À notre avis, une prise de conscience de la relation avec ses parents, qui pourrait se décrire, par exemple, comme congrue ou incongrue, laisserait soupçonner, chez cette personne, un engagement plus profond qu'une prise de conscience qui se décrirait uniquement comme « aire de communication ». Cette hypothèse de travail mériterait d'être approfondie au cours de recherches futures. Le problème central que soulève ce mode d'interprétation est celui-ci : les principaux concepts de la théorie rogérienne, congruence, autonomie, sentiment d'être accepté, etc., définissent-ils des facteurs indépendants, chacun se référant à un ensemble de faits observables, ou ne définissent-ils pas plutôt divers moments de la prise de conscience d'une même expérience concrète ? De la réponse à cette question dépendra largement l'utilisation de la théorie rogérienne dans le domaine de la recherche psycho-sociologique.

2. L'ÉVALUATION DE CE CADRE THÉORIQUE. — Les difficultés que pose au psychologue social l'utilisation de la théorie rogérienne ne nient pas la validité et l'intérêt de celle-ci. Précisons d'abord que ces difficultés ne sont pas insurmontables, mais constituent plutôt un défi stimulant au chercheur. Plusieurs concepts et plusieurs instruments techniques peuvent venir compléter certaines dimensions latentes de la théorie rogérienne. Nous-même en avons introduit quelques-uns ; d'autres sont aussi possibles.

15. Voir le score A, chapitre IV, deuxième partie.

La théorie de Riesman, par exemple, n'est en rien contradictoire avec celle de Rogers. Elle la complète plutôt en mettant, plus que cette dernière, l'accent sur les modes de relations entre l'individu et la société. Cette comparaison entre la théorie de Riesman et celle de Rogers met d'ailleurs en relief l'importance et même la nécessité d'avoir recours à une théorie comme celle de Rogers dans l'analyse psycho-sociologique : celle-ci fournit au chercheur un ensemble de concepts et de techniques lui permettant d'effectuer une analyse systématique et rigoureuse de la personnalité. Avant d'étudier les relations entre la personnalité et le système social, il est indispensable de définir empiriquement la personnalité en tenant compte des données actuelles de la psychologie. Or, sans être la seule théorie qui rende possible une telle analyse empirique, elle permet au chercheur de définir la variable « personnalité » de façon très rigoureuse. Ceci, en soi, justifie le recours à cette théorie. Car c'est précisément là la faiblesse principale de nombreux travaux de psychologie sociale : rappelons ces centaines d'études portant sur la *personnalité autoritaire* et définissant celle-ci par une simple échelle d'attitudes de quelques item seulement. Toute recherche psycho-sociologique qui ne s'appuie pas sur une analyse rigoureuse des dimensions psychologiques est vouée à un échec relatif. L'utilisation de la théorie rogérienne, espérons-nous, nous a permis d'éviter cet écueil.

Parvenu au terme de notre recherche, nous concluons que cette théorie rend compte de certaines dimensions importantes de l'expérience religieuse. Malgré les inconvénients que nous en avons signalés, le fait d'avoir limité notre exploration aux seules expériences religieuses a permis une validation plus systématique de cette théorie. Une fois sa validité confirmée dans un secteur, comme le secteur religieux, il devient plus facile de l'appliquer à d'autres secteurs ou même à un niveau plus global. Nous pensons particulièrement à des recherches cliniques portant sur l'homme en situation, à d'autres recherches typologiques ou statistiques portant, cette fois, sur l'*ensemble* des principaux secteurs de l'expérience. Ce sont là deux types de recherches qui prolongeraient, en quelque sorte, notre propre étude.

Appendices

APPENDICE A

SCHÉMA D'INTERVIEW SEMI-STRUCTURÉE[1]

A. PREMIÈRE PHASE NON STRUCTURÉE

Partir de la première question (R-1); poser les autres questions sans insister, *en suivant le propre cheminement de l'informateur. Si un thème n'est pas complètement exploré à ce moment-ci, attendre à la seconde phase de l'entrevue.*

R-1. À quoi le mot *religion* vous fait-il penser ?

R-2. Si vous repensez à votre vie religieuse, y a-t-il eu des périodes plus importantes que d'autres ou avez-vous l'impression que ce fut à peu près toujours la même chose ?

R-3. Pour vous actuellement quel est *votre* idéal religieux ? Qu'est-ce que vous devez faire pour suivre ce que vous considérez comme l'idéal religieux pour vous ?

R-4. Ce que vous pensez, ce que vous savez de la religion, de qui le tenez-vous ?

R-5. Vous arrive-t-il de discuter de religion ? Sinon : pourquoi ? Si oui : avec qui, de quoi au juste ? Parents ? Prêtres en général ? Directeur de conscience ?, etc. Camarades, amis ? « Blonde » ? Autres ?

R-6. Jusqu'ici nous avons parlé du présent et du passé ; parlons du futur... Sur le plan religieux, vous arrive-t-il de penser à ce que

1. Nous indiquons ici le schéma de la partie d'entrevue portant sur l'expérience religieuse. Une première partie portait sur les thèmes suivants : les études, le travail, la classe sociale, la participation à des associations, les amis, les « blondes », la famille. L'exploration de ces thèmes durait de trente à quarante-cinq minutes. L'interviewer mentionnait ensuite qu'il voulait explorer un nouveau thème et que les premières questions seraient très générales. Pour la technique de l'interview non directive, voir G. Mariam Kinget et Carl Rogers, *Psychothérapie et relations humaines,* vol. 2. Les problèmes liés à l'interview de recherche sont discutés par Charles F. Cannel et Robert L. Kahn, *The Dynamics of Interviewing.*

sera votre religion quand vous aurez vingt-cinq ou trente ans ? Sinon : pourquoi ? Si oui : en quels termes ? Que prévoyez-vous pour vous personnellement ? (En termes de comportements ? de qualités ? de modèles ?) Avez-vous à l'esprit le nom de personnes (vivantes ou non) qui correspondent à ce que vous pensez que vous serez sur le plan religieux ? Connaissez-vous des personnes qui pourraient vous servir de modèle ?

R-7. Vous m'avez parlé de vous, de votre vie religieuse passée, actuelle ou future. Maintenant pour l'ensemble de vos amis, confrères de classe, est-ce à peu près la même chose ou est-ce différent ?

R-8. Pour vous, qu'est-ce que le prêtre idéal ?

R-9. Et le mot *Église,* à quoi vous fait-il penser ?

R-10. Jusqu'ici avec quels prêtres ou religieux êtes-vous surtout venus en contact ? [Pour chacun :] *a*) Dans quelles circonstances ? *b*) Les rencontrez-vous encore ? Et actuellement dans votre école ou collège ? *c*) Comment réagissez-vous devant ce qu'il vous présente ou présentait ?

R-11. Quelles étaient les qualités principales de ces prêtres que vous avez connus ? Qu'est-ce que vous, personnellement, vous aimiez le plus chez eux ? [Se référer à ceux qui furent nommés à E-2.]

R-12. Et les défauts ?

B. SECONDE PHASE

Explorer les thèmes suivants s'ils n'ont pas été mentionnés jusqu'ici. Avant de passer aux sous-questions particulières, laisser encore à l'informateur le temps de réagir aux questions générales. Explorer les réponses aux questions et aux sous-questions.

R-1. En termes de croyances religieuses, y en a-t-il qui vous apparaissent, dans *votre* vie religieuse, comme plus importantes, qui prennent plus de place dans votre esprit ? *a*) Quelle image ou quelle idée vous faites-vous de Dieu ? (ou de tout Être supra-humain ?) *b*) Quelle image du Christ ? *c*) Quelle image de l'Église ?

R-2. Et maintenant, en termes d'actions, de pratiques, de choses à faire, qu'est-ce qui est le plus important, pour vous ? *a*) Messe ? *b*) Communion ? *c*) Confession ?

R-3. Si du jour au lendemain il n'y avait plus d'Église, qu'est-ce que vous considéreriez comme étant du domaine religieux ? Et d'abord, y aurait-il des choses que vous considéreriez comme étant du domaine religieux ?

R-4. À part les croyances et les pratiques religieuses dont nous venons de parler, y a-t-il autre chose que vous considérez comme étant religieux, comme appartenant au domaine de la religion ? *a*) La morale ? *b*) D'après votre expérience personnelle, voyez-vous un lien entre la morale et la religion ?

R-5. Quelle image vous faites-vous du prêtre idéal ? *a*) Si vous comparez cette image à celle des prêtres dont on vient de parler, qu'en pensez-vous ? *b*) Avez-vous déjà songé à la prêtrise ? *c*) Auriez-vous pu faire un prêtre ? *d*) Auriez-vous fait un « bon prêtre » ?

R-6. Pour quelle sorte de problème voyez-vous ou voudriez-vous voir le prêtre ? Problèmes religieux ? Problèmes « non religieux » ?

R-7. Si maintenant nous ne pensons plus seulement au clergé mais à l'Église en général... *a*) [Rappeler le Concile.] Pensez-vous que ce concile va changer quelque chose ? Quoi ? *b*) Si vous étiez libre de changer des choses dans l'Église, en changeriez-vous ? Quoi ? *c*) Si vous demeuriez tel que vous êtes maintenant au point de vue religieux, mais que l'Église disparût, que feriez-vous ?

R-8. Pourriez-vous revenir sur ce que vous disiez tout à l'heure ? [Se référer à R-3 : *l'idéal pour vous sur le plan religieux* et explorer : comportement, qualité, modèle.]

R-9. Pensez à la personne qui, à votre point de vue, est *la plus religieuse,* qui vit le plus *votre* idéal religieux à vous. En quoi vous frappe-t-elle surtout ? Son comportement : que fait-elle de particulier ? Ses qualités ? Ses défauts ? Comment l'avez-vous connue ? La voyez-vous souvent ?

R-10. Si un jour vous aviez des enfants (au présent, selon le cas) y a-t-il des qualités que vous voudriez leur inculquer sur le plan religieux ?

R-11. Participation à l'Action catholique et autres associations. Pourquoi y êtes-vous entré ? Comment ? Pourquoi en êtes-vous sorti ? Qu'en avez-vous retiré (d'une manière générale) ? Quel est l'objectif de ce mouvement ? Et si c'était à recommencer ? Qu'en pensent vos principaux amis ?

R-12. Vous m'avez dit tout à l'heure avec qui il vous arrive actuellement (je veux dire : depuis une année ou deux) de discuter de religion ou de choses connexes à la religion. Vous vous souvenez que je vous ai demandé aussi de qui vous teniez ce que vous pensiez ou ce que vous saviez de la religion. [Rappeler informations et attitudes. Laisser la chance à l'informateur de reprendre lui-même. *Puis ajouter* :] Si vous voulez, nous pourrions repasser *un certain nombre de personnes ou de groupes qui ont pu vous influencer à un moment donné.* Le fait que je mentionne telle ou telle personne ne veut pas dire que je pense que cette personne-là vous a nécessairement influencé ou qu'elle aurait dû vous influencer, etc. [Donner un exemple concret.] Je vais mentionner plusieurs noms seulement pour avoir plus de chance de « couvrir » tous les aspects de votre vie religieuse. Sans cela, on risque toujours d'oublier quelque chose en entrevue... Ici, j'aimerais que *nous parlions aussi bien du passé que du présent.*

a) *Vos parents, père, mère.* [Ne pas oublier : *les premières expériences religieuses à la maison.*]

b) *Frères, sœurs.*

c) *Épouse* (quand il y a lieu).

d) *Le clergé* : 1. professeurs religieux (enseignement religieux, enseignement non religieux, en dehors des cours); 2. — messe, confession ; — sermons, lectures spirituelles, etc. ; 3. aumônier, directeur spirituel général ; 4. directeurs spirituels ; 5. clergé paroissial ; 6. aumôniers de mouvements ; 7. amis qui sont prêtres ; 8. parents qui sont prêtres ; 9. autres prêtres (dresser la liste).

e) *Professeurs laïcs.* [Comparer avec autres professeurs.]

f) *Associations,* mouvements d'Action catholique. [Voir R-11.]

g) *Collège ou institution* : y a-t-il une atmosphère religieuse particulière à votre école ou collège ?

h) Vos confrères de collège ; vos confrères de classe.

i) Vos *amis* (du collège, d'ailleurs).

j) Vos lectures se rapportant, d'une façon ou d'une autre, à la religion.

k) Les amies, votre « blonde ».

Pour chaque personne, chaque groupe. [Reformuler au besoin [2].] Discutez-vous de choses relatives à la religion avec elle ? Vous influence-t-elle ? De quelle façon ? Comment en êtes-vous venu à connaître cette personne ? Avez-vous l'impression d'avoir des relations « intimes », personnelles avec elle ? Votre attitude là-dessus ? Avez-vous l'impression qu'elle vous connaît bien ? Avez-vous l'impression qu'elle vous *comprend,* qu'elle comprend votre façon de penser ou d'agir dans tel ou tel domaine ? [Référer aux cas précis.] Avez-vous l'impression que *vous* la connaissez ?

2. Ces questions ont rarement été posées telles quelles au moment de l'interview.

APPENDICE B

LE QUESTIONNAIRE

INSTRUCTIONS GÉNÉRALES

Ce questionnaire vise à connaître vos attitudes personnelles. Nous savons que chacun diffère dans la façon de se voir et dans la façon de voir les situations qui sont importantes pour lui. *Il n'y a donc pas de bonnes ou de mauvaises réponses.* Chaque réponse constitue votre opinion à vous. *De plus répondez en vous référant à votre expérience personnelle, en pensant à votre propre situation.*

La plupart des phrases suivantes concernent le domaine religieux. Vous remarquerez que toutes les phrases sont au présent. *Si vous n'êtes pas actuellement un pratiquant,* mais si vous avez déjà pratiqué, certaines phrases devraient être au passé. *Pensez alors au temps où vous étiez pratiquant et répondez tout de même.*

Dans les pages qui vont suivre, on vous demande d'indiquer *votre première réaction,* votre réaction immédiate aux phrases qui vous seront présentées.

À côté de chaque phrase, vous verrez une ligne contenant neuf (9) chiffres. Pour chacune de ces phrases, on vous demande de vous décrire en indiquant jusqu'à quel point vous avez l'impression que l'énoncé vous décrit. Soit, par exemple, la phrase suivante : « J'aime aller au cinéma. » Si l'énoncé vous décrit parfaitement bien, encerclez un chiffre à l'extrême droite : 1 2 3 4 5 6 7 8 ⑨. Si l'énoncé vous décrit très peu ou pas du tout, encerclez un chiffre à l'extrême gauche comme ceci : ① 2 3 4 5 6 7 8 9.

Selon que l'énoncé vous décrit (ou décrit votre situation) vous pouvez alors encercler l'un ou l'autre des neuf chiffres, en vous rappelant qu'*à l'extrême gauche,* l'énoncé vous décrit *très mal, très peu ; à l'extrême droite,* l'énoncé vous décrit *parfaitement ; entre les deux extrémités,* l'énoncé vous décrit *plus ou moins bien.*

Considérez chaque phrase, l'une après l'autre, sans revenir en arrière. *Certaines phrases sont de formes positives et d'autres de formes négatives : faites attention de ne pas faire d'erreur.*

N'omettez aucune phrase. Il n'est pas nécessaire de méditer longuement chaque réponse. Donnez la première réponse qui vous vient à l'esprit, donnez votre réponse spontanément.

Il n'est pas nécessaire de signer votre nom.

SECTION A

CE QUE JE SUIS

Avec la liste de phrases qui suit, on vous demande donc de vous décrire tel que vous avez l'impression d'être aujourd'hui. Vous pouvez encercler un des neuf chiffres, selon que la phrase vous décrit très peu, assez bien, très bien.

---

	me décrit *très peu* … *très bien*
1. Je n'ai pas un esprit religieux.	1 2 3 4 5 6 7 8 9
2. Mon idéal religieux influence vraiment ma vie de tous les jours.	1 2 3 4 5 6 7 8 9
3. J'ai de la difficulté à ne pas voir ensemble sexualité et péché.	1 2 3 4 5 6 7 8 9
4. Dieu m'apparaît comme une personne compréhensive avec laquelle on peut entrer en contact.	1 2 3 4 5 6 7 8 9
5. Je considère que la pratique religieuse (messe, confession, etc.) est l'aspect le moins important de la religion.	1 2 3 4 5 6 7 8 9
6. Je crois que ma vie religieuse n'aurait pas de sens hors de l'Eglise.	1 2 3 4 5 6 7 8 9
7. Dans ma croyance en Dieu, je distingue ce qui vient de mes réflexions individuelles et ce qui vient de la foi.	1 2 3 4 5 6 7 8 9
8. J'accorde beaucoup d'importance à la politique.	1 2 3 4 5 6 7 8 9
9. Je me dis que plus je fais de prières, plus j'ai de mérite.	1 2 3 4 5 6 7 8 9
10. Le problème religieux tient une place importante dans l'ensemble de ma vie.	1 2 3 4 5 6 7 8 9
11. Pour moi, une des meilleures façons de vivre sa religion est d'appartenir à des associations ou à des mouvements sociaux.	1 2 3 4 5 6 7 8 9
12. Je pense que si je laissais tomber la morale catholique, c'est toute ma vie religieuse que je viendrais à abandonner.	1 2 3 4 5 6 7 8 9
13. J'ai l'impression de ne pas beaucoup connaître le Christ.	1 2 3 4 5 6 7 8 9
14. Pour moi la messe du dimanche est une façon de continuer un dialogue avec Dieu.	1 2 3 4 5 6 7 8 9
15. J'accorde moins d'importance au culte organisé par l'Eglise qu'aux prières que je fais moi-même.	1 2 3 4 5 6 7 8 9

	me décrit								
	très peu							*très bien*	
16. Je tente d'en arriver à une certitude intellectuelle par rapport au problème de l'éternité et de l'âme.	1	2	3	4	5	6	7	8	9
17. A l'heure actuelle, je n'attache pas une grande importance aux relations avec mes amis (ou mes confrères).	1	2	3	4	5	6	7	8	9
18. Pour moi la confession produit toujours un soulagement.	1	2	3	4	5	6	7	8	9
19. Dans ma vie religieuse, les dogmes sont ce qu'il y a de plus important.	1	2	3	4	5	6	7	8	9
20. Je trouve qu'une messe en semaine a autant de valeur qu'une messe du dimanche.	1	2	3	4	5	6	7	8	9
21. Je préférerais (ou je préfère) me confesser directement à Dieu plutôt qu'à un prêtre.	1	2	3	4	5	6	7	8	9
22. Dans ma vie religieuse, je tente de raisonner mon affaire le plus possible.	1	2	3	4	5	6	7	8	9
23. A l'heure actuelle, ce sont mes études (ou mon travail) qui sont au centre de toutes mes préoccupations.	1	2	3	4	5	6	7	8	9
24. J'aime mieux (ou j'aimerais mieux) quelquefois ne pas aller à la messe le dimanche plutôt que d'y aller sans que ça ne me dise rien.	1	2	3	4	5	6	7	8	9
25. Je suis moins religieux qu'avant.	1	2	3	4	5	6	7	8	9
26. Je sens que mon idéal religieux me pousse ou pourrait me pousser à m'occuper de politique.	1	2	3	4	5	6	7	8	9
27. Pour moi, être honnête et compétent à mon travail (ou à mes études) est une façon de respecter la morale catholique.	1	2	3	4	5	6	7	8	9
28. Je me demande si, sur le plan logique ou historique, la croyance au Christ a du sens ou non.	1	2	3	4	5	6	7	8	9
29. L'amour entre un gars et une fille, entre deux époux, etc., est une des choses auxquelles j'accorde le plus de valeur actuellement.	1	2	3	4	5	6	7	8	9
30. J'ai l'impression que la communion me rend automatiquement meilleur...	1	2	3	4	5	6	7	8	9
31. J'aime discuter de religion.	1	2	3	4	5	6	7	8	9
32. Ce que je fais dans ma famille, dans mon travail (ou mes études), etc., c'est pour Dieu que je le fais.	1	2	3	4	5	6	7	8	9
33. Je trouve qu'au fond l'honnêteté politique n'a rien à voir avec la religion.	1	2	3	4	5	6	7	8	9
34. Dans ma vie religieuse à moi, le prêtre est plus un homme comme les autres qu'un représentant du Christ.	1	2	3	4	5	6	7	8	9

	me décrit *très peu*								*très bien*
35. La pratique religieuse a pour moi de moins en moins de signification.	1	2	3	4	5	6	7	8	9
36. J'accorde plus d'importance aux prières collectives (à l'église, en famille, etc.) qu'aux prières que je peux faire tout seul.	1	2	3	4	5	6	7	8	9
37. Je n'ai pas encore vraiment compris ce qu'est la religion.	1	2	3	4	5	6	7	8	9
38. Le fait d'aller à la messe ne change pas grand-chose dans les divers secteurs de ma vie.	1	2	3	4	5	6	7	8	9
39. Je pense rarement aux problèmes de morale religieuse (morale sexuelle, morale politique, etc.).	1	2	3	4	5	6	7	8	9
40. Je pense souvent au salut de mon âme.	1	2	3	4	5	6	7	8	9
41. Aller à la messe m'amène à penser aux dogmes qui concernent la messe, l'Eucharistie, etc.	1	2	3	4	5	6	7	8	9
42. Pour moi, ma religion est surtout un dialogue *personnel* entre Dieu et moi.	1	2	3	4	5	6	7	8	9
43. Je pense que l'Eglise est plus une institution humaine qu'une institution religieuse.	1	2	3	4	5	6	7	8	9
44. Les choses auxquelles j'accorde le plus de valeur dans ma vie ne sont pas reliées à mon idéal religieux.	1	2	3	4	5	6	7	8	9
45. Je continue à aller à la messe le dimanche pour ne pas perdre complètement la foi.	1	2	3	4	5	6	7	8	9

SECTION B

CE QUE JE VOUDRAIS ÊTRE

Voici à nouveau une liste semblable à celle qu'on vient de vous présenter. Mais au lieu de vous décrire tel que vous avez l'impression d'être, on vous demande *de vous décrire tel que vous voudriez être.*

Autrement dit, avec ces mêmes phrases, dites *ce que vous considérez comme votre idéal personnel. Ce que vous-même voudriez être.* Encore ici : *à l'extrême gauche,* l'énoncé décrit *très peu* votre idéal personnel ; *à l'extrême droite,* il décrit *très bien* votre idéal.

[Suivent ici les item n°s 1 à 45 déjà indiqués à la section A.]

SECTION C

CE QUE MES PARENTS VOUDRAIENT QUE JE SOIS

Dans les pages suivantes, on vous demande de décrire ce que votre père ou votre mère désirent (ou auraient désiré) que vous soyez sur le plan religieux.

[Suivent ici les item n°s 1 à 45 déjà indiqués à la section A.]

SECTION D
CE QUE LES PRÊTRES VOUDRAIENT QUE JE SOIS

Avec la même liste de phrases, on vous demande enfin de dire ce que les membres du clergé, *ce que les prêtres voudraient que vous soyez.* Pensez aux prêtres que vous connaissez ou que vous avez déjà connus. Encore une fois : *à l'extrême gauche,* l'énoncé décrit *très peu* ce que les prêtres voudraient que vous soyez ; *à l'extrême droite,* il décrit *très bien* ce que les prêtres voudraient que vous soyez.

[Suivent ici les item n°s 1 à 45 déjà indiqués à la section A.]

SECTION E

En répondant à la dernière partie du questionnaire sur les prêtres, à qui avez-vous pensé surtout ? Si nécessaire, faites un crochet à plus d'un endroit.

1. aux prêtres en général ......
2. à un ancien directeur spirituel ......
3. à votre directeur spirituel actuel ......
4. à un ancien aumônier du collège ou de l'école ......
5. à un aumônier actuel de votre collège ou de votre école ......
6. à un professeur religieux ......
7. à un aumônier d'une association ...... dont vous faites partie ou dont vous avez déjà fait partie ......
8. à un prêtre d'une paroisse ......
9. à un prêtre souvent vu à la télévision, etc. ......
10. à une autre personne (spécifier) ....

SECTION F

Ces dernières parties du questionnaire ont porté surtout sur certaines personnes ou certains groupes qui auraient pu vous influencer sur le plan religieux. Mais vos parents ou les prêtres ne sont pas nécessairement les seules ni même les principales sources d'influence.

Voici une liste de personnes ou de groupes de personnes. Vous pouvez la compléter au besoin. On vous demande, avec cette liste, d'indiquer les trois personnes (ou groupes) qui vous ont le plus influencé sur le plan religieux.

Notez que cette influence peut vous avoir orienté vers la religion ou vous avoir éloigné de la religion. *Considérez ici les trois personnes (ou groupes) qui, d'une façon ou d'une autre vous ont le plus influencé.* Indiquer les chiffres 1, 2 ou 3 à côté de ces personnes ou de ces groupes.

1. votre mère ......
2. votre père ......
3. frères ou sœurs ......

4. ami ou confrère ......
5. amie, « blonde » ......
6. épouse ......
7. prêtre du collège ou de l'école ......
8. autres prêtres (spécifier, par exemple, curé) ....
9. certains écrivains (spécifier) ....
10. autres personnes ou autres groupes (spécifier) ....

SECTION G
VOS RÉACTIONS PERSONNELLES

Cette avant-dernière partie vous servira à décrire vos propres réactions devant votre vie religieuse. Ce sont les dernières phrases du genre. *À gauche,* l'énoncé vous décrit *très peu ; à droite,* l'énoncé vous décrit *très bien.*

					me décrit				
	très peu							*très bien*	
1. Je trouve qu'au fond l'Eglise ne s'intéresse pas à moi.	1	2	3	4	5	6	7	8	9
2. J'ai de la difficulté à mettre de l'ordre dans mes idées sur le plan religieux.	1	2	3	4	5	6	7	8	9
3. Je n'aime pas rencontrer des personnes qui n'ont pas les mêmes convictions religieuses que moi.	1	2	3	4	5	6	7	8	9
4. Ça m'arrive d'avoir le sentiment de pratiquer ma religion parce que je suis obligé.	1	2	3	4	5	6	7	8	9
5. Quand je discute de religion, je ne dis pas tout ce qui me vient à l'esprit.	1	2	3	4	5	6	7	8	9
6. Je sens que l'Eglise comprend mon point de vue personnel sur la religion.	1	2	3	4	5	6	7	8	9
7. Pour moi, ma religion m'apparaît comme quelque chose de simple.	1	2	3	4	5	6	7	8	9
8. Je trouve qu'il y a trop de changements dans l'Eglise.	1	2	3	4	5	6	7	8	9
9. Au fond je suis le seul à pouvoir juger ce que je dois faire sur le plan religieux.	1	2	3	4	5	6	7	8	9
10. Ce que je pense aujourd'hui, je l'ai vérifié par ma propre expérience.	1	2	3	4	5	6	7	8	9
11. J'ai le sentiment que l'Eglise ne sait pas trop ce qu'elle attend de moi.	1	2	3	4	5	6	7	8	9
12. Ma religion donne un sens particulier à ma vie.	1	2	3	4	5	6	7	8	9
13. J'aime mieux ne pas penser à ce que sera ma religion dans dix ans.	1	2	3	4	5	6	7	8	9
14. Les choses religieuses auxquelles je crois sont des choses auxquelles j'accorde moi-même de l'importance.	1	2	3	4	5	6	7	8	9

	me décrit								
	très peu							*très bien*	
15. Ce que je dis de la religion correspond à ce que je ressens intérieurement.	1	2	3	4	5	6	7	8	9
16. J'ai le sentiment que l'Eglise me fait confiance même quand je fais quelque chose qu'elle n'approuve pas.	1	2	3	4	5	6	7	8	9
17. Je trouve qu'il y a trop d'aspects contradictoires dans ma religion.	1	2	3	4	5	6	7	8	9
18. J'aimerais trouver de nouvelles façons de réaliser mon idéal religieux.	1	2	3	4	5	6	7	8	9
19. J'ai l'impression que ce n'est pas vraiment moi qui décide si ma vie religieuse a de la valeur ou non.	1	2	3	4	5	6	7	8	9
20. Il y a des aspects de ma vie religieuse auxquels j'aime mieux ne pas penser.	1	2	3	4	5	6	7	8	9
21. J'ai l'impression que ceux qui parlent au nom de l'Eglise vivent eux-mêmes ce qu'ils proposent.	1	2	3	4	5	6	7	8	9
22. Dans l'ensemble je réussis à distinguer ce que j'aime et ce que je n'aime pas sur le plan religieux.	1	2	3	4	5	6	7	8	9
23. La religion est (a déjà été) pour moi une source d'énervement, d'anxiété.	1	2	3	4	5	6	7	8	9
24. J'ai l'impression de n'avoir jamais voulu moi-même être catholique (ou chrétien).	1	2	3	4	5	6	7	8	9
25. Quand je pense à ma vie religieuse, je ne suis pas à l'aise.	1	2	3	4	5	6	7	8	9

SECTION H

QUELQUES RENSEIGNEMENTS

Encerclez le chiffre qui correspond à votre réponse

Votre âge, actuellement	16 ans	1
	17	2
	18	3
	19	4
	20	5
	21	6
	22	7
	23	8
	24	9
	autre . . .	
Votre sexe	masculin	1
	féminin	2

Vous êtes actuellement	externe	1
	pensionnaire	2

Nom du collège ou de l'école
que vous fréquentez ....

Votre mère est-elle vivante ?	oui	1
	non	2
Votre père est-il vivant ?	oui	1
	non	2

Quelle est l'occupation de votre père ? ....
(S'il est décédé, quelle était
son occupation ?) ....

Quel est (quel était) le revenu annuel de votre père ?	moins de $3 000	1
	entre $ 3 000 et $ 5 000	2
	entre $ 5 000 et $ 7 000	3
	entre $ 7 000 et $10 000	4
	plus de $10 000	5

Quelle est l'adresse de vos parents ? ....
(Si vous le désirez, vous pouvez
donner une adresse approximative.) ....

Depuis combien de temps habitez-vous la région de Montréal ?	je ne l'habite pas	1
	depuis 5 ans	2
	depuis 10 ans	3
	depuis 15 ans	4
	depuis plus de 15 ans	5
Actuellement vous considérez-vous comme étant membre de l'Église catholique ?	oui	1
	non	2
Sinon, vous considérez-vous comme :	croyant sans religion	1
	athée	2
	agnostique	3
	autre religion	4
Si oui, pour ce qui est de l'assistance à la messe du dimanche, pratiquez-vous	régulièrement	5
	presque toujours	6
	assez souvent	7
	rarement	8
	jamais	9

Si vous pratiquez, considérez-vous que vous « pratiquez » tous les dimanches :	parce que vous le voulez	1
	seulement parce que vous y êtes obligé	2

APPENDICE C

IDENTIFICATION RELIGIEUSE DES INFORMATEURS DU SECOND ÉCHANTILLON

L'identification religieuse des informateurs du second échantillon fut mesurée à l'aide des questions 230, 231 et 232 [1]. Les réponses à celles-ci permirent de connaître la répartition des informateurs selon l'appartenance religieuse ; la pratique dominicale de ceux qui se considèrent comme membres de l'Église catholique ; le sentiment de contrainte ou liberté des pratiquants ; l'indice résultant du regroupement des trois catégories précédentes. Voici les résultats de ces divers groupements.

1. Appartenance religieuse. — Voici comment les informateurs ont répondu à la question suivante : « Actuellement, vous considérez-vous comme étant membre de l'Église catholique, oui ou non ? Sinon : vous considérez-vous comme croyant sans religion, athée, agnostique ou d'une autre religion ? ».

	N
membres de l'Eglise catholique	85
croyants sans religion	7
athées	2
agnostiques	1
autres religions	2
total	97

2. Pratique dominicale. — Posée aux informateurs qui se définissaient comme membres de l'Église catholique, la question portant

1. Comme on s'en souviendra, c'est à ce second échantillon de jeunes gens que notre questionnaire fut administré (voir p. 39).

sur la fréquence de l'assistance à la messe dominicale a permis de regrouper ces derniers selon qu'ils déclarent pratiquer.

	N
régulièrement	59
presque toujours	14
assez souvent	6
rarement	6
jamais	0
pas de réponse	0
total	85

3. Pratique volontaire ou obligatoire. — À la question : « Si vous pratiquez, considérez-vous que vous *pratiquez* parce que vous le voulez ou parce que vous y êtes obligé ? », les informateurs répondirent de la façon suivante.

	N
je le veux	60
je suis obligé	12
pas de réponse	13
total	85

4. Indice de la pratique dominicale. — Un regroupement des diverses réponses présentées jusqu'ici permet de dégager quatre catégories d'informateurs :

	N
catholiques pratiquant régulièrement et volontairement	48
catholiques pratiquant régulièrement et obligatoirement	8
catholiques pratiquants (autres)	26
non-catholiques	12

Ces catégories furent encore regroupées pour en arriver à distinguer entre les *catholiques pratiquant régulièrement et volontairement* (N = 48) et *tous les autres informateurs* (N = 46). Au cours de l'analyse présentée au chapitre IV de la deuxième partie, la catégorie « pratiquant » (P) groupe donc les catholiques pratiquant régulièrement et volontairement, et la catégorie « non-pratiquant » (NP) comprend tous les autres informateurs.

APPENDICE D

ÂGE ET STATUT SOCIAL DES INFORMATEURS DU SECOND ÉCHANTILLON

TABLEAU 19

Répartition des informateurs du second échantillon selon l'âge et selon le cours suivi (N = 97 [a])

âge	cours		total
	classique	scientifique	
18 ans et moins	1	18	19
19 ans	8	22	30
20 ans et plus	30	10	40
indéterminé	7	1	8
total	46	51	97

[a] L'échantillon total comprenait 97 informateurs, mais trois furent ensuite rejetés parce qu'ils n'avaient pas répondu de façon complète au questionnaire.

TABLEAU 20

Répartition des informateurs du second échantillon selon l'occupation de leur père (N = 97)

profession	cours		total
	classique	scientifique	
professionnel	8		8
gérance	13	3	16
semi-professionnel petite administration	15	12	27
employé	3	2	5
ouvrier spécialisé	1	18	19
ouvrier semi-spécialisé		9	9
ouvrier non spécialisé	4	4	8
cultivateur	1		1
autres	1	3	4
total	46	51	97

APPENDICE E

SCORE C : MESURE DU TYPE IDÉAL D'EXPÉRIENCE RELIGIEUSE [1]

A. ITEM COMPOSANT CE SCORE

2. Mon idéal religieux influence vraiment ma vie de tous les jours.

3. J'ai de la difficulté à ne pas voir ensemble sexualité et péché.

4. Dieu m'apparaît comme une personne compréhensive avec laquelle on peut entrer en contact.

5. Je considère que la pratique religieuse (messe, confession, etc.) est l'aspect le moins important de la religion.

6. Je crois que ma vie religieuse n'aurait pas de sens hors de l'Église.

9. Je me dis que plus je fais de prières, plus j'ai de mérite.

12. Je pense que si je laissais tomber la morale catholique, c'est toute ma vie religieuse que je viendrais à abandonner.

19. Dans ma vie religieuse, les dogmes sont ce qu'il y a de plus important.

20. Je trouve qu'une messe en semaine a autant de valeur qu'une messe du dimanche.

24. J'aime mieux (ou j'aimerais mieux) quelquefois ne pas aller à la messe le dimanche plutôt que d'y aller sans que ça ne me dise rien.

34. Dans ma vie religieuse à moi, le prêtre est plus un homme comme les autres qu'un représentant du Christ.

35. La pratique religieuse a pour moi de moins en moins de signification.

36. J'accorde plus d'importance aux prières collectives (à l'église, en famille, etc.) qu'aux prières que je peux faire tout seul.

44. Les choses auxquelles j'accorde le plus de valeur dans ma vie ne sont pas reliées à mon idéal religieux.

1. Pour la signification de ce score, voir le chapitre IV de la deuxième partie.

B. DISTRIBUTION DU SCORE C

score	fréquence	score	fréquence
0		8	12
1	1	9	9
2	1	10	10
3	2	11	6
4	9	12	2
5	7	13	
6	14	14	4
7	17	15	

Total : 94.
— Médiane : 0-7 = 51.
+ Médiane : 8-15 = 43.
Moyenne arithmétique: 7,6.

APPENDICE F

LES GROUPES DE RÉFÉRENCE

TABLEAU 21

Distribution des réponses à la question : « Indiquez ici, les trois personnes (ou les trois groupes) qui vous ont le plus influencé. »

	1er choix	2e choix	3e choix	rangs [a] poids
1. mère	38	6	11	137
2. père	13	17	7	80
3. parents en général	4	3	2	20
4. ami — confrère	7	22	13	78
5. amie — « blonde »	5	16	4	51
6. prêtre du collège ou de l'école	16	15	21	99
7. curé — aumônier directeur spirituel, etc.	4	6	11	35
8. écrivains — romanciers	5	4	10	33
9. professeurs	3	3	6	21
10. autres — indéterminé	1	2	7	14
11. pas de réponse	1	3	5	
total	97	97	97	

[a] Cette pondération fut effectuée en accordant trois points à un premier choix, deux points à un second et un point à un troisième choix.

APPENDICE G

ITEM DU SCORE D'ACTUALISATION DANS L'EXPÉRIENCE RELIGIEUSE (SCORE A)[1]

	me décrit *très peu*		*très bien*	
1. J'ai de la difficulté à mettre de l'ordre dans mes idées sur le plan religieux[a].	1 2	...	8 9	(cohérence)
2. Je n'aime pas rencontrer des personnes qui n'ont pas les mêmes convictions religieuses que moi[a].	1 2	...	8 9	(ouverture à l'expérience)
3. Ça m'arrive d'avoir le sentiment de pratiquer ma religion parce que je suis obligé[a].	1 2	...	8 9	(autonomie)
4. Quand je discute de religion, je ne dis pas tout ce qui me vient à l'esprit[a].	1 2	...	8 9	(congruence)
5. Pour moi ma religion m'apparaît comme quelque chose de simple.	1 2	...	8 9	(cohérence)
6. Je trouve qu'il y a trop de changements dans l'Église[a].	1 2	...	8 9	(ouverture à l'expérience)
7. Au fond je suis le seul à pouvoir juger ce que je dois faire sur le plan religieux.	1 2	...	8 9	(autonomie)
8. Ce que je pense aujourd'hui, je l'ai vérifié par ma propre expérience.	1 2	...	8 9	(congruence)
9. Ma religion donne un sens particulier à ma vie.	1 2	...	8 9	(cohérence)
10. J'aime mieux ne pas penser à ce que sera ma religion dans dix ans[a].	1 2	...	8 9	(ouverture à l'expérience)

1. Pour la signification de ce score, voir le chapitre IV de la deuxième partie.

	me décrit *très peu*		*très bien*	
11. Les choses religieuses auxquelles je crois sont des choses auxquelles j'accorde moi-même de l'importance.	1 2	...	8 9	(autonomie)
12. Ce que je dis de la religion correspond à ce que je ressens intérieurement.	1 2	...	8 9	(congruence)
13. Je trouve qu'il y a trop d'aspects contradictoires dans ma religion [a].	1 2	...	8 9	(cohérence)
14. J'aimerais trouver de nouvelles façons de réaliser mon idéal religieux.	1 2	...	8 9	(ouverture à l'expérience)
15. J'ai l'impression que ce n'est pas vraiment moi qui décide si ma vie religieuse a de la valeur ou non.	1 2	...	8 9	(autonomie)
16. Il y a des aspects de ma vie religieuse auxquels j'aime mieux ne pas penser [a].	1 2	...	8 9	(congruence)
17. Dans l'ensemble je réussis à distinguer ce que j'aime et ce que je n'aime pas sur le plan religieux.	1 2	...	8 9	(cohérence)
18. La religion est (a déjà été) pour moi une source d'énervement, d'anxiété [a].	1 2	...	8 9	(ouverture à l'expérience)
19. J'ai l'impression de n'avoir jamais voulu moi-même être catholique (ou chrétien [a]).	1 2	...	8 9	(autonomie)
20. Quand je pense à ma vie religieuse, je ne suis pas à l'aise [a].	1 2	...	8 9	(congruence)

---

[a] Pour ces phrases, le pôle « actualisation » est à 1 ; pour les autres, il est à 9.

APPENDICE H

RÉPONSES[1] *À LA QUESTION : « QUELLE IMAGE VOUS FAITES-VOUS DU PRÊTRE IDÉAL ? »*

« C'est un prêtre qui comprend l'idée des gens en matière de religion, et qui ne saute pas sur les principes pour essayer de leur faire comprendre des choses qu'ils ne peuvent comprendre tout de suite... Par exemple, en ce qui concerne la prédestination, je ne suis pas d'accord avec eux. Ils disent que d'après la science mon point de vue est possible... mais ils s'en tiennent surtout à la Bible, et moi je trouve que la Bible c'est pas mal romancée... » (Nº 2)

« Savoir s'adapter aux étudiants, savoir se mettre à leur niveau, être sociable[2], c'est la première qualité qu'un prêtre doit avoir. Qu'il fasse comme s'il était un de nos amis [...] Le prêtre idéal est celui qui sait s'adapter à tous les milieux où il va, sans parler toujours de religion. Par son exemple. Qui sait glisser un mot quelquefois, mais jamais n'importe comment... » (Nº 3)

« Le prêtre idéal n'est pas celui qui ne fait qu'appliquer les sacrements. C'est une personne compréhensive, capable, lorsqu'on va la voir, de parler de tout avec nous. Je ne dis pas qu'il doit nous approuver toujours, mais il nous fait comprendre le bon sens. Ce n'est pas seulement une machine à dire « trois *Je vous salue Marie* et trois chapelets ». C'est un psychologue qui, au lieu d'étudier juste ce qu'il voit, étudie aussi l'intérieur des gens. » (Nº 4)

« D'abord, ils ne veulent pas admettre la discussion, ils ne veulent pas discuter. Puis, ils ont une certaine difficulté à dire aux gens clairement ce qu'est la religion. Ils aiment mieux raconter qu'il y aura une messe à sept heures pour un tel, raconter toutes sortes de blagues au lieu d'enseigner vraiment ce qu'est la religion. Le prêtre, pour moi, c'est le curé d'Ars — vous connaissez le curé d'Ars ? Qu'il soit fatigué ou pas, qu'il en ait par-dessus la tête ou pas, ça ne change rien ; il y va quand même et il est prêt à donner ses pantalons, ça ne le dérange pas du tout. » (Nº 5)

« Le prêtre idéal, c'est à peu près mon aumônier. Quand il vient en classe, ce n'est pas toujours pour parler de religion : il parle des sorties. Il sait comment s'y prendre. Il nous demande d'abord ce qu'on a fait en fin de semaine. Il parle ensuite des filles. Quand il parle de religion, il connaît bien sa matière, il donne des exemples, des

1. Nous laissons de côté ceux qui ont répondu indirectement, par exemple le nº 1 qui a décrit différemment ce qu'il entend par le prêtre idéal. Les extraits présentés ici sont tirés des dix premières fiches ; il ne s'agit donc pas d'un choix arbitraire de notre part. Les étudiants du classique et du scientifique y sont également représentés.

2. *Etre sociable* semble vouloir dire ici : « être capable de parler avec les gens de tout ce qui les intéresse », comme le ferait un ami.

exemples de saints. Moi j'aime bien cela. J'aimerais connaître intimement un prêtre et aller me confier à lui... Je suis certain que mes parents ne connaissent pas de prêtres. Il me semble que c'est bon d'avoir pour ami un prêtre comme ça : on a confiance en lui, il est là pour nous diriger. J'aurais plus confiance à un prêtre qu'à un ami : on dirait qu'il nous comprend mieux. » (N° 6)

« Un prêtre comprenant la jeunesse, un prêtre dans la trentaine, pas plus vieux (un plus vieux a de l'expérience, mais la vieillesse a peut-être oublié la jeunesse). Il n'y a pas longtemps que le jeune prêtre avait notre âge : il pense à peu près comme nous et il est alors plus apte à répondre à nos questions.

— À quel genre de questions pensez-vous en disant ça ?

—À des problèmes de jeunes filles, des problèmes de religion, des problèmes sexuels. » (N° 7)

« Le laïc, c'est un homme qui agit, c'est un homme qui est là pour recevoir les conseils des prêtres, il est là pour recevoir ce que le prêtre lui donne. Mais à trente ou trente-cinq ans, je ne sais pas si ces contacts-là sont encore possibles. Quand on a des problèmes réellement trop personnels, on va en discuter avec un prêtre. C'est leur profession à eux, ils vivent ça constamment, vingt-quatre heures par jour, ils comprennent. » (N° 8)

« À mon sens, c'est un homme entier, un homme qui peut jaser facilement avec d'autres hommes sur tous les plans, et qui témoigne d'une vision du monde, que lui voit comme étant une vision chrétienne du monde. En plus de ça, c'est un homme qui peut facilement nous rendre réelles des vérités, sans qu'il y ait une vulgarisation bête. Il nous présente quelque chose de structuré, qui se tient. » (N° 9)

« Tout dépend du ministère qu'il exerce : aller en mission, évidemment, c'est bien difficile. Souvent au Québec, par la Sainte-Enfance, on croit que le prêtre idéal, c'est le prêtre des missions. Peut-être, est-ce cela, en tout cas c'est une forme. Ce prêtre peut être bon ou non, mais je crois que ça demande plus de générosité que d'autres fonctions : ils abandonnent tout, ils travaillent énormément. Un prêtre qui enseigne [3] : on manque de prêtres et il y en a un tas qui enseignent encore [4]. On n'en a pas assez, on ne les paye pas assez, je ne comprends pas pourquoi. » (N° 10)

3. Ce qui se dégage de cette interview est que le prêtre devrait s'occuper d'autres choses que de l'enseignement. S'occuper de l'enseignement ne constitue pas pour cet informateur la fonction propre du prêtre. Il ne précise pas toutefois ce qui, à ses yeux, correspondrait à cette fonction propre du prêtre.

4. Le lecteur comprendra pourquoi il est impossible de donner des extraits de tous les interviews sur ce thème, et pourquoi il est impossible aussi de citer *in extenso* les extraits d'interviews se rapportant aux thèmes analysés dans ce chapitre.

APPENDICE I

QUELQUES TÉMOIGNAGES RELATIFS AU SENTIMENT DE BRISURE ENTRE LES INFORMATEURS ET LEURS PARENTS[1]

« C'était bon pour l'ancien temps. » (N° 2) Cet informateur parle de certaines pratiques de ses parents.

« La discussion ne va pas loin : je comprends qu'elle puisse avoir ses opinions sur la religion. On n'en discute pas : je n'essaie pas de résoudre le problème, ça poserait d'autres problèmes, alors je contourne la difficulté. » (N° 10)

« Je ne leur parle que des petits problèmes... C'est plutôt superficiel. Je ne leur parle jamais de mes problèmes personnels. Ceux-là, je les garde pour moi ou j'en parle avec un prêtre. » (N° 8)

« Dans le domaine religieux, ça ne marche plus. On ne s'accorde plus. Au point de vue ouverture d'esprit, c'est complètement fermé. »

« Je ne parle jamais de religion avec mon père. Il en a assez de sa petite besogne : il fait un tas de jobs. Mais au point de vue esprit, il est fermé : si le curé l'a dit... » (N° 10)

« Ma mère n'a pas pu se faire instruire beaucoup. On ne peut pas discuter avec elle, et en plus, elle a certains préjugés, même beaucoup. Probablement qu'à part les petits problèmes, elle ne serait pas en mesure de discuter avec moi. » (N° 13)

« C'est rare que je discute avec eux. Je garde cela pour moi ou j'en discute avec mes amis. Je sais d'avance ce qu'ils vont me répondre, et ce qu'ils vont me répondre ne fait pas mon affaire. J'aime autant ne pas en parler. D'ailleurs, je n'en ai pas souvent l'occasion. » (N° 11)

« On n'a jamais beaucoup parlé de religion. » (N° 16)

« Quand je suis avec mes parents, il ne me vient jamais à l'esprit de parler de religion. Parfois, avec ma mère... en passant, cela va arriver. Mais ça n'est rien de sérieux. » (N° 17)

« Il a des idées périmées. Je connais ses vues sur le Québec : tout y est pour le mieux dans le meilleur des mondes. Il est même dépassé par l'Église. Forcément, il n'y a pas moyen de discuter avec lui. » (N° 23)

1. Voir le chapitre III de la deuxième partie où est discuté ce sentiment de brisure.

Bibliographie

ADORNO, T.W., Else FRENKEL-BRUNSWIK, D.J. LEVINSON et R.N. SANDFORD, *The Authoritarian Personality*, 2 vol., New York, Harper, 1950, 982 p.

ALLPORT, Gordon W., *The Individual and His Religion*, New York, The Macmillan Company, 1950, 147 p.

ARGYRIS, Chris, *Understanding Organizational Behavior*, Homewood (Ill.), The Dorsey Press, 1960, 179 p.

ARON, Raymond, *la Sociologie allemande contemporaine*, Paris, Presses Universitaires de France, 1950, 176 p.

BROOKS, Cleanth, *The Hidden God*, New Haven (Conn.), Yale University Press, 1963, 136 p.

BUBER, Martin, *la Vie en dialogue*, traduit par Jean Loewenson-Lavi, Paris, Aubier-Montaigne, 1959, 253 p.

~, *Eclipse of God*, New York, Harper Torchbooks, 1957, 152 p.

CAILLOIS, Roger, *l'Homme et le sacré*, 3e éd., Paris, Gallimard, « Idées NRF », 1963, 246 p.

CANNELL, Charles F. et Robert L. KAHN, *The Dynamics of Interviewing*, New York, John Wiley and Sons, 1960, 368 p.

CANTRIL, Hadley et Muzafer SHERIF, *The Psychology of Ego-involvements*, New York, John Wiley and Sons, 1947, 525 p.

CARRIER, Hervé, s.j., *Psycho-sociologie de l'appartenance religieuse*, Rome, Presses de l'Université grégorienne, 1960, 314 p.

~, « La religion des étudiants américains », *Archives de sociologie des religions*, no 12, 1961, p. 89-107.

CLARK, Walter Houston, *The Psychology of Religion*, New York, The Macmillan Company, 1958, 485 p.

CRUTCHFIELD, Richard S. et David KRECH, *Théorie et problèmes de psychologie sociale*, traduit par H. Lesage, Paris, Presses Universitaires de France, 1952, t. II, 273 p.

DESROCHE, Henri, « Sociologie et théologie dans la typologie religieuse de Joachim Wach », *Archives de sociologie des religions*, no 1, 1956, p. 41-64.

DOHRENWEND, Barbara Snell, David KLEIN et Stephen A. RICHARDSON, *Interviewing : Its Forms and Functions*, New York, Basic Books, 1965, 380 p.

DUMONT, Fernand, « Réflexions sur l'histoire religieuse du Canada français », dans *l'Église et le Québec*, Montréal, Éditions du Jour, 1961, p. 47-65.

EDWARDS, Allen L., *Techniques of Attitude Scale Construction,* New York, Appleton-Century-Crofts, 1957.

FICHTER, Joseph H., « A Comparative View of Parish Priest », *Archives de sociologie des religions,* n° 16, 1963, p. 44-49.

FISKE, Marjorie, Patricia L. KENDALL et Robert K. MERTON, *The Focused Interview,* Glencoe (Ill.), The Free Press, 1956, 186 p.

FREUD, Sigmund, *Psychologie collective et analyse du moi,* suivi de *Cinq leçons sur la psychanalyse,* Paris, Payot, 1953, 177 p.

FROMM, Erick, *The Forgotten Language,* New York, Grove Press, 1957, 263 p.

~, *Psychoanalysis and Religion,* New Haven (Conn.), Yale University Press, 1959, 119 p.

GETZELS, N.W. et J.J. WALSH, « The Methods of Direct and Projective Questionnaire in the Study of Attitude Structure and Socialization », *Psychological Monographs,* vol. 72, n° 1, 1958, 36 p.

GOODE, William J., *Religion among the Primitives,* New York, The Free Press of Glencoe, 1964, 321 p.

GORDON, Thomas, *Group-Centered Leadership,* Cambridge (Mass.), The Riverside Press, 1955, 366 p.

GUILLAUME, Paul, *Manuel de psychologie,* Paris, Presses Universitaires de France, 1957, 315 p.

GURVITCH, Georges, *Morale théorique et science des mœurs,* Paris, Presses Universitaires de France, 1961, 144 p.

HALL, Calvin S. et Gardner LINDZEY, *Theories of Personality,* New York, John Wiley and Sons, 1958, 572 p.

HESNARD, André, *Psychanalyse du lien interhumain,* Paris, Presses Universitaires de France, 1957, 231 p.

INKELES, Alex, « Personality and Social Structure », dans Robert K. MERTON, Leonard BROOM et Leonard S. COTTRELL Jr., *Sociology Today,* New York, Basic Books, 1959, chap. II, p. 249-276.

~ et Daniel J. LEVINSON, « National Character : The Study of Modal Personality and Sociocultural Systems », dans Gardner LINDZEY, *Handbook of Social Psychology,* Cambridge, Addison-Wesley, 1956, t. II, chap. 26, p. 977-1020.

ISAMBERT, François-A., « L'analyse des attitudes religieuses », *Archives de sociologie des religions,* n° 11, 1961, p. 35-53.

JOHNSON, Paul E., *Psychology of Religion,* édition revisée, Nashville (N.Y.), Abingdon Press, 1959, 304 p.

KINGET, G. Mariam et Carl R. ROGERS, *Psychothérapie et relations humaines,* Louvain, Publications universitaires, 1962, vol. 1, 319 p.

KLUCKHOHN, Clyde *et al.,* « Values and Value-orientations in the Theory of Action », dans Talcott PARSONS et Edward A. SHILS (éd.), *Toward a General Theory of Action,* New York, Harper Torchbooks, 1962, 388 p.

LAPOINTE, Gérard, *le Diocèse de Sainte-Anne-de-la-Pocatière : structures sociales et attitudes religieuses,* thèse de doctorat dans l'enseignement supérieur des lettres, École pratique des Hautes Études, Université de Paris, 1963, 356 p.

LAVELLE, Louis, *Traité des valeurs,* Paris, Presses Universitaires de France, 1951, t. I, 751 p. ; 1955, t. II, 560 p.

LE CHEVALIER, Charles, *la Confidence et la personne humaine,* Paris, Aubier, 1960, 403 p.

LEPP, Ignace, *Psychanalyse de l'athéisme moderne,* Paris, Bernard Grasset, 1961, 260 p.

LESSA, William A., *Reader in Comparative Religion,* Evanston (Ill.), Row, Peterson and Company, 1958, 598 p.

LÉVY-BRUHL, Lucien, *les Carnets de Lucien Lévy-Bruhl,* préface de Maurice Leenhardt, Paris, Presses Universitaires de France, 1949, 257 p.

LIÉGÉ, P.-A., « La foi », dans *Initiation théologique,* Paris, Éditions du Cerf, 1955, t. III, chap. VIII, p. 467-524.

LIPSET, Seymour M. et Leo LOWENTHAL, *Culture and Social Structure,* New York, The Free Press of Glencoe, 1961, 466 p.

Lumen vitae, numéro sur la *Psychologie religieuse,* n° 2, 1957, p. 202-408.

LYND, Helen Merrell, *On Shame and the Search for Identity,* New York, Harcourt, Brace and Company, 1958, 318 p.

MAITRE, Jacques, « Structure et mesure en sociologie du catholicisme », *Archives de sociologie des religions,* n° 11, 1961, p. 53-71.

~, « Un sondage polonais sur les attitudes religieuses de la jeunesse », *Archives de sociologie des religions,* n° 12, 1961, p. 133-145.

MARTIN, Bernard, *The Existentialist Theology of Paul Tillich,* New Haven (Conn.), College and University Press, 1964, 221 p.

MARTINS, Antonio-A., « L'analyse hiérarchique des attitudes religieuses », *Archives de sociologie des religions,* n° 11, 1961, p. 71-93.

MERTON, Robert K., *Social Theory and Social Structure,* édition revisée, New York, The Free Press of Glencoe, 1962, 645 p.

MOREUX, Colette, *Fin d'une religion? Monographie d'une paroisse canadienne-française,* Montréal, Les Presses de l'Université de Montréal, 1969, 486 p.

NELSON, Erland N.P., « Patterns of Religious Attitude Shifts from College to Fourteen Years Later », *Psychological Monographs,* n° 17, 1956, 15 p.

PAGÈS, Max, *l'Orientation non directive en psychothérapie et en psychologie sociale,* Paris, Dunod, 1965, 181 p.

PARSONS, Talcott, *Social Structure and Personality,* New York, The Free Press of Glencoe, 1964, 376 p.

PAWELCZYNSKA, A., « Les attitudes des étudiants varsoviens envers la religion », *Archives de sociologie des religions,* n° 12, 1961, p. 107-133.

REY, André, *l'Examen clinique en psychologie,* Paris, Presses Universitaires de France, 1958, 222 p.

RIESMAN, David, *la Foule solitaire,* traduit de l'américain, Paris, Arthaud, 1964, 379 p.

RIOUX, Marcel et Robert SÉVIGNY, *les Nouveaux Citoyens,* Montréal, Service des publications de Radio-Canada, 1965, 91 p.

ROCHER, Guy et Fernand DUMONT, « Introduction à une sociologie du Canada français », *Recherches et débats du Centre catholique des intellectuels français,* n° 34, *le Canada français, aujourd'hui et demain,* Paris, Librairie Arthème Fayard, 1961, p. 13-38.

ROGERS, Carl R., *On Becoming a Person,* Boston, Houghton Mifflin Company, 1961, 420 p.

~, *le Développement de la personne,* traduit par E.L. Herbert, Paris, Dunod, 1966, 283 p.

~ et Rosalind F. DYMOND, *Psychotherapy and Personality Change,* Chicago (Ill.), The University of Chicago Press, 1954, 447 p.

ROKEACH, Milton, *The Open and Closed Mind,* New York, Basic Books, 1960, 447 p.

ROSTEN, Leo, *Religions in America,* New York, Simon and Schuster, 1963, 415 p.

RUITENBEEK, Hendrik M., *The Individual and the Crowd. A Study of Identity in America,* New York, New American Library, 1965, 125 p.

SARBIN, Theodore R., « Role Theory », dans Gardner Lindzey, *Handbook of Social Psychology,* Cambridge, Addison-Wesley, 1956, t. I, chap. 6, p. 223-258.

SCHARR, John H., *Escape from Authority,* New York, Basic Books, 1961, 349 p.

SÉVIGNY, Robert, *le Cadre interne de référence et le sentiment d'être compris dans les relations interpersonnelles entre clercs et laïcs,* thèse de licence en psychologie, Université de Montréal, août 1961, 114 p.

~, *le Jeune Laïc canadien-français : son état religieux,* communication donnée à la Fédération des Collèges classiques, 1963, miméo.

SHIBUTANI, Tamotsu, *Society and Personality,* Englewood Cliffs (N.J.), Prentice-Hall, 1961, 630 p.

SIEGEL, Sidney, *Nonparametric Statistics for the Behavioral Sciences,* New York, McGraw-Hill Book Company, 1956, 312 p.

SUPER, Donald E., *The Psychology of Careers,* New York, Harper and Brothers, 1957, 362 p.

TILLICH, Paul, « Faith and the Integration of Personality », *Pastoral Psychology,* n° 3, 1957, p. 11-14.

~, *Theology of Culture,* New York, Oxford University Press, 1959, 213 p.

WEBER, Max, *The Methodology of the Social Sciences,* traduit et édité par Edward A. Shils et Henry A. Finch, préface d'Edward A. Shils, Glencoe (Ill.), The Free Press, 1949, 188 p.

YINGER, J. Milton, *Religion, société, personne,* traduit par Jean-Marie Jammes, Paris, Éditions universitaires, 1964, 356 p.

Liste des tableaux*

*Je veux signaler la cordialité avec laquelle M. Kurt Jonassohn, de Sir George Williams University, et le Centre de calcul de cette institution ont accepté de compiler pour moi les réponses aux questionnaires que j'avais administrés.

Table des matières